SUSAN WIGGS

A orillas del pasado

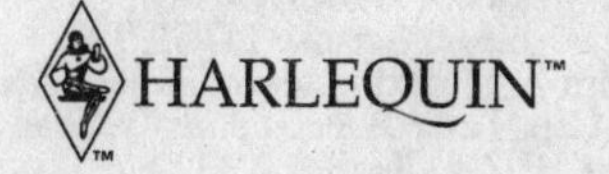

Editado por HARLEQUIN IBÉRICA, S.A.
Núñez de Balboa, 56
28001 Madrid

A ORILLAS DEL PASADO, Nº 230 - 1.7.09
Título original: Summer at Willow Lake
Publicada originalmente por Mira Books, Ontario, Canadá.

I.S.B.N.: 978-84-671-7374-1
Depósito legal: B-22292-2009
Editor responsable: Luis Pugni
Impresión y encuadernación: LITOGRAFÍA ROSÉS, S.A.
C/. Energía, 11. 08850 Gavá (Barcelona)
Imagenes de cubierta:
Mujer: VIOLESTAR/DREAMSTIME.COM
Paisaje: WD/DREAMSTIME.COM
Fecha impresión Argentina: 28.12.09
Distribuidor para México: CODIPLYRSA
Distribuidor exclusivo para España: LOGISTA
Distribuidores para Argentina: interior, BERTRAN, S.A.C. Vélez Sársfield, 1950. Cap. Fed./ Buenos Aires y Gran Buenos Aires, VACCARO SÁNCHEZ y Cía, S.A.
Distribuidor para Chile: DISTRIBUIDORA ALFA, S.A.

BIENVENIDOS AL CAMPAMENTO KIOGA

Franklin Delano Rooselvet dijo: «La mayor contribución de Estados Unidos al mundo han sido los campamentos de verano». Todo el que visite el campamento Kioga podrá comprobar que es cierto. En el campamento Kioga podrás cumplir tus mayores deseos y bañarte en las aguas cristalinas del lago, subir a la cima de las montañas para abrazar las estrellas e imaginar lo que la vida te tiene reservado en torno a una crepitante hoguera nocturna.

NORMAS DEL CAMPAMENTO KIOGA

EN EL CAMPAMENTO KIOGA ONDEAN TRES BANDERAS: LA BANDERA OFICIAL DEL CAMPAMENTO, LA BANDERA DEL ESTADO DE NUEVA YORK Y LA BANDERA DE ESTADOS UNIDOS. TODAS LAS MAÑANAS SE IZAN AL TOQUE DE DIANA PARA QUE TODOS LOS CAMPISTAS HAGAN EL SALUDO CORRESPONDIENTE. CUANDO LAS TRES BANDERAS ONDEEN EN EL MISMO MÁSTIL, LA BANDERA DE ESTADOS UNIDOS DEBE ESTAR SIEMPRE EN EL EXTREMO SUPERIOR. CUANDO ONDEEN POR SEPARADO, LA BANDERA DE ESTADOS UNIDOS DEBE SER LA PRIMERA EN IZARSE Y LA ÚLTIMA EN ARRIARSE. NINGUNA BANDERA O PENACHO PUEDE COLOCARSE ENCIMA O JUNTO A LA BANDERA DE ESTADOS UNIDOS. CUANDO LA BANDERA SEA IZADA A MEDIA ASTA, LAS OTRAS BANDERAS QUEDARÁN POR DEBAJO.

Prólogo

Olivia Bellamy no sabía qué era peor, si estar atrapada en lo alto de un mástil sin ayuda a la vista, o que la ayuda apareciera en forma de un Ángel del Infierno. Su intención había sido izar las banderas sobre el campamento Kioga por primera vez en diez años, y ni siquiera había desistido en su propósito cuando el cable se enganchó en la polea. Se valió de una vieja escalera de aluminio para subir hasta el extremo del asta, pero la escalera no era lo bastante alta y se vio obligada a trepar por el mástil. Se dijo a sí misma que podía hacerlo sin problemas… hasta que golpeó con el pie la escalera y tuvo que aferrarse al asta con todas sus fuerzas.

La distancia hasta el suelo era considerable, y el mástil de acero estaba demasiado corroído para deslizarse por él sin desollarse las manos y los muslos.

Apenas había descendido un centímetro cuando oyó el petardeo de un tubo de escape procedente de la carretera. Se llevó un susto tan grande que a punto estuvo de soltar el mástil. Instintivamente cerró los ojos y se aferró con más fuerza. Largo, pensó. No podía ver a nadie en esos momentos.

El ruido del motor se hizo más fuerte y Olivia abrió los ojos. El intruso resultó ser un motorista enfundado en cuero negro y con un casco de aspecto amenazador ocultando su rostro. Una nube de polvo se elevaba tras la motocicleta negra y cromada.

Genial, pensó Olivia. Allí estaba ella, en mitad de ninguna parte, y un Ángel del Infierno acudía en su rescate. Los brazos y hombros empezaban a temblarle, a pesar de las horas que dedicaba a fortalecerlos en el gimnasio.

El motero se detuvo al pie del mástil, desmontó y se echó hacia atrás para levantar la mirada hacia Olivia. A pesar de su embarazosa situación, Olivia se sorprendió a sí misma preguntándose qué aspecto ofrecería su trasero desde aquella perspectiva. La comida había sido su único consuelo en su infancia, y se había ganado tantos motes al respecto que nunca había superado del todo los traumas por su figura.

—Hola —saludó desde arriba.

—Hola, ¿qué pasa? —aunque no podía ver su cara, Olivia creyó percibir una sonrisa en su voz—. Está bien, lo siento —añadió el desconocido, confirmando sus sospechas—. No he podido evitarlo.

Un gracioso. Genial. Simplemente genial. Su suerte mejoraba por momentos.

Afortunadamente, no la hizo sufrir más. Levantó la escalera y la apoyó contra el mástil.

—Despacio —le aconsejó—. Yo sujeto la escalera.

Olivia había llegado al límite de su resistencia y estaba empezando a sudar. Se deslizó hacia abajo centímetro a centímetro, confiando en que su salvador no se fijara en cómo sus shorts vaqueros tiraban hacia arriba.

—Ya casi estás —le dijo él—. Un poco más.

Cuanto más descendía Olivia, más familiar le resultaba la voz de aquel tipo, y cuando su pie tocó el peldaño superior de la escalera la asaltó un mal presentimiento. Hacía años que no pisaba aquel lugar, el campamento donde había vivido sus sueños más salvajes y sus peores pesadillas. No conocía a nadie en aquellas montañas remotas... ¿o sí?

Su neurótica obsesión por la imagen le recordó que no se había peinado ni maquillado aquella mañana. Ni siquiera recordaba haberse cepillado los dientes. Sus shorts vaqueros eran demasiado cortos y el top, demasiado ceñido. Con cada peldaño que bajaba crecía su certeza de que la aguardaba una incómoda humillación al llegar abajo. Para pisar tierra firme se vio obligada a descender en los brazos del hombre, con los que sujetaba la escalera por ambos lados. Olía a cuero y algo más. Al viento, tal vez.

Los músculos de Olivia amenazaron con derrumbarse por el esfuerzo, pero usó sus últimas energías para empujarlo en el brazo y evitar verse atrapada. Él soltó la escalera y levantó las manos como si quisiera demostrar que venía en son de paz. Manos enormes en sus guantes negros. Como las de Darth Vader o Terminator.

—Tranquila —dijo él—. Ya estás a salvo.

Ella se apoyó de espaldas contra la escalera, y al mirarlo no sintió que estuviera a salvo, precisamente.

Era un gigante enfundado en cuero y vaqueros desteñidos, con una chaqueta medio abierta que revelaba

una camiseta desgarrada, unas botas viejas y un aura de irresistible sexualidad.

—Gracias —le dijo, apartándose rápidamente de él y de la escalera—. No sé qué habría hecho si no llegas a aparecer —podía verse reflejada en sus gafas de sol, ruborizada y despeinada—. ¿Qué... um...? —titubeó. Tal vez no era él. Tal vez la brisa y el sol le habían afectado el cerebro—. ¿Puedo ayudarte? —le preguntó en el tono más despreocupado posible.

—Creo que esa pregunta debería hacerla yo. Me dejaste un mensaje en mi buzón de voz. Algo sobre un proyecto de obra —se quitó las gafas de sol y se desabrochó las correas para quitarse también el casco.

Oh, no, se lamentó Olivia en silencio. Habría preferido que fuera cualquier otro menos él.

Él la miró con los ojos entornados mientras se quitaba los guantes, dedo a dedo.

—¿Nos conocemos?

¿Le estaba tomando el pelo?, se preguntó Olivia. ¿De verdad no lo sabía?

Al no recibir respuesta, él se dio la vuelta e izó la bandera con maestría y habilidad, y en pocos segundos estaba ondeando al viento.

Mirándolo, Olivia se olvidó de moverse. De pensar. De respirar. Le había bastado una mirada a aquellos ojos arrebatadores para retroceder en el tiempo y arrancar los años pasados como las hojas de un calendario. Ya no estaba mirando a un simple motero. Estaba mirando a un hombre, pero en aquellos ojos fríos y azules podía ver al chico que había sido mucho tiempo antes.

Y no un chico cualquiera. El chico. El primer chico al que ella había amado. El primero al que había besado. El primero que le había roto el corazón.

Todo su cuerpo prendió de calor y sintió como se abrasaba por dentro.

—Connor Davis —dijo, pronunciando su nombre

en voz alta por primera vez en nueve años—. Qué casualidad encontrarte aquí —comentó estúpidamente, aunque por dentro quería morir. Quería caer fulminada allí mismo, en aquel instante.

—El mismo —dijo él, como si ella pudiera olvidarlo. El hombre que prometía ser de joven se erguía en toda su fuerza y estatura ante ella.

Debía de tener veintiocho años, uno más que ella. Su físico flaco y desgarbado se había rellenado de fibra y músculo, y aunque su sonrisa chulesca y ojos brillantes seguían siendo los mismos, una barba incipiente suavizaba el duro contorno de su mandíbula cuadrada. Y aún llevaba un pendiente de plata en la oreja… Ella misma le había hecho el agujero en el lóbulo, trece años atrás.

—Así que tú eres… —se miró el dorso de la mano izquierda, donde parecía haber escrito algo con tinta morada—. ¿Olivia Bellamy?

—Olivia —rezó para que la reconociera igual que ella lo había reconocido. Como alguien del pasado. Alguien importante, alguien que había ejercido en ella una influencia para toda la vida. Dios, alguien que se había arriesgado a que la expulsaran del campamento por hacerle un agujero en la oreja.

—Sí, lo siento… Olivia —la examinó con un descarado interés masculino. Era evidente que había malinterpretado el descaro de Olivia—. No tenía ningún papel a mano cuando escuché mis mensajes —explicó, señalándose la tinta morada—. ¿Nos hemos visto antes? —le preguntó con el ceño fruncido.

Ella soltó una brusca y breve carcajada.

—Me tomas el pelo, ¿verdad? Esto es una broma —¿de verdad había cambiado tanto?

Sí, había cambiado. Era natural, después de casi una década. Había perdido mucho peso. Se había teñido de rubio su pelo castaño. Llevaba lentillas en vez de gafas. Pero aun así…

Él siguió mirándola fijamente, sin tener ni idea de quién era.

—¿Debería conocerte?

Ella cruzó los brazos, lo fulminó con la mirada y pronunció una frase que sin duda recordaría, ya que fue una de las primeras mentiras que se dijeron el uno al otro.

—Soy tu nueva mejor amiga.

El rostro bronceado y atractivo de Connor perdió todo color. Sus bonitos ojos azules se entornaron y luego se abrieron como platos. Y su nuez osciló en su garganta al tragar saliva.

—Santo Cielo —murmuró en voz baja, y levantó la mano en un gesto inconsciente para tocarse el pequeño aro de plata—. ¿Lolly?

NORMAS DE COMPORTAMIENTO DEL CAMPAMENTO KIOGA

TODO EL MUNDO HA DE PARTICIPAR EN LAS ACTIVIDADES DEL CAMPAMENTO Y VESTIR EL UNIFORME REGLAMENTARIO. LOS MONITORES SON RESPONSABLES DE GARANTIZAR LA PARTICIPACIÓN DE TODOS LOS CAMPISTAS, A MENOS QUE TENGAN UNA JUSTIFICACIÓN DE LA ENFERMERA O DEL DIRECTOR.

1

Verano de 1991

—Lolly —pronunció el chico alto y desgarbado tras ella. Era la primera vez que hablaba desde que salieron del campamento—. ¿Qué clase de nombre es Lolly?

—La clase de nombre que está escrito en la espalda de mi camiseta —respondió ella, echándose la cola de caballo sobre el hombro. Horrorizada, sintió cómo se ponía roja.

Era una reacción absurda, se dijo a sí misma. El chico era tonto y sólo le estaba haciendo una pregunta sencilla y simplona.

De eso nada, le dijo una voz en su cabeza. Era el chico más guapo en Eagle Lodge. Y más que una pregunta, había sido un comentario muy agudo destinado a ponerla nerviosa.

—Ya —murmuró el chico, y en el siguiente recodo del camino pasó junto a ella farfullando una especie de disculpa, para seguir caminando mientras silbaba un clásico de Talking Heads.

La primera actividad del campamento era hacer una marcha en parejas. Con ello se pretendía familiarizar a los campistas con el entorno y entre ellos. Las parejas habían sido formadas a medida que los chicos bajaban del autobús, mientras sus bolsas y pertenencias eran repartidas y transportadas a sus cabañas. Lolly había sido emparejada con aquel chico porque ambos habían sido los últimos en bajar del autobús.

—Soy tu nueva mejor amiga —le dijo en un tono no precisamente amistoso, cruzándose de brazos.

Él le había echado un vistazo y se había encogido de hombros, respondiéndole con un aire de falsa nobleza.

—Barkis está dispuesto.

Lolly fingió no estar impresionada por oírlo citar a *David Copperfield*.

También fingió no darse cuenta de las risitas de los otros chicos, burlándose de él por haber sido emparejado con Lolly Bellamy.

A diferencia de ella, que llevaba acudiendo al campamento desde que tenía ocho años, aquel chico era un novato en Kioga. No parecía el típico campista. Tenía el pelo demasiado largo y llevaba los shorts demasiado caídos. Sus ojos azules y pelo negro le conferían un aspecto distinto, extraño, incluso un poco peligroso.

A través de los árboles, Lolly vio a los demás campistas caminando en parejas o en grupos de cuatro, charlando amistosamente. Era el primer día del campamento, pero los chicos ya estaban eligiendo sus amistades para aquel año. Y como siempre, ya habían excluido a Lolly.

Se subió las gafas sobre el puente de la nariz y sintió una punzada de envidia al ver cómo congeniaban los otros campistas. Incluso los nuevos, como el chico alto y desgarbado, parecían adaptarse a las mil maravillas. Algunas de las chicas llevaban los *hoodies,* sudaderas con capucha, del campamento sobre los hombros, siendo su sentido de la moda mucho más fuerte que las normas de vestuario, y casi todos los chicos se habían atado los pañuelos alrededor de la frente, al estilo Rambo. Y todos se pavoneaban como si fueran los dueños del lugar.

Lo cual no dejaba de resultar paradójico, pues Lolly era la única que podía disfrutar de aquel privilegio. El campamento de verano pertenecía a sus abuelos, y ella había intentado aprovecharse de esa circunstancia para hacerse popular entre los demás chicos, sobre todo en Fledglins, para niños entre ocho y once años. Pero nunca le sirvió de nada. A casi nadie le importaba de quién fuera el campamento.

Su compañero de marcha había encontrado una rama de nogal y la usaba para atizar los matorrales o para apoyarse mientras caminaba. Su mirada iba de un lado para otro constantemente, como si temiera que alguien fuera a saltar sobre él.

—Así que tu nombre es Ronnoc —dijo ella finalmente.

Él frunció el ceño y la miró por encima del hombro.

—¿Qué?

—Está escrito en tu camiseta.

—Está vuelta del revés, genio.

—Sólo era una broma.

—Ja, ja —se mofó él, clavando el palo en la tierra.

Su destino era la cumbre de Saddle Mountain, que a pesar de su nombre era más una colina que una montaña. Una vez allí, encontrarían una hoguera con troncos dispuestos alrededor a modo de asiento. Aquél era el lugar donde se celebraban muchas tradiciones del campamento. Su abuela le había dicho que los primeros colonos y viajeros hacían señales de fuego en lo alto de las colinas para comunicarse a larga distancia. Lolly se sintió tentada de compartir esa información con su compañero de marcha, pero en el último momento se mordió la lengua.

Ya había decidido que no le gustaba aquel chico. Ni ningún otro aquel verano. Sus dos primas favoritas, Frankie y Dare, solían ir al campamento con ella y la hacían sentirse como si tuviera amigas de verdad. Pero aquel año se habían ido a hacer un viaje a California con sus padres, la tía Peg y el tío Clyde. Los padres de Lolly no hacían ese tipo de viajes. Sólo les gustaba aquello que les permitiera presumir y alardear. Viajes, propiedades, antigüedades, obras de arte… Incluso alardeaban de ella, pero eso era antes de cursar el sexto año en el colegio. El año en que sus notas empezaron a bajar al tiempo que aumentaba su peso. El año del divorcio.

—Se supone que tenemos que aprender tres cosas el uno del otro —dijo el chico sin sentido del humor. El chico con quien ella no quería trabar amistad—. Y cuando lleguemos a la cima tenemos que presentarnos al resto del grupo.

—No quiero saber tres cosas de ti —dijo ella en tono altanero.

—Lo mismo digo.

El primer fuego de campamento siempre resultaba soporífero. Lo cual era una lástima, porque no tendría por qué serlo. Los niños pequeños eran los que más y mejor lo aprovechaban, ya que no sabían qué información guardarse y cuál compartir. El año anterior, Lolly había declarado que sus padres iban a divorciarse y se había puesto a llorar. Desde entonces su vida había sido una pesadilla, pero al menos la confesión había sido sincera. En aquel grupo de doce a catorce años, Lolly ya sabía que las presentaciones serían aburridísimas o falsas, o ambas cosas.

—Ojalá pudiéramos saltarnos esa parte —dijo—.

Va a ser una auténtica lata. Los niños pequeños son más interesantes, porque al menos lo cuentan todo.

—¿Qué quieres decir con «todo»?

—Por ejemplo, que su tío está siendo investigado por los federales o que su hermano tiene tres pezones.

—¿Tres qué?

Lolly se arrepintió de haber sacado el tema, pero ya era tarde para echarse atrás.

—Ya me has oído.

—Nadie tiene tres pezones.

—Baby Blackmun le dijo al grupo que su hermano tenía tres.

—¿Llegaste a verlo? —la retó él.

—Ni loca querría ver algo así —respondió ella, estremeciéndose de asco—. Puaj.

—Era una trola.

—Apuesto a que tú también tienes un pezón de más —dijo ella sin pensar. Sabía que las probabilidades de que fuera cierto eran nulas.

El chico se detuvo, se dio la vuelta y se quitó la camiseta con un movimiento ágil y elegante, tan rápido que ella no tuvo tiempo de reaccionar.

—¿Quieres contarlos?

A Lolly le ardieron las mejillas y pasó junto a él, manteniendo la vista al frente. Era una idiota. Una completa idiota. ¿En qué había estado pensando?

—Tal vez tú tengas tres pezones —dijo él en tono burlón—. A lo mejor debería contarlos.

—Estás loco —dijo ella sin detenerse.

—Eres tú la que ha sacado el tema.

—Sólo intentaba hablar un poco, porque tú eres un muermo.

—Sí, así soy yo. Un muermo —pasó junto a ella, imitando su manera de caminar. En vez de volver a ponerse la camiseta se la había atado a la cintura, y con la cinta de First-Blood parecía un salvaje como los de *El señor de las moscas*.

No era más que un fanfarrón y un…

Lolly tropezó con la raíz de un árbol y tuvo que agarrarse a una rama para guardar el equilibrio. Él se giró rápidamente, y por un instante fugaz pareció que se disponía a sujetarla. Pero enseguida reanudó la marcha, sin tocarla. Ella volvió a mirarlo, pero esa vez no lo hizo por impertinencia ni grosería, sino por pura preocupación.

—¿Qué tienes en la espalda? —le preguntó descaradamente.

—¿El qué? —espetó el Señor de las moscas, mirándola con el ceño fruncido.

—Al principio creí que no te habías lavado, pero creo que tienes un cardenal enorme —le señaló la espalda, a la altura de la caja torácica.

Él se detuvo y se dio la vuelta con una expresión casi cómica.

—No tengo ningún cardenal. ¿Primero ves pezones de sobra y ahora cardenales invisibles?

—Lo estoy viendo ahora mismo —insistió ella, y a pesar de su irritación no pudo evitar una cierta compasión. Por el color parecía que la herida estaba sanando, pero debió de ser muy dolorosa.

Él entornó los ojos y su expresión se tornó severa, incluso amenazante.

—No es nada —declaró—. Me caí de la bici —volvió a girarse y siguió caminando, tan rápido que ella tuvo que apresurarse para alcanzarlo.

—No pretendía enfadarte.

—No estoy enfadado contigo —espetó él, y aceleró aún más el paso.

No había tardado mucho en hacerse su primer enemigo del verano, pensó Lolly. Y no sería el único. Tenía un talento innato para ganarse la antipatía de las personas.

Connor le había dicho que no estaba enfadado, pero era evidente que estaba disgustado por algo. Una furia contenida se advertía en sus músculos tensos y sus rápidos movimientos. Normalmente, caerse de una bici provocaba heridas en los codos y las rodillas, y quizá en la cabeza. Pero para lastimarse la espalda habría que caer rodando por una colina y chocar contra algo duro. A no ser que estuviera mintiendo...

Se sentía intrigada y decepcionada al mismo tiempo. Decepcionada porque quería odiarlo y no volver a pensar en él en todo el verano. Intrigada porque era mucho más interesante de lo que debería ser.

También era un poco nervioso, con aquel pelo demasiado largo para su edad, sus pantalones caídos, sus high-tops reparados con cinta adhesiva... Y su mirada ocultaba algo más que la típica chulería infantil. Aquellos ojos azules que habían leído *David Copperfield debían* de haber visto cosas que una chica como ella no podía ni imaginar.

Torcieron en una curva y se encontraron con una caudalosa e imponente catarata que descargaba un torrente constante de agua ante ellos.

—Guau —exclamó Connor, echando la cabeza hacia atrás para contemplar la cascada. El agua caía desde una altura de treinta metros, levantando una nube espumosa al impactar contra las rocas, y atravesada por los arcos iris que dibujaban los rayos solares—. Es impresionante.

—Meerskill Falls —dijo ella, elevando la voz para hacerse oír sobre el rugido del agua—. Es una de las cataratas más altas del Estado. Vamos, hay una buena vista desde el puente.

El puente Meerskill había sido construido en 1930 por el gobierno. Su inmensa estructura de hormigón cruzaba el desfiladero sobre las turbulentas aguas.

—Los nativos lo llaman el Puente de los suicidios, porque la gente se mataba arrojándose desde lo alto.

—Sí, claro —dijo él. Parecía cautivado por la cascada y la exuberante vegetación que crecía a sus pies.

—Lo digo en serio. Por eso hay una valla en lo alto del puente —explicó mientras intentaba mantenerse a su paso—. La pusieron hace cincuenta años, después de que dos jóvenes se arrojaran al vacío.

—¿Cómo sabes que se arrojaron? —preguntó él. La nube que levantaba la cascada le mojaba el pelo y las pestañas, haciéndolo aún más atractivo.

Lolly se preguntó si la neblina también la haría parecer bonita a ella. Seguramente no. Sólo hacía que se le empañaran las gafas.

—Supongo que sólo ellos lo saben —admitió. Llegaron a la pasarela y cruzaron el arco que formaba la cadena de seguridad.

—Tal vez se cayeron accidentalmente, o tal vez los empujaron… O tal vez ni siquiera existieron.

—¿Siempre eres tan escéptico?

—Sólo cuando alguien me está contando una trola.

—No es una trola. Puedes preguntárselo a cualquiera —cruzó el puente con la cabeza muy alta y llegó al otro extremo sin esperar a ver si él la seguía.

Estuvieron caminando un rato en silencio. Se habían quedado bastante rezagados respecto al grupo, pero a él no parecía importarle, y Lolly decidió que a ella tampoco le importaba. Aquella marcha no era una carrera.

De vez en cuando le lanzaba miradas fugaces. Tal vez pudiera resultarle simpático aquel chico, aunque sólo fuera un poco.

—Cuidado —bajó la voz al pasar junto a un prado, salpicado de florecillas silvestres y rodeado de abedules—. Una cierva y dos cervatillos.

—¿Dónde? —preguntó él, estirando el cuello.

—Shhh. No hagas ruido —susurró ella, sacándolo del sendero. No era raro encontrarse con ciervos en aquella zona, pero siempre resultaba un espectáculo encantador ver a los cervatillos con su suave pelaje y sus ojos grandes y tímidos.

Lolly y Connor se detuvieron en el borde del claro y

observaron a los animales. Los pequeños se mantenían pegados a su madre, mientras ésta escarbaba entre las hojas y la hierba. Lolly le hizo una seña a Connor para que se sentara junto a ella en un tronco caído y le entregó unos prismáticos que sacó de su mochila.

—Es impresionante —dijo él, mirando por los prismáticos—. Nunca había visto un ciervo en libertad.

Lolly se preguntó de dónde vendría. Los ciervos no eran nada del otro mundo.

—Un cervatillo se come el equivalente a su peso a diario.

—¿Cómo lo sabes?

—Lo leí en un libro. El año pasado me leí sesenta libros.

—Cielos… ¿Y por qué?

—Porque no tuve tiempo para leer más —respondió ella con un bufido altanero—. Cuesta creer que la gente cace ciervos, ¿verdad? A mí me parecen preciosos —tomó un trago de agua de su cantimplora. La escena que tenían ante sus ojos era como una pintura campestre. La hierba verde, las aguileñas y espadillas azules agitándose con la brisa, los animales pastando…

—Puedo ver hasta el lago —comentó Connor—. Son unos buenos prismáticos.

—Me los regaló mi padre… Un regalo de conciencia.

—¿Qué es un regalo de conciencia? —preguntó él, bajando los prismáticos.

—Es cuando tu padre se pierde tu recital de piano y te hace un regalo carísimo porque se siente culpable.

—Hay cosas peores que tu padre se pierda un recital de piano —volvió a mirar por los prismáticos—. ¿Es una isla eso que hay en el centro del lago?

—Sí. Se llama Spruce Island. Desde allí lanzan los fuegos artificiales el Cuatro de Julio. El año pasado intenté llegar a nado hasta ella, pero no lo conseguí.

—¿Qué pasó?

—Tuve que pedir ayuda cuando aún iba por la mitad. Cuando me devolvieron a la orilla, me puse a fingir que me estaba ahogando para que no me acusaran de intentar llamar la atención. Tuvieron que llamar a mis padres —lo cual había sido su intención desde el primer momento, naturalmente—. Mis padres se divorciaron el año pasado y pensé que vendrían los dos a recogerme —la confesión le hizo daño en la garganta.

—¿Y funcionó?

—Claro que no. La idea de hacer algo como una familia unida se había terminado para siempre. Me enviaron a un psicólogo que dijo que tenía que «redefinir mi concepción de la familia y mi propio papel en la misma». Así que ése es ahora mi trabajo. Adaptarme a mi nueva situación, mientras mis padres se comportan como si el divorcio fuera lo más natural del mundo —se abrazó a sus rodillas y contempló a los ciervos hasta que se le nubló la vista—. Pero para mí no es tan sencillo. Es como si me hubieran arrojado al mar y nadie se creyera que me estoy ahogando.

Al principio pensó que él había dejado de escucharla, porque se había quedado muy callado, igual que el doctor Schneider durante sus sesiones.

—Si te estás ahogando de verdad y nadie se lo cree —dijo finalmente—, tendrás que aprender a nadar.

—Lo tendré en cuenta.

Él no la miró, como si presintiera que Lolly necesitaba tiempo para recomponerse, y siguió mirando por los prismáticos y silbando una melodía entre los dientes. Lolly creyó reconocer el tema *Stop Making Sense*, de Talking Heads, y por alguna extraña razón se sintió extremadamente frágil y vulnerable, como cuando la habían sacado del lago el año anterior. Peor aún; ahora estaba llorando. No recordaba el momento en que se le habían llenado los ojos de lágrimas, y le costó toda su fuerza de voluntad obligarse a parar.

—Deberíamos seguir —dijo, sintiéndose como una idiota mientras se apretaba el pañuelo contra la cara. ¿Por qué le había contado esas cosas a un chico que ni siquiera le gustaba?

—Está bien —aceptó él. Le devolvió los prismáticos y regresó al sendero. Trabar amistad con aquel chico había sido difícil desde el principio, pero después de ponerse a llorar como una magdalena era completamente imposible.

—¿Sabes que todos los monitores fueron campistas en este mismo campamento? —le preguntó, desesperada por cambiar de tema.

—No.

Iba a tener que esforzarse mucho más si quería impresionar a ese chico.

—Los monitores también tienen sus secretos —siguió—. No todo el mundo lo sabe, pero por la noche hacen todo tipo de locuras. Se emborrachan, se enrollan entre ellos… ese tipo de cosas.

—Qué bien. Cuéntame algo que no sepa.

—Bueno, la cocinera jefe, Gertie Romano, iba a presentarse a Miss Nueva York, pero se quedó embarazada y tuvo que dejarlo. Y Gina Palumbo… la que está en mi cabaña, me contó que su padre es un capo de la mafia. Y Terry Davis, el portero, está siempre empinando el codo.

Connor se giró para fulminarla con la mirada. Se le cayó la camisa al suelo y ella se agachó para recogerla.

—Se te ha caído esto —había una mancha de Ketchup en la parte frontal y una pequeña etiqueta cosida a la espalda en la que se leía *Connor Davis*—. Davis… ¿Es tu apellido?

—Eres una cotilla, ¿eh? —dijo él. Agarró la camisa y volvió a ponérsela—. Pues claro que es mi apellido, genio. ¿Por qué si no iba a tenerlo cosido en mi camiseta?

Lolly se quedó sin aire. Davis… Como Terry Davis.

—¿El… el señor Davis…? —farfulló—. ¿El portero… es pariente tuyo?

Connor se alejó de ella. Las orejas se le habían puesto rojas.

—Sí, lo es. Mi padre. Al que le gusta empinar el codo.

Lolly echó a andar detrás de él.

—Eh, espera… Lo siento. No lo sabía… No me había dado cuenta de que… Oh, Dios. No debería haberlo dicho. Es sólo un rumor que oí.

—Sí, eres una auténtica comediante.

—No, no lo soy. Me siento fatal —casi tenía que correr para seguirle el paso. Sentía que la culpa la cubría como una pegajosa capa de sudor. No se podía hablar así de los padres de nadie. Sus propios padres podían ser despreciables, pero se sentiría muy ofendida si fuera otra persona quien lo dijera.

Pero ¿cómo podría haberlo sabido? Todo el mundo decía que Terry Davis no tenía familia y que nadie iba a verlo. Lo último que ella se esperaba era que tuviera un hijo. Aun así, debería haber mantenido cerrada la boca.

Terry Davis tenía un hijo. Increíble. Aquel hombre taciturno y melancólico que llevaba años trabajando en el campamento tenía un hijo. Lo único que Lolly sabía de él era que el padre de Terry y el abuelo de Lolly habían servido juntos en la Guerra de Corea. Su abuelo le había contado que se conocieron durante el bombardeo de Han River y que el heroísmo y valentía demostrados por el señor Davis le habían hecho merecedor de un lugar en el campamento Kioga, fuera cual fuera y a pesar de su afición a la bebida. Desde entonces había vivido en una de las cabañas situadas en el borde del campamento. Aquellas cabañas alojaban a cocineros, conductores, vigilantes y personal de mantenimiento. Toda esa gente invisible que trabajaba las veinticuatro horas al día para que el lugar presentara un aspecto impecable.

El señor Davis era un solitario. Conducía un viejo Jeep y siempre tenía un aspecto cansado y enfermo.

—Lo siento mucho, de verdad —le dijo otra vez a Connor.

—No te lamentes por mí.

—No lo hago. Lamento haber dicho eso de tu padre. Hay una diferencia.

Connor sacudió la cabeza para apartarse un mechón de los ojos.

—Es bueno saberlo.

—Nunca dijo que tuviera un hijo —nada más decirlo se dio cuenta de que lo estaba empeorando todo—. Quiero decir, nunca…

—No quería que yo viniera aquí en verano, pero mi madre volvió a casarse y su marido no quería verme —explicó Connor—. Decía que no había sitio para mí.

Lolly pensó en el cardenal que había visto en su espalda, pero en esa ocasión se acordó de mantener la boca cerrada.

—En una caravana no hay mucho espacio para tres personas, pero supongo que es una idea muy extraña para ti. Seguramente vives en alguna mansión.

En dos mansiones, pensó ella. Una por cada padre. Lo que venía a demostrar que se podía ser igual de desdichada viviendo en un apartamento de lujo en la Quinta Avenida o en un vertedero.

—Mis padres me han estado enviado a pasar el verano fuera desde que tenía ocho años —le dijo a Connor—. Tal vez lo hacían para poder discutir a gusto. Nunca los oí discutir —si hubiera presenciado alguna pelea, tal vez el divorcio no la hubiera traumatizado tanto.

—Cuando mi madre descubrió que podía enviarme a este campamento sin que le costara un centavo, aprovechando que mi padre trabaja aquí, mi futuro quedó sellado.

Lolly analizó la información como si fuera una detective. Si a Connor no le costaba dinero estar allí, significaba que era un campista becado. Cada año, el programa que habían fundado sus abuelos permitía a los chicos más necesitados asistir gratuitamente al campamento. Eran chicos con graves problemas familiares y que estaban en situación de riesgo, aunque Lolly no sabía qué tipos de riesgos eran ésos.

En el campamento, todo el mundo vestía de la misma manera, comía la misma comida y dormía en las mismas cabañas. En teoría no se podía saber si un chico era hijo de drogadictos o un príncipe saudí, aunque a veces resultaba obvio. Los chicos becados hablaban de un modo diferente y sus dientes picados o su mal comportamiento solían delatarlos. O, como en el caso de Connor, su mirada dura y peligrosa advertía que no necesitaban la limosna de nadie. Nada en Connor insinuaba que estuviera «en riesgo», salvo el dolor en sus ojos cuando ella insultó a su padre.

—Me siento fatal —repitió—. No tendría que haber dicho nada.

—Tienes razón. No tendrías que haber dicho nada. No me extraña que vayas a un loquero —hincó el palo en la tierra y aceleró el paso, dando a entender que no quería dirigirle la palabra nunca más.

Genial, pensó ella. Lo había fastidiado todo, igual que siempre. Connor se encargaría de que el resto del campamento supiera que iba a un psicólogo para superar la separación de sus padres y también les diría que la había visto llorar. Se había ganado un enemigo para toda la vida.

«Eres una idiota, Lolly Bellamy», se reprendió a sí misma mientras seguía caminando, sintiéndose más irritada y sudorosa a cada paso. Cada año llegaba al campamento Kioga con unas expectativas ridículamente altas: «Este verano será diferente. Este verano haré nuevos amigos, aprenderé un deporte, me lo pasaré estupendamente…».

Pero la realidad no tardaba en desbaratar sus ilusiones. Salir de la ciudad no significaba dejar la desgracia tras ella. Siempre la acompañaba a todas partes, como una sombra permanente en su vida.

Connor y ella fueron los últimos en llegar a la cima. Todos los demás se habían congregado alrededor del hoyo de la hoguera. No había ningún fuego encendido, ya que el calor era sofocante. Los campistas estaban sentados en grandes troncos viejos. Algunos llevaban allí tanto tiempo que habían adquirido la forma de asientos naturales. Aquel año, los monitores jefes de Eagle Lodge eran Rourke McKnight y Gabby Spaulding, que cumplían a la perfección con el papel. Ambos eran atractivos, alegres y dinámicos, habían sido campistas en Kioga, estudiaban en la universidad y personificaban lo que los abuelos de Lolly llamaban el «esprit de corps» de Kioga. Conocían las normas del campamento al detalle, primeros auxilios, algunas palabras básicas de algonquino y todas las canciones que se podían cantar en torno a una hoguera. También sabían cómo aliviar la nostalgia de los campistas, una epidemia especialmente frecuente entre los más jóvenes.

Antiguamente, la nostalgia no era un problema, ya que las cabañas eran ocupadas por toda la familia. En cuanto acababa el colegio, las madres y los niños se trasladaban al campamento, y los padres iban a verlos cada fin de semana. La abuela de Lolly le había contado que algunas familias regresaban al campamento año tras año. Entre ellas nacían grandes amistades, a pesar de que sólo se veían durante el verano.

La abuela tenía fotos de aquellos días felices. Fotos en blanco y negro y con los bordes desgastados, conservadas en los álbumes del campamento que se remontaban al origen de los tiempos. Los padres fumaban pipas, bebían whisky y se apoyaban en sus raquetas de tenis. Junto a ellos estaban las madres con sus pañuelos y blusas, tomando el sol en sillas de mimbre mientras los niños jugaban.

Lolly deseaba que la vida pudiera ser como entonces. Pero ahora era imposible. Las mujeres tenían sus carreras y muchas de ellas ni siquiera se casaban.

De modo que en la actualidad las cabañas sólo alojaban a los monitores. Jóvenes universitarios durante el día, salvajes degenerados por la noche. El verano anterior, Lolly y tres de sus primas, Ceci, Frankie y Dare, se habían escabullido por la noche para espiar a los monitores. Primero vieron cómo se emborrachaban. Luego venía el baile, y las parejas empezaban a enrollarse por todas partes. En los porches, en las tumbonas, incluso en mitad de la pista de baile. Ceci, la mayor de las primas, había emitido un suspiro de anhelo y había manifestado su impaciencia por ser lo bastante mayor para trabajar de monitora. Un deseo que había provocado una mueca de asco en Lolly y en las otras dos primas.

Ahora, un año más tarde, Lolly podía comprender un poco mejor aquel suspiro. El aire entre Rourke y Gabby parecía cargado de una especie de electricidad. Era difícil explicarlo, pero fácil de reconocer. Lolly podía imaginárselos en la zona reservada al personal, bailando, tonteando y besándose.

Una vez que se efectuó el recuento de todos los campistas, Rourke agarró la omnipresente guitarra y todos empezaron a cantar. Lolly se quedó impresionada por la voz de Connor. Casi todos los chicos desentonaban y farfullaban, pero Connor cantaba *We Are the World* a voz en grito. No lo hacía con arrogancia, sino con la seguridad de una estrella del pop. Cuando algunos de los chicos lo miraron, él se limitó a encogerse de hombros y siguió cantando.

Algunas de las chicas se quedaron mirándolo boquiabiertas. Y con razón. Connor era tan atractivo como a ella le había parecido en un principio. Lástima que fuera un idiota. Y lástima que ella hubiera echado a perder una posible amistad.

Luego llegó el momento de las presentaciones, que resultaron tan aburridas como Lolly se había temido. Se suponía que cada uno tenía que exponer tres datos personales sobre su compañero de marcha. La idea era que unos desconocidos pudieran acabar siendo amigos después de haber compartido una pequeña aventura.

Pero Lolly y Connor no habían aprendido nada el uno del otro, salvo que iban a ser enemigos de por vida. Lolly no sabía de dónde venía, si tenía hermanos o hermanas ni cuál era su sabor de helado favorito.

No había sorpresas en aquel grupo. Todo el mundo iba a los mejores colegios del planeta: Exeter, Sidwell Friends, Dalton Scholl, TASIS en Suiza... Y todos tenían un caballo, un yate o una casa en los Hamptons.

Patético. Si lo más interesante de un chico era el colegio en el que estudiaba, no merecía la pena saber más de él. A Lolly le llamó ligeramente la atención que el chico llamado Tarik estudiara en una escuela musulmana y que una chica llamada Stormy estudiara en casa con sus padres, que eran artistas circenses. Pero aparte de eso, las presentaciones sólo le provocaban bostezos que a duras penas podía contener.

El padre de un chico era publicista con una lista de famosos en su agenda. Otra chica tenía un certificado de submarinismo. Los parientes de otros habían ganado un Óscar, un Pulitzer, un Clio... Y todos exhibían la información como si fueran medallas o condecoraciones militares.

Escuchándolos, Lolly llegó a la conclusión de que una mentira era siempre más efectiva que la verdad.

Entonces le llegó el turno. Se puso en pie e intercambió con Connor una mirada entornada de advertencia mutua. Él tenía suficiente información para humillarla, si quería. Eso era lo malo de contarle algo íntimo y cierto a una persona. Era como entregarle una pistola y esperar a ver si apretaba el gatillo. No tenía ni idea de lo que Connor le contaría al grupo. Lo único que sabía era que le había dado munición de sobra.

Pero primero le tocaba a ella. Respiró hondo y empezó a hablar antes de pensar siquiera en lo que iba a decir.

—Éste es Connor, y es su primer año en el campamento Kioga. Le… —se detuvo un momento a pensar en lo que sabía. Connor estaba allí con una beca y era el hijo del portero alcohólico. Su madre había vuelto a casarse y su padrastro no quería verlo.

Tenía en su mano la posibilidad de condenarlo para el resto del campamento. Con unas pocas palabras podía convertirlo en un marginado a quien nadie querría acercarse.

Pero entonces lo miró a los ojos y supo que él estaba pensando lo mismo de ella.

—Le pone Ketchup a todo lo que come, incluso en el desayuno. Su grupo favorito es Talking Heads. Y siempre gana en un uno-contra-uno —lo último fue una mera suposición, basándose en su altura, sus grandes manos y rápidos movimientos. En cualquier caso, él no la contradijo.

Entonces le llegó el turno a Connor.

—Ésta es Lolly —empezó, pronunciando su nombre como si fuera un insulto.

El momento de la verdad, pensó Lolly, ajustándose las gafas.

Connor se aclaró la garganta, se apartó el pelo de los ojos y asumió una postura desafiante mientras la recorría con la mirada. Los demás campistas, que habían empezado a aburrirse de la actividad, se callaron y esperaron con atención. No había duda de que el chico tenía presencia y autoridad.

«Odio este campamento», pensó Lolly, con tanta convicción que sintió cómo le ardían las mejillas. «Odio a este chico. Y está a punto de destruirme».

Connor volvió a carraspear y pasó la mirada por el grupo de chicos.

—Le gusta leer libros, es muy buena tocando el piano y quiere aprender a nadar mejor.

Volvieron a sentarse y ninguno de los volvió a mirarse... salvo un vistazo fugaz. Y cuando sus ojos se encontraron, Lolly se sorprendió al ver su expresión amable.

De acuerdo, admitió. Había decidido perdonarle la vida y no sacrificarla ante los demás... por ahora. Aquel gesto humanitario la dejaba en una difícil tesitura, pues ahora no sabía si apreciarlo u odiarlo. Pero una cosa sí tenía clara. Odiaba el campamento de verano, y no le importaba que perteneciera a sus abuelos. No iba a volver a pisarlo nunca más en su vida.

Nunca más.

2

Jane y Charles Bellamy tienen el honor de invitarte al cincuenta aniversario de su boda.

Por la amistad y el afecto que hemos compartido, te invitamos a celebrar nuestras bodas de oro el 26 de agosto de 2006 en el campamento Kioga, pr #47, Avalon, Ulsters Country, Nueva York.

Se ofrece alojamiento en cabañas rústicas.

Olivia Bellamy dejó la invitación en la mesa y le sonrió a su abuela.

—Es una idea genial —le dijo—. Os felicito de todo corazón a ti y al abuelo.

Su abuela giró lentamente la bandeja de sándwiches y pasteles. Una vez al mes, pasara lo que pasara, ella y Olivia se reunían para tomar el té en el Saint Regis Hotel de Astor Court. Llevaban haciéndolo desde que Olivia era una chica de doce años regordeta, huraña y con una desesperada necesidad de atención, e incluso ahora seguía siendo igualmente relajante entrar en el lujoso salón, con su elegante mobiliario, sus palmeras y las suaves notas de un arpa tonificando el ambiente.

—Gracias —dijo su abuela, decidiéndose por una

rodaja de pepino con salmón—. Aún faltan tres meses, pero ya empiezo a ponerme nerviosa.

—¿Por qué el campamento Kioga? —preguntó Olivia mientras manoseaba el colador. No había estado allí desde el último verano antes de ir a la universidad. Había decidido dejar todo el drama y la angustia a sus espaldas.

—El campamento Kioga es un lugar muy especial para mí y para Charles —respondió su abuela, probando un pequeño sándwich untado con mantequilla de trufas—. Fue allí donde nos conocimos y donde nos casamos, bajo el cenador de la isla Spruce, en el lago Willow.

—¿Me tomas el pelo? No tenía ni idea…

—Se podrían escribir libros y libros con todo lo que no sabes de la familia. Charles y yo éramos como Romeo y Julieta.

—Nunca me lo habías contado, abuela. ¿Por qué?

—Oh, por nada. A los jóvenes no les interesan las historias de sus abuelos. Y es normal.

—A mí sí —dijo Olivia—. Desembucha.

—Todo pasó hace mucho tiempo, y ahora parece insignificante. Mis padres, los Gordons, y los padres de Bellamy venían de dos mundos radicalmente opuestos. Yo crecí en Avalon y nunca había visto una ciudad antes de casarme. Los padres de tu abuelo llegaron a amenazar con boicotear la boda. Estaban empeñados en que su único hijo se casara con alguien de su misma clase social, no con una chica de las montañas.

Olivia se sorprendió al ver el destello de dolor en los ojos de su abuela. Parecía que algunas heridas nunca sanaban del todo.

—Lo siento.

Su abuela hizo un esfuerzo por sacudirse la tristeza.

—El estatus social era muy importante en aquellos tiempos.

—Lo sigue siendo —dijo Olivia suavemente.

Su abuela arqueó las cejas y Olivia supo que debía cambiar de tema si no quería empezar a dar explicaciones por su comentario.

—¿Está listo? —preguntó, mirando la tetera de Lady Grey con un toque de lavanda y bergamota.

Su abuela asintió y sirvió el té.

—En cualquier caso, tienes cosas más importantes en las que pensar que mis historias —sus ojos brillaron tras sus elegantes gafas negras y rosas, y por un instante pareció muchos años más joven—. Aunque es una gran historia, y seguro que la oirás este verano. Charles y yo vamos a celebrar nuestras bodas de oro en el cenador de la isla, en el mismo lugar donde nos hablamos por primera vez, y queremos compartirlo con todos nuestros conocidos. Vamos a revivir nuestra boda al detalle.

—Oh, abuela, es una idea… fabulosa —dijo Olivia, aunque en el fondo se encogió de vergüenza. La visión idílica de su abuela distaba mucho de la realidad. El campamento llevaba nueve años cerrado, y tan sólo una fracción del personal de antaño se encargaba de cortar el césped y asegurarse de que los edificios siguieran en pie. Algunas de sus primas y otros parientes solían pasar allí sus vacaciones, pero Olivia sospechaba que debía de estar en ruinas. Sus abuelos iban a llevarse una amarga decepción.

—Algunas de tus amistades están bastante entradas en años —dijo, intentando ser lo más diplomática posible—. Que yo recuerde, el campamento no ofrece facilidades para los minusválidos y las sillas de ruedas. Creo que les haría más ilusión si celebrarais vuestro aniversario en el Waldorf-Astoria, o aquí mismo, en el Saint Regis.

Jane tomó un sorbo de su té.

—Charles y yo lo hemos discutido y hemos decidido que es algo para nosotros. Por mucho que deseemos invitar a nuestros amigos y familiares, nuestras bodas de oro van a ser lo que queremos. Así fue con nuestra boda, y así será cincuenta años después. Hemos elegido el campamento Kioga para conmemorar lo que fuimos, lo que somos y lo que esperamos ser el resto de nuestras vidas... Una pareja feliz —su taza vibró ligeramente al dejarla en el platillo—. Será nuestro adiós al campamento.

—¿Qué quieres decir?

—Nuestras bodas de oro serán lo último que hagamos en el campamento Kioga. Después tendremos que decidir qué vamos a hacer con el terreno y las instalaciones.

Olivia frunció el ceño.

—¿He oído bien, abuela?

—Sí. Es hora de hacer algo. Tenemos que idear un plan para sacarle provecho. Son cientos de acres que han pertenecido a mi familia desde 1932. Nuestra esperanza es poder conservarlo para nuestros hijos —miró fijamente a Olivia—. O para nuestros nietos. No hay nada seguro en esta vida, pero confiamos en que no acabe en manos de una inmobiliaria sin escrúpulos que lo llene de carreteras, aparcamientos y chalés unifamiliares.

Olivia no supo por qué la idea de que sus padres se deshicieran de la propiedad la hacía sentirse triste y melancólica. Ni siquiera le gustaba aquel lugar. Sólo le gustaba la idea del campamento, nada más. El padre de su abuela había recibido el terreno durante la Gran Depresión como pago de una deuda y había construido el complejo él mismo. Le había puesto el nombre de Kioga, creyendo que significaba «tranquilidad» en la lengua algonquina de los indios, pero más tarde descubrió que la palabra no tenía ningún significado.

Después de que el campamento se cerrara en 1997, nadie de la familia Bellamy había mostrado interés por sacarlo adelante.

Jane se sirvió una trufa.

—Lo discutiremos después de las celebraciones. Es mejor resolverlo todo a tiempo, para que nadie tenga que tomar una decisión cuando Charles y yo hayamos desaparecido.

—Odio que hables así. Sólo tienes sesenta y ocho años, y acabas de participar en un triatlón de la tercera edad…

—Que no podría haber acabado si tú no me hubieras entrenado —su abuela le dio una palmadita en la mano y adoptó una expresión pensativa—. Muchos de los momentos más importantes de mi vida tuvieron lugar allí. Pertenece a mi familia desde la Gran Depresión, pero fue después de que Charles y yo nos hiciéramos cargo cuando se convirtió en parte de nosotros mismos.

Típico de su abuela, pensó Olivia. Jane siempre buscaba la manera de seguir con un mismo tema, incluso cuando era mejor dejarlo.

—Tenemos que hablar de negocios —siguió Jane, repentinamente más animada mientras sacaba unas páginas que parecía haber imprimido de la página web de Olivia—. Quiero que prepares el campamento para nuestra celebración de gala.

Olivia no pudo evitar una breve carcajada.

—No puedo hacer eso, abuela.

—Claro que puedes. Aquí dice que ofreces servicios profesionales de diseño, decoración y restauración para aumentar el valor de una propiedad en venta.

—Eso significa que soy una simple reformadora inmobiliaria —objetó Olivia. Algunos diseñadores rechazaban esa expresión, pero era lo que mejor definía su trabajo. Hacer que una propiedad pareciera irresistible era un proceso sencillo y barato que incorporaba muchos elementos que el vendedor ya poseía, pero combinados de un modo distinto y original.

A Olivia le encantaba su trabajo, y se había ganado muy buena reputación en su campo. En algunas zonas de Manhattan, las agencias inmobiliarias no ponían a la venta una propiedad hasta que hubiera sido puesta a punto por Olivia Bellamy.

El trabajo no estaba exento de desafíos, naturalmente. Desde que montó su propia empresa, Olivia había aprendido que la puesta a punto de una casa exigía algo más que plantar flores en los arriates, pintarlo todo de blanco y encender la máquina para hacer pan. Pero aun así, un proyecto del tamaño del campamento Kioga excedía con creces su habilidad y experiencia.

—Estamos hablando de cien acres en plena naturaleza, a doscientos kilómetros de aquí. No sabría ni por dónde empezar.

—Yo sí —dijo Jane, y empujó hacia ella un álbum forrado de piel—. Todo el mundo tiene una idea de lo que es un campamento de verano, aunque no hayan estado nunca en ninguno. Lo único que tienes que hacer es volver a crear esa ilusión. Aquí tienes un montón de fotos para hacerte una idea.

Las fotografías mostraban en su mayor parte imágenes antiguas de cabañas rústicas a la orilla de un lago. Olivia tuvo que admitir que había algo deliciosamente evocador en el lugar. Su abuela tenía razón sobre la ilusión… o tal vez era una falsa ilusión. Olivia había vivido momentos horribles en aquel campamento. Sin embargo, en un rincón de su mente, pervivía la idea de un campamento ideal, sin mosquitos, quemaduras de sol ni burlas de los otros chicos.

Su imaginación se desató al instante, como siempre que se encontraba con un nuevo proyecto. Y a pesar de su renuencia, empezó a vislumbrar distintas maneras de acometerlo.

Tuvo que hacer un esfuerzo para contenerse.

—No guardo muy buenos recuerdos de ese campamento —le recordó a su abuela.

—Lo sé, querida. Pero esto podría ser tu oportunidad para liberarte de tus demonios y crear nuevos recuerdos.

Interesante. Olivia nunca se había dado cuenta de que su abuela fuera consciente de su sufrimiento. Pero entonces, ¿por qué nunca había hecho nada para ayudarla?

—Este proyecto podría llevar todo el verano. No sé si quiero pasar tanto tiempo fuera.

Su abuela arqueó una ceja sobre la montura de las gafas.

—¿Por qué?

—Porque creo que tengo una razón para quedarme —confesó, sin poder callárselo por más tiempo.

—¿Esa razón se parece a Brad Pitt y tiene un diploma de Derecho de Harvard?

«Tranquila, Olivia», se ordenó a sí misma. «Ya has pasado antes por esto y siempre acabas con una amarga decepción. Tómatelo con calma».

Pero no podía tomárselo con calma. De ninguna manera.

—Creo que Rand Whitney va a pedirme que me case con él.

Su abuela se quitó las gafas y las dejó sobre la mesa.

—Oh, querida… —la voz se le quebró por la emoción y se secó los ojos con la servilleta.

Olivia se alegró de habérselo contado. En su familia no todos reaccionarían de la misma manera. Algunos, como su madre, se apresurarían a recordarle que a sus veintisiete años ya tenía dos compromisos rotos en su haber.

Como si ella pudiera olvidarlo…

—Va a vender su apartamento del centro —dijo, apartando los demás pensamientos—. De hecho, es mi último proyecto. Tengo que comprobar los últimos retoques esta tarde, porque mañana se pondrá a la venta, y quiero estar esperándolo cuando llegue del aeropuerto. Ha estado toda la semana en Los Ángeles, y me dijo que me lo pediría cuando volviera.

—Pedirte que te cases con él…

—Eso creo —admitió Olivia, sintiéndose ligeramente incómoda. Rand no le había dicho exactamente eso.

—Así que está pensando en vender su casa.

Olivia volvió a sonreír.

—Está buscando casas en Long Island.

—Oh, vaya… Parece que está dispuesto a echar raíces.

Olivia sonrió aún más.

—Como comprenderás… tengo que pensar en tu oferta.

—Claro que sí, querida —pidió la cuenta con un gesto elegante y natural, que atrajo de inmediato a un camarero de guantes blancos—. Espero que todo te salga bien.

Mientras subía por las escaleras al apartamento de Rand, junto a Gramercy Park, Olivia se sentía la chica más afortunada del mundo. Allí estaba, disfrutando del raro privilegio de preparar el escenario para su propio compromiso. Cuando Randall Whitney le pidiera que se casara con él, lo haría en un lugar creado por su imaginación y el duro trabajo. A menudo era el caballero quien se encargaba de crear el ambiente adecuado, y con excesiva frecuencia fracasaba en el intento.

Pero esa vez sería distinto, pensó con un arrebato de excitación. Esa vez todo sería perfecto.

Con Pierce el compromiso había estado maldito desde el principio, pero Olivia no se dio cuenta hasta que lo descubrió duchándose con otra chica. Con Richard, la humillación llegó cuando lo pilló intentando usar su tarjeta de crédito para robarle su dinero. Los dos fracasos la habían hecho dudar seriamente de su buen criterio… hasta que conoció a Rand. Esa vez no se equivocaría.

Abrió la puerta y se imaginó el aspecto que ofrecería el apartamento a los ojos de Rand. Quedaría perfecto. Aquel apartamento era el ejemplo del lujo contemporáneo. Limpio, pero no reluciente… aunque ella le había sacado brillo hasta al último detalle. Con gusto, pero no recargado… aunque ella lo había planeado con una meticulosidad obsesiva.

En el trayecto en taxi apenas había podido contener su entusiasmo. En menos de una hora, Rand entraría por la puerta al escenario ideal. No era probable que se pusiera de rodillas para declararse, pues no era su estilo. En vez de eso, esbozaría aquella sonrisa desenfadada y se sacaría del bolsillo de su chaqueta el reluciente estuche negro con el emblema en forma de esmeralda de Harry Winston. Después de todo Rand era un Whitney, y eso suponía ciertas ventajas.

Se obligó a comportarse con dignidad y se detuvo junto al aparador para comprobar que la botella de champán descansara en un ángulo perfecto en el cubo de hielo. No hacía falta que se viera la etiqueta. Cualquier ojo experto reconocería un Dom Perignon sólo por la forma de la botella.

Le echó un vistazo fugaz al espejo que colgaba sobre el aparador, que en realidad era un tansu japonés con cajones que había alquilado en un almacén de muebles. Los espejos eran muy importantes en su trabajo, no para mirarse en ellos, sino para aumentar la iluminación y las dimensiones de una habitación. Y en todo caso para retocarse el pintalabios. Todo lo demás era una pérdida de tiempo.

Y entonces lo vio. Un movimiento repentino en el reflejo.

Un grito de pánico salió de su garganta, pero agarró la botella de Dom Perignon por el cuello y se giró rápidamente, preparada para presentar batalla.

—Siempre quise compartir una botella de vino contigo, cariño —dijo Freddy Delgado—. Pero quizá deberías dejar que hiciera yo los honores.

Su mejor amigo, con un aspecto impecable a pesar de llevar un delantal y sostener un plumero, cruzó la habitación y le quitó la botella a Olivia.

Ella volvió a recuperarla y la devolvió al cubo de hielo.

—¿Qué haces aquí?

—Dando los últimos retoques. Tomé una llave de tu oficina y me vine para acá.

Su «oficina» era un rincón del salón de su apartamento. Freddy tenía una llave de su casa, pero aquélla era la primera vez que había abusado del privilegio. Se quitó el delantal, dejando ver su pantalón cargo, sus botas de trabajo Wolverine y su camiseta ceñida de Spamalot. Llevaba el pelo muy corto y con mechas rubias. Freddy se dedicaba a montar decorados teatrales y aspiraba a ser actor. Estaba soltero, era bienhablado y comedido y vestía con un gusto exquisito. Todo hacía suponer que era homosexual. Pero no lo era. Tan sólo solitario.

—A ver si lo adivino... Has vuelto a quedarte sin trabajo —dijo Olivia. Sacó un trapo del bolsillo trasero de Freddy y secó el agua que se había derramado del cubo.

—¿Cómo lo sabes?

—Estás trabajando para mí. Y eso sólo lo haces cuando no tienes algo mejor que hacer —observó el apartamento y tuvo que admitir que Freddy había hecho un buen trabajo. Igual que siempre.

Se preguntó si su amistad perduraría una vez que estuviera casada. A Rand nunca le había gustado Freddy, y ese desprecio era mutuo. Odiaría que la lealtad a uno de ellos le pareciera una traición al otro.

—Se acabó el presupuesto para la obra en la que estaba trabajando —a pesar de ser un diseñador con mucho talento, Freddy solía prestar sus servicios en obras de escaso presupuesto, y a menudo se quedaba sin trabajo a mitad del proyecto—. Por cierto —añadió con una sonrisa encantadora—. Te has superado a ti misma con esta casa. Parece que vale un millón de pavos.

—Un millón doscientos, para ser exactos.

Freddy emitió un silbido de admiración.

—Eso sí que es tener ambición… Ups. Una telaraña —fue hacia la estantería empotrada y sacudió un rincón elevado con su plumero—. Ups otra vez —añadió—. Casi me olvido de esto.

—¿De qué?

—La colección de DVDs.

Las fundas y estuches estaban pulcramente alineados en la estantería.

—¿Qué les pasa? —preguntó Olivia.

—¿Me lo preguntas en serio? No podrás vender este apartamento con *Moulin Rouge* a plena vista.

—Eh, me gustó la película, igual que a mucha gente.

Freddy era un cinéfilo empedernido. No había película que no hubiera visto y memorizado. Examinó rápidamente la colección de DVDs y metió *Moulin Rouge* en un cajón, junto a *El fantasma de la ópera* y *Prêt-à-Porter*.

—Son una bazofia —declaró—. Nadie quiere hacer negocios con un hombre que ve esta porquería —se agachó y examinó el interior del cajón donde estaban el resto de las películas—. Ajá. Esto está mucho mejor.

—¿*Enfermeras de Las Vegas*? —preguntó Olivia al ver el título—. ¿*El pene volador*? Ni hablar. No vas a dejar películas porno a la vista.

—Tranquila. Es una manera muy sutil de demostrar que el vendedor es un tipo normal y corriente. Y por cierto, ¿qué haces saliendo con un hombre aficionado al porno?

Las películas procedían de una despedida de soltero, pero no quería decírselo a Freddy.

—¿Quién ha dicho que sea Rand el aficionado al

porno? —preguntó con una sonrisa misteriosa—. Y la próxima vez que decidas trabajar para mí, háblalo antes conmigo.

—Habrías dicho que sí —se metió el mango del plumero en el bolsillo trasero del pantalón—. Siempre dices que sí. Ésa es otra razón por la que estoy aquí.

—Explícate.

La sonrisa de Freddy se esfumó. Clavó sus ojos marrones en Olivia y se arrodilló delante de ella. Metió la mano en el bolsillo del delantal y sacó un pequeño estuche negro.

—Olivia, tengo que pedirte una cosa.

—Oh, por favor... ¿Es una broma? —se echó a reír, pero la intensidad de los ojos de Freddy la incomodó.

—Estoy hablando completamente en serio.

—Entonces levántate. No puedo tomarte en serio si estás de rodillas en el suelo.

—Muy bien. Como quieras —se levantó con un largo suspiro y abrió el estuche. Dentro había un par de pendientes de plata. De uno de ellos colgaba la letra N, y del otro la letra O—. Quiero pedirte que digas no.

—Vamos, Freddy —le dio un empujón amistoso—. Has tenido problemas con Rand desde el primer día. Ojalá lo hubieras superado.

—Te lo suplico, Livvy. No te cases con él —la estrechó dramáticamente entre sus brazos—. Vente conmigo mejor.

—No tienes trabajo —le recordó ella, apartándose de él.

—Tengo a la mejor jefa de la ciudad... Tú. Y ese gusano se está retrasando. ¿Qué clase de hombre llega tarde para pedir el matrimonio?

—Un hombre que viene del aeropuerto en hora punta —respondió Olivia, mirando por la ventana. La avenida estaba tan atestada de taxis que parecía un río de fango amarillo—. Y no lo llames «gusano». No lo crucifiques tan pronto.

—Lo siento. Tienes razón... Muy mal, Freddy. Muy mal —hizo un gesto como si se flagelara a sí mismo—. No quiero que te hagan daño, eso es todo.

Le faltó decir «otra vez», aunque el mensaje quedó bien claro en el breve silencio que siguió a sus palabras.

—No te preocupes —dijo Olivia—. Rand no es como... —se esforzó por sofocar la dolorosa punzada de su garganta—. No, no voy a nombrarlos.

Se sacudió mentalmente, pero no podía escapar de su propia vida. Sus anteriores compromisos fallidos formaban parte de ella, tanto como sus ojos grises y su número de calzado. En su círculo de amistades se bromeaba con la mala suerte que tenía con los hombres, igual que años atrás se burlaban del peso de Olivia. Y, al igual que entonces, ella se reía por fuera y lloraba por dentro.

—Chica lista —dijo Freddy—. A diferencia de los otros, Rand Whitney tiene su propio sello de perdición.

—Oh, no te pongas tan melodramático.

—No es el hombre adecuado para ti, cariño.

—¿Sabes qué, Freddy? No necesito tus consejos. Estás despedido.

—No puedes despedirme. Nunca me has contratado.

—Por si no lo has notado, estoy intentando echarte de aquí.

—Por si no lo has notado, estoy intentando que dejes a Rand.

Se miraron el uno al otro, con la tensión de su amistad vibrando entre ellos. Se habían conocido en el último año de universidad, y desde entonces habían sido amigos. Incluso se habían hecho unos tatuajes similares la noche antes de graduarse. Una mariposa en sus respectivos traseros, azul para Freddy, rosa para Olivia. Freddy nunca había conocido a la Olivia gorda y desdichada, y creía que siempre había sido una mujer fabulosa. Era una de las cosas que más le gustaban de él.

Freddy dejó el delantal y el plumero y se marchó, sin dejar de murmurar advertencias y funestas predicciones. Olivia recogió las cosas, sacó el móvil y comprobó sus mensajes. Lo menos que Rand podía hacer era avisarla de que llegaría tarde. Aunque si estaba en un avión no podía usar el móvil.

Podría llamar a la compañía aérea y preguntar por su vuelo, pero no sabía el número de ninguna de las dos cosas. ¿Qué clase de novia no sabía el número de vuelo de su novio? Una novia muy ocupada, pensó. Una novia acostumbrada a que su novio estuviera siempre viajando. Rand llegaría de un momento a otro, se convenció a sí misma. Se metió la mano en el bolsillo y tocó los pendientes que Freddy le había dado. ¿Qué sabía Freddy de lo que era adecuado para ella? Estaba lista para iniciar una nueva etapa con Rand, a compartir una vida, a tener hijos... La impaciencia era tan fuerte que se le encogía el estómago.

Se giró lentamente para observar el apartamento y sintió un arrebato de orgullo y satisfacción. Era increíble cómo el detalle más nimio podía suponer tanta diferencia; cómo una tonalidad adecuada o un ángulo determinado podían influir tanto en el ánimo de un comprador. Una propiedad en venta que hubiera pasado por las expertas manos de Olivia siempre se vendía por un precio mucho más alto.

Mucha gente se extrañaba y no entendía por qué había un par de zapatillas junto a la ducha o un ejemplar de *Todo un hombre* en la mesita de noche, abierto y con las páginas manoseadas. Pero Olivia sí lo entendía. No tenía nada que ver con la estética, sino con la naturaleza humana.

A la gente le gustaba vivir de una determinada manera y estar rodeada de determinadas cosas. Comodidad, sofisticación, signos de éxito y, sobre todo, sensación de hogar y seguridad. Y eso era lo que Olivia conseguía, jugando con luces y espejos. En su negocio, la clave era que al entrar en una vivienda, apeteciera quitarse los zapatos, servirse una copa de jerez y sentarse en un cómodo sillón con un buen libro y un suspiro de felicidad.

Cuarenta y cinco minutos después, estaba intentando contener los bostezos en el sillón. Probó a llamar al móvil de Rand, pero le saltó el buzón de voz. Seguramente seguía en el avión.

Esperó otra media hora y entró en la cocina, que también estaba perfectamente arreglada y retocada con unos trapos de cocina con el logo de Retro Apple que había comprado en la tienda de mantelería antigua. Una de las claves era encontrar objetos auténticos que hubieran perdido el brillo artificial de las cosas nuevas. Los trapos de cocina, descoloridos pero no deshilachados, encajaban perfectamente.

Se dirigió hacia la despensa, repleta de pasta de importación de Dean & Peluca, aceite de oliva prensado en frío, zumo de granada y atún. La comida que normalmente tomaba Rand, como Lucky Charms y raviolis en lata, estaba oculta en unas cestas de mimbre, como esperando a irse de picnic.

Olivia sacó una bolsa de Cheetos de una de las cestas. Antes de abrirla recordó los consejos que le había dado uno de los muchos nutricionistas que la trataron durante su obesa adolescencia.

Al cuerno con los consejos, pensó mientras abría la bolsa de Cheetos y se relamía con el olor a queso. Al cuerno con todo. Sacó también una cerveza alsaciana de la nevera de acero inoxidable y tomó un trago, seguido de un fuerte eructo. Llevaba diez minutos atiborrándose de Cheetos y cerveza cuando oyó como se abría y cerraba la puerta principal.

—¿Hola? —preguntó una voz desde el vestíbulo.

Oh-oh. Olivia se miró los dedos manchados de polvo anaranjado. Seguramente también tenía la boca manchada.

—Ya he vuelto —dijo Rand—. Vaya... Esto tiene un aspecto increíble.

Olivia tiró la bolsa de Cheetos y la botella a la basura y corrió al fregadero a lavarse las manos.

—Estoy en la cocina —respondió con una voz ligeramente chillona—. Enseguida salgo.

Estaba inclinada sobre el fregadero, enjugándose la boca, cuando Rand entró en la cocina.

—Olivia, eres genial —dijo, extendiendo los brazos.

Ella se secó rápidamente la boca con un trapo y fue a su encuentro.

—Lo soy, ¿verdad que sí? —se arrojó en sus brazos y él la sostuvo un momento, antes de besarla en la frente.

—Tienes que mandarle la factura a mi inmobiliaria por todo lo que has hecho aquí.

Olivia se quedó de piedra. La certeza le recorrió la espina dorsal antes de que su mente la asimilara. Cuando un hombre estaba a punto de dejar a una mujer, sus músculos y su expresión lo confirmaban antes que sus palabras.

Dio un paso atrás y lo miró a los ojos.

—Oh, Dios mío... Estás rompiendo conmigo...

—¿Qué? —preguntó él con aparente sorpresa—. No sé de qué estás hablando, nena.

Su protesta sólo sirvió para reforzar la sospecha de Olivia. Ella tenía razón, y ambos lo sabían. Muchas mujeres podrían ignorar la voz de alarma, pero Olivia no. No después de dos fracasos sentimentales.

Los Cheetos y la cerveza le formaron un nudo frío y desagradable en el estómago. No volverá a pasar, se dijo a sí misma. Aunque tuviera que hacerlo ella primero.

—Me he equivocado contigo desde el principio —

dijo, alejándose otro paso—. Dios... Qué idiota he sido.

—Tranquila —le dijo él. El tacto de su mano en el brazo era tan suave que Olivia sintió ganas de llorar.

—Hazlo deprisa —le pidió—. Como si fueras a arrancarme un esparadrapo.

—Estás sacando conclusiones equivocadas.

—¿Ah, sí? —se cruzó de brazos y parpadeó para contener las lágrimas que le abrasaban las lentillas. Ya lloraría más tarde—. Muy bien. Dime exactamente qué piensas hacer después de haber vendido el apartamento.

La mirada de Rand reflejó brevemente la luz del techo. La bombilla que ella había cambiado a las dos de aquella misma tarde. Otro signo revelador. No quería mirarla a los ojos.

—Ha surgido algo mientras estaba en Los Ángeles —dijo, y a pesar de la embarazosa situación el rostro se le iluminó de entusiasmo—. Me quieren allí, Liv.

Olivia contuvo la respiración. Lo próximo que Rand debería decir era: «les he dicho que no podía tomar una decisión hasta que lo hubiera hablado contigo». Pero ya sabía que no iban a ser ésas sus palabras. Soltó una amarga carcajada de incredulidad.

—Les has dicho que sí, ¿verdad?

—La empresa va a crear un nuevo puesto para mí —respondió él, sin molestarte en negarlo.

—¿Cuál, imbécil residente?

—Olivia, ya sé que habíamos hablado de tener un futuro juntos. No lo estoy descartando. Podrías venirte conmigo.

—¿Y hacer qué?

—Son Los Ángeles, Liv. Puedes hacer lo que quieras.

¿Casarse con él? ¿Tener sus hijos? Era obvio que no se refería a eso.

—Toda mi vida está aquí, en Nueva York. Mi familia, mi casa, mi trabajo... He empleado los últimos cinco años en mi negocio. No voy a dejarlo ahora.

—En Los Ángeles hace falta un negocio como el tuyo —insistió él—. El futuro del mercado está allí.

Olivia pensó en volver a empezar de cero. Anunciándose por Internet, cultivando los contactos, empleando casi todo el tiempo en las relaciones públicas... La simple idea bastaba para agotarla. Le había costado muchísimo esfuerzo llegar a donde estaba, pero su reputación no le serviría de nada en Los Ángeles.

Aquello no podía estar pasando, pensó. No, no podía estar sucediendo otra vez.

—Dime que me quieres —lo retó—. Dime que no puedes vivir sin mí. Y dilo en serio.

—¿Desde cuándo te has vuelto una reina del drama?

—¿Sabes qué? —se echó el pelo hacia atrás e irguió los hombros—. Si te amara lo suficiente, me iría contigo sin dudarlo. Haría las maletas ahora mismo, y estaría encantada de hacerlo.

—¿Qué quieres decir con amarme lo suficiente? —preguntó él.

—Te seguiría a cualquier parte. Pero no te amo lo suficiente. Y ésa es una idea muy liberadora, Rand.

—No te entiendo —dijo él, pasándose una mano por el pelo—. Es muy simple. Puedes venirte conmigo a Los Ángeles o no. Tú eliges.

Ella elegía. Por muy increíble que pareciera, podía elegir.

—Muy bien —dijo, pronunciando las palabras por encima de la angustia que la asfixiaba—. Pues mi respuesta es no.

Sin decir más, se dirigió hacia la puerta. Esa vez lo había hecho bien... A la tercera. Pero si se quedaba allí más tiempo, su fuerza de voluntad empezaría a flaquear. Atravesó rápidamente el vestíbulo, fijándose en la maceta de flores rojas que añadía un toque alegre y artístico a la entrada. Pensó en darle una patada, pero eso sería muy propio de… de ella.

Bajó por las escaleras para no tener que esperar al ascensor, como había hecho la primera vez, con Pierce. Aún recordaba estar en el rellano, deseando que él saliera corriendo por la puerta y suplicándole que lo perdonara.

Pero eso sólo le ocurría a gente como Kate Hudson o Reese Whitherspoon. Las personas como Olivia Bellamy bajaban por las escaleras.

Ni siquiera recordó el trayecto en taxi hasta su casa. Le pagó de más al taxista, sin darse cuenta de lo que hacía, y subió a pie hasta su apartamento, situado en la primera planta de una casa adosada.

—Vaya, esto no tiene buena pinta —dijo Earl, su vecino, sin molestarse en saludarla mientras salía al rellano—. Vuelves muy pronto a casa.

Anthony George Earl Tercero era el dueño de la casa y vivía en la puerta de enfrente. Era un hombre de pelo blanco que había ido al colegio con el padre de Olivia. Después de que lo dejara su segunda esposa, había declarado que Olivia era la única mujer que quería en su vida. En un arrebato propio de la edad madura estaba aprendiendo a cocinar, y un rico olor a *coq au vin* salía de su cocina. Pero a Olivia sólo le provocó náuseas, y se arrepintió de haberle contado que Rand iba a declararse aquel día.

Earl estaba divorciado y vivía solo, pero se giró y le gritó a alguien que estaba en su apartamento.

—Nuestra chica ha vuelto. Y no trae buenas noticias.

«Nuestra chica». Earl sólo utilizaba aquel apelativo con una persona. Su mejor amigo.

—¿Se lo has dicho? —le preguntó ella, frunciendo el ceño, y sin esperar respuesta pasó junto a Earl y entró en su apartamento—. ¿Papá?

Philip Bellamy se levantó de una mecedora y extendió los brazos para recibir a su hija.

—Ese sinvergüenza —mascullό mientras la abrazaba con fuerza. Su padre era su principal apoyo, y la única razón por la que ella había sobrevivido a su problemática adolescencia.

Se apretó contra él y aspiró el reconfortante olor a loción. Pero sólo por un momento. Si se apoyaba demasiado en su padre, perdería la capacidad de valerse por sí misma.

—Ah, Lolly —dijo él, usando su viejo apodo—. Lo siento.

Había algo extraño en el tono de su padre. Olivia se apartó y lo miró atentamente. Todo el mundo decía que se parecía a Cary Grant, con el hoyuelo en su barbilla y sus arrebatadores ojos. Siempre había sido un hombre alto y elegante. El tipo de caballero que se veía en las recaudaciones de fondos para un museo o en las fiestas celebradas en los Hamptons.

—¿Qué ocurre? —le preguntó.

—¿Tiene que ocurrir algo para que visite a mi única hija y a mi mejor amigo?

—Nunca vienes al centro sin avisar —le recordó Olivia y volvió a mirar a Earl con el ceño fruncido—. No puedo creer que se lo hayas dicho —tampoco podía creer que Earl y su padre hubieran previsto que llegaría a casa desconsolada y abatida. Aunque siendo aquélla su tercera vez, era lógico esperar que así fuera—. Tengo que ver cómo está Barkis —dijo, y salió al rellano mientras buscaba sus llaves.

A pesar del golpe que había recibido, Barkis nunca la defraudaba. Su pequeño perro salió corriendo por la puerta oscilante y se arrojó en sus brazos. Los padres de Olivia opinaban que una puerta para el perro era un riesgo, pero en su caso era absolutamente necesario, dada su frenética agenda de trabajo. Y en cualquier caso, no temía que alguien pudiera entrar en su casa. Earl era un dramaturgo que trabajaba en casa y tenía el instinto de perro guardián del que Barkis parecía carecer.

Lo que al perrito no le faltaba era entusiasmo. Sólo de ver a su ama se volvía loco de alegría. Olivia deseaba a menudo ser tan fabulosa como Barkis creía que era. Lo puso en el suelo para acariciarlo, y el perro se puso aún más contento.

Estar en casa la animó un poco. Su apartamento no era gran cosa, pero al menos era suyo y estaba lleno de luz, color y textura. Era tan antineoyorquino como podía ser un apartamento, según su madre. Demasiado cálido y acogedor, con sus colores otoñales y cómodos muebles, pensados para el confort más que para seguir la última moda.

—Eres una diseñadora de primera —le decía su madre a menudo—. ¿Qué has hecho con tu apartamento?

Las macetas de colores ocupaban todos los alféizares. No las plantas tropicales que insinuaban buen gusto y sofisticación, sino helechos de Boston y violetas africanas, prímulas y geranios. El jardín trasero que rodeaba el minúsculo patio era igual, con sus flores de suaves colores cubriendo los muros de ladrillo.

A veces, Olivia se sentaba allí y se imaginaba que el ruido del tráfico era el murmullo de un arroyo, y que vivía en un lugar lo bastante grande para albergar su piano y todas sus cosas favoritas, rodeado de árboles y espacios abiertos. A medida que su relación con Rand avanzaba, los niños empezaban a formar parte de sus fantasías. Tres o cuatro, por lo menos.

Su padre y Earl entraron en su casa y fueron directamente al armario de los licores.

—¿Qué quieres tomar? —preguntó Earl.

—Campari con soda —dijo su padre—. Con hielo.

—Se lo preguntaba a Olivia.

—Tomará lo mismo —respondió su padre, arqueando una ceja en una expresión pícara y rejuvenecedora.

Olivia agradeció por una vez que no fuera un sentimental. Si su padre le ofrecía consuelo y simpatía en esos momentos, se derretiría sin remedio.

Asintió con una sonrisa forzada y pasó la vista por el apartamento. Si todo hubiera salido como había esperado, aquel momento sería muy diferente. Estaría mirando su casa con ojos nuevos y sintiendo una sensación agridulce, pues muy pronto estaría planeando un futuro en común con Rand Whitney. En vez de eso, estaba mirando el lugar donde seguramente pasaría el resto de su vida como una triste solterona.

Olivia y su padre se sentaron junto a la mesa de hierro forjado con vistas al jardín para tomar el aperitivo. Earl había preparado una bandeja con pan de pita y hummus, pero Olivia no tenía hambre. Se sentía como si hubiera sobrevivido a una especie de desastre y estuviera examinándose las heridas.

—Soy una idiota —declaró, dejando el vaso en la mesa.

—Eres un encanto. Ese cómo-se-llame sí que es un idiota —dijo su padre.

—Dios… —murmuró ella, cerrando los ojos—. ¿Por qué me hago esto a mí misma?

—Porque eres una… —empezó su padre, pero se detuvo para buscar la palabra adecuada.

—Una fracasada por partida triple —sugirió Olivia.

—Iba a decir una «romántica desesperada» —corrigió él, sonriéndole con afecto.

Ella apuró el resto de su bebida.

—Supongo que tienes razón a medias. Estoy desesperada.

—Oh, ya empiezas otra vez —dijo Earl—. Espera que vaya a por mi violín.

—Vamos. ¿Es que no puedo regodearme en la autocompasión por una noche, al menos?

—No por culpa de ese tipo —dijo su padre.

—No merece la pena lamentarse por él —añadió Earl—. No vale más que Pierce o Richard —pronunció los hombres de sus fracasos anteriores con un exagerado desdén.

—Lo bueno de los corazones rotos es que siempre se puede salir adelante —dijo Philip—. Siempre. Por muy profunda que sea la herida, la capacidad de curación y superación es siempre más fuerte.

Olivia se preguntó si se estaría refiriendo a su propio divorcio, ocurrido muchos años antes.

—Gracias a los dos. Lo de «eres demasiado buena para él» puede servir la primera vez. Quizá la segunda también. Pero es la tercera vez que me pasa y tengo que admitir que la culpa puede ser mía. Al fin y al cabo, ¿qué probabilidades hay de conocer a tres cerdos seguidos?

—Esto es Nueva York, cariño —dijo su padre—. La ciudad está plagada de ellos.

—Deja de culparte a ti misma —le aconsejó Earl—. O acabarás acomplejándote.

Olivia rascó a Barkis detrás de las orejas, uno de los puntos favoritos del perro.

—Creo que ya estoy acomplejada.

—No —negó Earl—. Tienes un problema, no un complejo. Hay una diferencia.

—Y ese problema es que confundes tu necesidad de amor con estar enamorada —observó su padre.

—Eso es —corroboró Earl, y chocó los cinco con Philip sobre la mesa.

—Os recuerdo que estáis hablando con una chica con el corazón roto —los reprendió Olivia—. Se supone que tenéis que ayudarme, no jugar al psicoanálisis.

Su padre y Earl se pusieron serios al momento.

—¿Quieres ser tú primero, o empiezo yo? —preguntó Earl.

Philip le dio otro pedazo de pan al perro. Olivia se fijó en que no estaba comiendo ni bebiendo nada, y se sintió culpable por preocuparlo.

—Adelante, maestro —le dijo él a Earl.

—No hay mucho que decir —repuso Earl—, salvo que no amabas a Rand ni a los otros. Sólo creías que

Rand era especial porque te parecía el hombre perfecto para ti.

—Va a mudarse a Los Ángeles —confesó ella—. Y ni siquiera se molestó en averiguar si a mí me parecía bien. Simplemente esperaba que me fuera con él —sintió como se le expandía el pecho y supo que estaba al borde del llanto. Era cierto que no amaba a Rand lo suficiente... pero sí lo había amado un poco, al menos.

—¿Cuántos años tienes... veintisiete? —continuó Earl—. Eres una niña. Una criatura sin experiencia sentimental. Ni siquiera has rascado la superficie del verdadero amor.

Su padre asintió.

—Nunca has superado esa fase del enamoramiento inicial. Estabas paseando por Central Park, preparando cenas con velas para los dos, y él se dedicaba a exhibirte delante de sus amigos. Eso no es amor. No la clase de amor que tú mereces. Sólo es un... ejercicio de calentamiento.

—¿Cómo sabes eso, papá? —le preguntó ella, dolida por el breve resumen que había hecho de su relación con Rand. Entonces vio la expresión de su padre y se abstuvo de hacer más comentarios. Su vida amorosa era conocida al detalle, pero el matrimonio y el divorcio de sus padres estaban protegidos por una conspiración de silencio.

—Hay una clase de amor que puede salvarte la vida —dijo su padre—. Es como el aire que respiras, y cuando se acaba no hay dolor que pueda compararse, Livvy. Si estuvieras sufriendo ese dolor ahora mismo, no podrías ni hilvanar dos frases seguidas.

Olivia lo miró atentamente a los ojos. Su padre rara vez le hablaba de asuntos emocionales, por lo que sus palabras le llamaron la atención. Pero su padre hablaba de un amor... imposible. Escalofriante.

—¿Por qué alguien iba a querer algo así?

—Porque así es la vida y la razón por la que se

vive, no porque tu novio y tú hagáis buena pareja ni porque vuestras madres fueran juntas a Marymount.

Era obvio que aquellos dos habían hablado en profundidad sobre el historial de Rand Whitney.

—Me sigo sintiendo fatal —dijo. En el fondo sabía que tenían razón.

—Es normal —respondió su padre—. Y tienes derecho a sentirte así por uno o dos días. Pero no confundas esa sensación con la pena que deja el amor perdido. No se puede perder lo que no se ha tenido —giró su vaso y el hielo resonó contra el cristal.

Olivia apoyó la barbilla en la mano.

—Gracias por ser tan maravilloso, papá.

—Es la madre que nunca has tenido —dijo Earl. Nunca se había molestado en ocultar su desprecio por Pamela Lightsey Bellamy, quien seguía usando su apellido de casada años después del divorcio.

—¡Eh! —protestó Philip.

—Es cierto —insistió Earl.

Olivia se bebió su Campari y echó el hielo en una violeta africana que parecía necesitarlo.

—¿Y ahora qué?

—Ahora tenemos *coq au vin* para cenar, y tú tomarás seguramente más vino que gallo, pero no pasa nada —dijo Earl.

—Mamá se va a llevar un gran disgusto —comentó Olivia—. Tenía grandes esperanzas con Rand. Ya puedo imaginármela diciendo… «¿Qué has hecho para espantarlo?».

—Pamela siempre ha sido una mujer encantadora —ironizó Earl—. ¿Estás segura de que eres hija única? Tal vez se comió a sus otros hijos cuando eran pequeños.

Olivia sonrió sobre el borde del vaso.

—A mi madre le encanta meterse en la vida de los demás… Le habría encantado tener diez hijas como yo, si pudiera.

Olivia había necesitado toda su adolescencia para perder el sobrepeso que tantas burlas le había granjeado y ganarse la aprobación de su madre. Irónicamente, sólo había tenido que perder veinte o treinta kilos, dependiendo de lo mucho que intentara engañarse a sí misma. Una vez que la nueva y esbelta Olivia salió del cascarón de la obesidad, Pamela tenía preparada toda una serie de nuevas ambiciones para su hija. A Pamela nunca se le ocurrió preguntarse por qué Olivia había conseguido perder peso únicamente cuando se marchó de casa para ir a la universidad.

—Ojalá hubiera diez como tú —dijo Earl, entrechocando su vaso con el suyo—. Eres adorable, y una relación con Rand Whitney nunca habría funcionado.

—Habría sido divertido verla casada con un Whitney —comentó su padre.

—Tonterías. Habría estado tan ocupada inaugurando galerías de arte y recaudando fondos que nunca tendría tiempo para nosotros. Además, en un par de años sería una alcohólica. ¿Dónde estaría la diversión?

—No os creo —dijo Olivia—. Si estabais tan convencidos de que sería una desgraciada con Rand, ¿por qué no me lo dijisteis hace meses?

—¿Nos habrías escuchado? —le preguntó su padre, arqueando una ceja.

—¿Me tomas el pelo? Es Rand Whitney. Se parece a Brad Pitt.

—Ésa debería haber sido la primera señal de alarma —señaló Earl—. Nunca te fíes de un hombre que se inyecta colágeno.

—Rand no... —empezó Olivia, pero no acabó la frase—. Sólo lo hizo una vez, para ese número de *Vanity Fair* —la revista había hecho que se enamorase aún más de él, realzando su pelo rubio, su atractivo natural, su encanto al insistir en que ser un Whitney no significaba nada, y en que trabajaba para vivir igual que todo el mundo.

En el artículo, Olivia había sido reducida a una simple línea:

Rand Whitney es muy celoso con su intimidad. Cuando le preguntamos por su vida amorosa, se limitó a decir que había conocido a alguien especial y que esa persona era maravillosa.

Solamente hubo un inconveniente: una docena de mujeres habían creído que la declaración se refería a ellas. Cuando se publicó el artículo, Olivia y Rand se rieron mucho, y a ella la conmovió ver el orgullo que iluminaba su rostro. Rand tenía sus inseguridades, como cualquier otro.

Y ahora tenía su libertad.

Se resignó a pasar la tarde con su padre y con Earl. Era una de las primeras noches cálidas de la primavera, y Earl insistió en sacar el *coq au vin* al patio para cenar al fresco. Ella, su padre y Earl incluso propusieron un brindis. Rodearon la mesa y cada uno buscó un motivo para estar agradecido, pasara lo que pasara en el mundo.

—Por el software de voz —dijo Earl, elevando su vaso—. Odio teclear a mano.

—Por los hombres que saben cocinar —dijo Philip—. Gracias por la cena —se volvió hacia Olivia—. Te toca.

—Por la medicación contra la dirofilariasis canina —dijo ella, mirando a Barkis.

—Es una lástima que no la hagan para las personas —dijo su padre, mirándola con afecto.

Él y Earl la habían visto pasar por lo mismo en dos ocasiones y sabían lo que había que hacer. Y lo deprimente era que ella también lo sabía.

Había un momento en su vida que aún la mantenía cautiva. Tenía diecisiete años, y estaba pasando su último verano en el campamento antes de empezar la universidad, trabajando como monitora. Fue la única vez que entregó su corazón por completo, sin reservas ni miedos. Por alguna razón desconocida todo salió mal, pero desde entonces se había quedado atascada en aquel marasmo emocional. Y aún no sabía cómo superarlo.

Tal vez su abuela le estaba ofreciendo una oportunidad para seguir adelante.

—¿Sabéis qué os digo? —preguntó, poniéndose en pie de un salto—. No tengo tiempo para quedarme aquí sentada a compadecerme de mí misma.

—¿Vamos a poner en práctica las rupturas exprés?

—Lo siento, pero vais a tener que disculparme. Tengo que hacer las maletas —dijo, sacando de su portafolios el álbum de fotos de la abuela—. Mañana a primera hora voy a iniciar un nuevo proyecto —respiró hondo y se sorprendió al sentir un atisbo de esperanza—. Me voy a pasar el verano fuera.

3

—Es una mala idea —dijo Pamela Bellamy mientras abría la puerta para dejar pasar a Olivia. El opulento apartamento de la Quinta Avenida parecía un museo, con sus relucientes suelos de parquet y sus objetos de arte elegantemente dispuestos.

Para Olivia, sin embargo, no era más que el lugar donde había crecido. Para ella, el Renoir del vestíbulo no tenía más valor que los tupperware de la cocina, y tanta ostentación de lujo y fausto la había hecho sentirse como una extraña en su propia casa, incluso siendo niña. Ella prefería las cosas íntimas y acogedoras, como las violetas africanas, los sillones mullidos, los cuencos de Fiestaware y las colchas de punto.

Entre su madre y ella había una larga historia de incomunicación. Olivia había sido una niña solitaria, y como hija única siempre había sentido la presión de sus padres para ser la mejor. Se había aplicado con todas sus fuerzas en sus estudios y en la música, creyendo que unas notas impecables o un premio musical le proporcionarían el afecto y el cariño familiar que siempre le había faltado.

—Hola a ti también, mamá —dijo. Dejó la bolsa en la mesa del vestíbulo y le dio un abrazo a su madre, que olía a Channel y al tabaco que fumaba cada mañana en el balcón después del desayuno.

—¿Se puede saber por qué quieres hacerte cargo de semejante proyecto? —le preguntó su madre.

Hasta el momento, todo lo que Pamela sabía era lo que Olivia le había contado por teléfono la noche anterior... Que todo se había acabado entre ella y Rand, y que Olivia iba a pasar el verano reformando el campamento Kioga.

—Porque la abuela me lo ha pedido —respondió suavemente. Era la explicación más sencilla que se le ocurría.

—Es ridículo —dijo Pamela, enderezando el cuello del jersey de Olivia—. Te volverás loca pasándote todo el verano en la jungla.

—Lo dices como si fuera algo malo.

—Pues claro que es algo malo.

—Eso mismo intentaba haceros ver a papá y a ti cuando me mandabais fuera verano tras verano, pero nunca me escuchasteis.

—Creía que te gustaba ir al campamento de verano —dijo su madre, levantando las manos en un gesto de impotencia.

Olivia no supo qué responder. Aquella suposición errónea resumía toda su infancia.

—Supongo que ya lo has hablado con tu padre —siguió Pamela con un tono de gélida indiferencia.

—Sí. Los abuelos eran sus padres, al fin y al cabo —Olivia ya se sentía cansada y abatida, como siempre que hablaba con su madre. Pero estaba decidida a no dejarse convencer.

Al menos su padre no había intentado quitarle la idea de la cabeza. La noche anterior, cuando le explicó su repentina decisión de asumir el proyecto del campamento Kioga, su padre le había brindado todos sus ánimos y apoyo. Olivia ya lo tenía todo preparado. Había alquilado un todoterreno para el verano, había organizado sus negocios durante su ausencia y había hablado con otra agencia para que se ocupara de sus proyectos actuales.

—Estás huyendo —la acusó su madre—. Otra vez.

—Supongo que sí —admitió Olivia. Sacó su agenda y buscó la larga lisa que había hecho en el taxi.

—Lo siento mucho, querida —dijo su madre con sincera preocupación.

—Sí, bueno... Esas cosas pasan —murmuró Olivia, y por una vez deseó abrazarse a su madre y llorar en su hombro. Pero las cosas no funcionaban de esa manera entre su madre y ella—. Yo también lo siento, mamá. Sé que esta vez habías puesto tus esperanzas en mi compromiso.

—Oh, por amor de Dios —su madre emitió un sonido ahogado—. Sólo quiero que seas feliz. Es lo único que me importa.

—Estaré bien —le aseguró Olivia, y se sorprendió al ver un destello de humedad en los ojos de su madre. Pamela se lo estaba tomando peor que ella—. No es el fin del mundo, ¿de acuerdo? Hay cosas peores que te abandone tu novio. Y ahora que lo pienso, ni siquiera me ha abandonado.

—¿No?

—Rand me pidió que me fuera a Los Ángeles con él.

—Eso no lo sabía. ¿Y no crees, querida, que...?

—Ni lo menciones.

—Pero si dieras ese paso y te vieras compartiendo una vida con él, os daríais cuenta de que podéis ser muy felices juntos.

—Creo que somos más felices por separado.

—Tonterías. Rand Whitney es perfecto para ti. No sé por qué te rindes sin lucha.

El objetivo primordial de Pamela Lightsey Bellamy

era triunfar a toda cosa y ofrecer una imagen dichosa y feliz al mundo, incluso si para ello tenía que ocultar que aún no había superado su divorcio, ocurrido diecisiete años antes.

Una vez, mucho tiempo antes, Olivia le había preguntado a su madre si era feliz. La pregunta había provocado una brusca carcajada de incredulidad.

—No seas tonta —le había dicho Pamela—. Soy extremadamente feliz, y sería muy descortés si diera otra imagen.

Olivia se había quedado sin la respuesta que buscaba, pero no había insistido en el tema.

—He acabado con Rand Whitney —concluyó—. Eres muy amable al preocuparte por mí, pero mi decisión está tomada. Voy a hacer esto por la abuela, y quería venir a recoger unas cosas.

—Es una locura —dijo su madre—. No sé en qué estaría pensando Jane al proponerte algo así.

—Tal vez estaba pensando en que soy muy buena en mi trabajo y puedo encargarme de esto.

Pamela se puso muy rígida.

—Desde luego… Y tiene suerte, porque ese lugar va a tener un aspecto increíble cuando hayas acabado.

—Gracias, mamá. Tienes toda la razón —Olivia sabía que la angustia en el rostro de su madre no se debía exclusivamente a su ruptura con Rand. El inminente aniversario colocaba a Pamela en una situación muy embarazosa. Su padre, Samuel Lightsey, era el mejor amigo de Charles Bellamy. Era otra razón por la que Pamela nunca se había divorciado del todo, a pesar de haber firmado todos los papeles necesarios. Sus lazos familiares con los Bellamy creaban un vínculo del que no podía escapar.

—¿Crees que deberías ir, mamá?

—Sería una grosería no hacerlo.

—Muy bien por ti —dijo Olivia—. Todo saldrá bien. Escucha, tengo que buscar algunas cosas en el sótano —observó el bonito y sereno rostro de su madre—. Mi bolsa de viaje y mi equipamiento deportivo. Y también necesito el pequeño baúl de papá… Dime que no lo has tirado, por favor.

—Nunca tiro nada. Nunca —declaró su madre con vehemencia.

Olivia recordaba como si hubiera sido ayer el día que su padre se había marchado. Aún podía verlo a través de las lágrimas que empañaban sus ojos, como si estuviera al otro lado de una ventana mojada por la lluvia. «Tengo que irme, cariño», le había dicho, sentándose frente a ella para poder mirarla a los ojos.

«No es verdad. Pero vas a irte de todos modos».

Su padre se negó a dejarse convencer. La tensión que siempre había existido entre sus padres había alcanzado finalmente un punto insostenible. Debería de haber sido un alivio, pero Olivia no recordaba haberse sentido aliviada en absoluto.

—Voy a dejar algunas cosas mías en el sótano —le había dicho su padre—. Incluida mi ropa de campamento. Ahora es para ti.

De vez en cuando, Olivia se había puesto la vieja sudadera del campamento Kioga, o se había envuelto con la manta de Hudson's Bay, que olía a naftalina.

Se montó en el ascensor de servicio y bajó al sótano del viejo edificio. Encontró su bolsa enseguida, cubierta con las insignias del campamento, que databan desde 1987 hasta 1994. Casi todos los campistas coleccionaban ávidamente las insignias, cada una representando un verano mágico en el campamento de ensueño. Pero Olivia no. Había cosido las insignias en su bolsa para no ofender a sus abuelos, pero no tenían ningún valor sentimental para ella. Sus abuelos estaban convencidos de que el campamento era como Shangri-la, y los habría herido en sus sentimientos si hubiera dicho otra cosa.

Dejó la bolsa y miró a su alrededor. El sótano estaba atestado de objetos viejos e inutilizados. Había fotografías enmarcadas de Olivia y su padre, y álbumes forrados en piel con el nombre de Bellamy. Sacó el pesado baúl que su padre le había dejado años atrás y lo abrió. El olor que la sacudió le recordó inmediatamente al campamento. Era una mezcla inolvidable de moho, humo y brisa. Una esencia que perduraba al confinamiento y el paso del tiempo.

Rebuscó en el contenido y sacó una linterna, un libro de supervivencia en la naturaleza y una sudadera con capucha con la palabra *Monitor* impresas en la espalda. En la familia Bellamy no bastaba con ser un campista. Al llegar a la mayoría de edad, era imprescindible trabajar como monitor. El padre de Olivia, todas sus tías y tíos habían pasado las vacaciones de la universidad en el campamento, dirigiendo las actividades durante el día y divirtiéndose por la noche con el resto del personal. Olivia y la siguiente generación de primos habían hecho lo mismo, hasta que el campamento se cerró nueve años atrás. Fue un verano que había empezado con grandes promesas y acabó en desastre. Olivia se sorprendió por lo vívidamente que recordaba los sonidos y los olores, la luz del sol, la calma del lago, la excitación y la decepción que había experimentado.

Estaba completamente loca por volver allí, pensó.

Metió unos cuantos objetos en las bolsas, como la manta a rayas de Hudson's Bay, la sudadera y una vieja raqueta de tenis con las cuerdas destensadas. En el baúl quedaban insignias de madera con los nombres de los campistas, remos pintados con una maestría sorprendente y con los autógrafos de otros campistas en el mango. Partituras de canciones, pulseras de amistad, velas de sebo y diversas manualidades hechas con corteza de abedul.

La clave para reformar una propiedad radicaba en los detalles. Cuanto más auténtico, mejor. Cosas como aquéllas devolverían la vida al campamento, y Olivia contaba con que sus tíos y tías contribuyeran a la colección. Al fondo del baúl encontró un trofeo de tenis, abollado y con la plata deslustrada. Constaba de un pedestal, una tapa abombada y asas dobles. Quedaría perfecto en la vitrina de los trofeos del comedor, suponiendo que la vitrina siguiera allí.

Al agarrar el trofeo, algo se movió en su interior. Olivia retiró la tapa y un objeto cayó en su mano. ¿Un botón? Un gemelo. También estaba labrado en plata deslustrada y tenía la forma de un pez. ¿Un signo del zodiaco, quizá? Se lo metió en el bolsillo y frotó el trofeo, intentando revelar el grabado: *Torneo de monitores. Primer puesto. Philip Bellamy. 1977.* Al parecer, su padre había ganado el premio anual mientras trabajaba como monitor aquel año. Tenía por aquel entonces veintiún años, y se disponía a empezar su último año en la universidad.

Olivia encontró una vieja fotografía en el interior de la copa. Los bordes estaban curvados y los colores, muy apagados, pero la imagen la dejó sin respiración. En ella se veía a su padre como Olivia nunca lo había visto antes, levantando el trofeo nuevo y reluciente. Parecía estar riendo de goce, con la cabeza hacia atrás y el brazo alrededor de una chica. No, no era una chica. Era una mujer joven. Olivia limpió la foto con la manga y la colocó bajo la luz. Al dorso aparecía únicamente la fecha. *Agosto de 1977.* Observó a la mujer con más atención. Pelo largo y negro, cortado en capas y cayéndole suelto sobre los hombros de su camiseta del campamento. Las ondulaciones enmarcaban un bonito rostro y una sonrisa que le daba cierto aire de misterio. Con sus labios carnosos, sus pómulos marcados y sus grandes ojos oscuros, ofrecía una belleza exótica y enigmática que contrastaba con el sencillo atuendo que llevaba.

Entre su padre y aquella mujer parecía haber una especie de conexión que despertó la curiosidad de Olivia. No era simple familiaridad. Era más bien... intimidad. O quizá sólo lo estuviera imaginando. Sabía que podría preguntarle a su madre quién era esa desconocida. Sin duda recordaría a una mujer que podía hacerlo reír como reía en aquella foto. Pero no quería disgustarla haciéndole preguntas sobre una antigua novia. Debía de haber una buena razón para que fuese una desconocida.

Había algo en la foto que la inquietaba. La examinó un momento más y volvió a mirar la fecha. *Agosto de 1977*. Eso era. En agosto de aquel año su padre estaba comprometido con su madre. Un año después se casaron, en Navidad.

Entonces, ¿qué estaba haciendo con la mujer de la foto?

NORMAS DE CONDUCTA
DEL CAMPAMENTO KIOGA

SE PROHÍBEN LAS MUESTRAS PÚBLICAS DE AFECTO ENTRE HOMBRES Y MUJERES, YA SEAN CAMPISTAS, MONITORES O MIEMBROS DEL PERSONAL.

4

Agosto de 1977

—Philip, ¿qué estás haciendo? —preguntó Mariska Majesky, entrando en la cabaña.

Él dejó de moverse de un lado para otro y se dio la vuelta, animándose al ver a Mariska con su bonito vestido de gasa, sus zapatos de plataforma y su larga y ondulada melena oscura cayendo sobre sus hombros bronceados.

—Ensayando —confesó, con el pecho henchido de regocijo y al mismo tiempo invadido por el miedo. Dos emociones librando una guerra encarnizada en su interior.

Ella ladeó la cabeza hacia un lado, en aquel gesto tan adorable que tenía de expresar curiosidad.

—¿Ensayando qué?

—Estoy practicando lo que le diré a Pamela cuando vuelva de Europa —explicó—. Intentando pensar la manera de acabar nuestro compromiso —desde que su novia se fuera al extranjero sólo había habido unas breves e interrumpidas conversaciones telefónicas y unas cuantas postales escritas apresuradamente. Las líneas telefónicas italianas eran mundialmente conocidas por su ineficacia, y a Philip no le parecía correcto destrozar los sueños de Pamela con un crujido interoceánico de fondo.

Ella regresaría la próxima semana, y entonces él se lo diría en persona. No iba a ser un momento muy agradable, pero mucho peor sería pasar el resto de su vida con alguien que no lo llenaba como Mariska.

Mariska se puso seria, y sus labios carnosos formaron una triste sonrisa. Philip la abrazó. Olía a flores y fruta, y se adaptaba perfectamente a sus brazos, como un regalo hecho expresamente para él. Su proximidad física lo hizo olvidarse por un momento de Pamela.

—Hoy he recogido esto —dijo ella, sacando un sobre del bolso—. Hay una foto de nosotros. He pedido dos copias, para que tú puedas tener una —hojeó las fotos de las competiciones deportivas y sacó una en la que aparecía junto a Philip, quien sostenía en alto un brillante trofeo de plata.

A Philip se le encogió el corazón. Parecía muy feliz. Y, ciertamente, en el momento de la foto lo había sido. Bajó el trofeo del estante y metió la foto en su interior.

—Gracias —dijo.

Ella cruzó la habitación y lo besó.

—Deberíamos irnos. Es el último baile del verano, y ya sabes lo mucho que me gusta bailar.

Cada verano, el campamento acababa con una serie de celebraciones. El día anterior todos los campistas se habían ido a casa, y aquel día era la despedida del personal en una cena con baile que se alargaría hasta medianoche. Al día siguiente a aquella misma hora casi todo el mundo se habría marchado. Los monitores volverían a la universidad.

—Vamos —lo acució ella, tirando de su mano—.

No quiero despeinarme… todavía —añadió con un brillo malicioso en los ojos.

Aquella promesa bastó para activar sus hormonas. Al salir de la cabaña, se abrochó la chaqueta deportiva y confió en que su reacción física no resultara muy evidente. Echó un rápido vistazo a su alrededor para asegurarse de que nadie los había visto, como había estado haciendo desde el inicio del verano. El campamento Kioga tenía unas reglas muy estrictas, y sólo porque sus padres fueran los dueños del lugar no significaba que él estuviera exento de cumplirlas.

Mariska no era monitora, pero se suponía que también ella estaba fuera de su alcance. Ella y su madre, Helen, proporcionaban el pan y los pasteles al campamento. Desde los catorce años, Mariska había conducido la furgoneta blanca por la montaña, cada mañana al amanecer, para llevar los bollos, las galletas, las pastas y las magdalenas al comedor. La policía local hacía la vista gorda cuando veía pasar el vehículo de reparto. La madre de Mariska, una inmigrante polaca, nunca había aprendido a conducir, y su padre trabajaba en la fábrica de vidrio de Kingston. Eran una familia de clase trabajadora, y las autoridades se compadecían de su situación. No iban a multar a una chica menor de edad por ayudar a sus padres.

Mientras atravesaban el bosque a la luz del crepúsculo, Philip no pudo resistirse y deslizó el brazo alrededor de Mariska. Ella se acurrucó contra su hombro.

—Cuidado —advirtió en voz baja—. Alguien podría vernos.

—Odio tener que esconderme de todos —murmuró él, invadido por la culpa. No estaba bien enamorarse de una chica mientras su novia estaba en el extranjero.

Pero no podía evitarlo. Había sido incapaz de resistirse a Mariska, aunque no fuera libre para estar con ella. Mariska comprendía y compartía el secretismo, pero Philip sospechaba que estaba tan impaciente como él por dejar de esconderse. En cuanto Pamela regresara, rompería con ella y entonces podría demostrarle al mundo quién ocupaba realmente su corazón.

—Me estás mirando de un modo muy raro —dijo Mariska—. ¿A qué viene esa mirada?

—Intento recordar el momento exacto en que me enamoré de ti.

—Muy fácil. Fue la noche después del Día de los Fundadores.

Philip sonrió al recordarlo, aunque Mariska estaba equivocada.

—Ésa fue la primera vez que tuvimos sexo. Pero ya estaba enamorado de ti.

Llegaron al final del sendero de grava y volvieron a separarse, como de costumbre. En el pabellón, el baile de despedida estaba en su apogeo. Un globo de espejos giraba lentamente en el medio, creando un efecto estratoscópico en la atestada pista de baile. La gente parecía más frenética de lo habitual, o al menos eso le pareció a Philip.

Se detuvo antes de entrar en el pabellón.

—¿Qué ocurre? —le preguntó Mariska.

—Baila conmigo. Aquí. Ahora.

—Estos zapatos no son los más indicados para la hierba —protestó ella.

—Pues quítatelos. Quiero bailar contigo en privado, donde nadie pueda vernos, para poder abrazarte como deseo —una vez que entraran en el pabellón tendrían que irse cada uno por su lado y fingir que sólo eran amigos. Pero ahora quería bailar con ella como bailaban los amantes.

Ella soltó una risita, se quitó los zapatos y se deslizó en sus brazos. El grupo de música estaba interpretando una versión pasable de *Stairway to Heaven*, y ellos empezaron a bailar en la oscuridad, donde nadie podía verlos. Era maravilloso tenerla entre sus brazos, y el corazón le ardía de emoción al saber que, muy pronto, todo el mundo sabría que era suya.

La apretó contra su pecho y se inclinó para susurrarle al oído mientras se mecían al ritmo de la música.

—No sucedió de repente. Creo que empezó hace cuatro años, cuando empezaste a traer el pan al comedor —aún podía verla, tostada por el sol y con expresión muy seria. Una chica trabajadora que no podía disimular su envidia por los niños ricos que disfrutaban del campamento.

Philip se había sentido conmovido por aquella chica que soñaba con una ilusión inalcanzable. Y también lo conmovía aquella hermosa mujer cuyos sueños estaban a punto de hacerse realidad.

—Cada verano me enamorada más y más de ti —le confesó.

—Pero nunca hiciste nada hasta este verano —observó ella.

—No pensaba que me estuvieras esperando.

—Oh, claro que sí. Quería que me hicieras volar de emoción.

Él se echó a reír y la levantó del suelo, con un brazo bajo las rodillas y otro por detrás de los hombros.

—¿Así?

Ella emitió un sonido de sorpresa y se aferró a su cuello.

—Exactamente así.

Philip la besó con pasión y avidez, y lamentó no haber hecho caso de sus sentimientos mucho antes. Había sido un idiota al pensar que esos sentimientos no eran reales y que la atracción acabaría desvaneciéndose. Tal vez había pasado más tiempo de la cuenta con sus abuelos, quienes afirmaban que era imposible amar a alguien de otra clase social. Siempre le estaban recordando a Philip que era un joven sofisticado, culto y con un brillante futuro por delante. Una chica como Mariska, que estudiaba en un modesto instituto rural, que trabajaba en la panadería de su familia y en la joyería del pueblo, no podía ser la mujer apropiada para él. Pamela Lightsey, en cambio, parecía estar hecha para él. Tenía todo lo que un hombre deseaba en una esposa. Cerebro, belleza, corazón y estatus social. Sus padres eran los mejores amigos de los padres de Philip. Los Lightsey habían hecho su fortuna con el comercio de joyas, y le habían dado a su hija los mismos privilegios de los que disfrutaba Philip: escuelas privadas, coches exclusivos, viajes al extranjero, las mejores universidades... Pamela era rubia y hermosa, hablaba dos lenguas extranjeras y tocaba el piano. Aquel verano estaba en Positano, perfeccionando su dominio del italiano.

Y, sin embargo, Philip había descubierto que le faltaba un ingrediente esencial. Cuando miraba a Pamela a los ojos, no sentía que el amor le hiciera hervir la sangre. Eso sólo le ocurría con Mariska.

Se obligó a interrumpir el beso y volvió a dejarla en el suelo.

—Deberíamos entrar —dijo—. La gente empezará a preguntarse dónde estamos.

Se refería a los otros monitores y al personal. Casi todos eran chicos como él que habían pasado los veranos de su infancia en el campamento, y todos le tenían envidia porque iba a casarse con Pamela Lightsey. O eso pensaban ellos. Le reconfortaba saber que muchos de ellos estarían encantados de cortejarla cuando él la dejara.

El estómago le dio un vuelco, como cada vez que pensaba en romper el compromiso. Pero no tenía elección. Fingir que nada había cambiado aquel verano no sería justo para nadie, ni para Pamela, ni para Mariska. Ni tampoco para los hijos que Pamela y él habían hablado de tener algún día. Los hijos merecían crecer en un hogar lleno de amor.

Nunca debería haberse declarado la primavera pasada, el mismo día del cumpleaños de Pamela. Pero ella deseaba que lo hiciera. Un diseñador de Lightsey

Gold & Gem había creado un anillo de 1.3 quilates para la ocasión. Philip se había arrodillado ante ella en medio del campus de New Haven Green, y en aquel momento podría haber jurado que la amaba.

Era un idiota. Pero no se había dado cuenta hasta que Mariska Majesky le enseñó lo que era realmente el amor.

Se detuvo y le apretó la mano a la entrada del pabellón.

—Te quiero.

Ella lo recompensó con una sonrisa y se soltó de su mano antes de entrar en el pabellón, como si sólo fueran un par de viejos amigos.

La fiesta estaba en pleno apogeo. Los padres de Philip se paseaban entre los invitados, ejerciendo de perfectos anfitriones como siempre. Y los Lightsey también estaban allí. Los padres de Pamela y los de Philip eran amigos de toda la vida, lo que complicaba aún más los planes de Philip. El señor Lightsey había sido el padrino en la boda de los Bellamy, y desde entonces las dos parejas habían estado muy unidas. Era como si la unión de Pamela y Philip hubiera estado concertada de antemano. Cada año, la familia de Philip venía al campamento a pasar los últimos días del verano y a ayudar a cerrarlo todo antes de volver a la ciudad.

Con los Lightsey presentes en la fiesta, Philip debía tener aún más cuidado. Tenía que ser el primero que hablara con Pamela, cara a cara. Si ella se enteraba de la noticia por sus padres… Philip no quería ni imaginarse las consecuencias. Y para complicar aún más las cosas, la madre de Mariska era la encargada de reponer los postres del bufé. Los kolaches y las tartas de frambuesa de Helen Majesky eran legendarias, y desaparecían de las bandejas en un abrir y cerrar de ojos.

Helen los saludó con la mano al ver a Mariska, pero su sonrisa parecía forzada. Philip estaba seguro de que sospechaba algo y de que no aprobaba la relación entre él y Mariska. Era lógico. Sabía que Philip estaba comprometido con Pamela y temía que pudiera romperle el corazón a su hija. Philip quería tranquilizarla y dejarle claro que su intención era pasar el resto de su vida haciendo feliz a Mariska. Muy pronto, pensó. Muy pronto dejaría las cosas claras.

Mariska y él tuvieron que separarse bajo las luces del pabellón, pero a Philip le costaba apartar los ojos de ella. La iluminación del local la rodeaba de un aura especial, casi mágico, como si fuera una criatura de otro mundo.

—Eh, Phil —lo llamó Earl, su mejor amigo y compañero de habitación en la residencia universitaria, dándole una palmada en la espalda—. Te has perdido la reunión del personal en el varadero —era uno de los muchos eufemismos usados por el personal, naturalmente. Anthony George Earl Tercero era un gran aficionado a la marihuana, y los porros se habían convertido en otro de los rituales del campamento.

—Sobreviviré. Vamos a buscar algo de comer.

—Buena idea. Me muero de hambre —el brillo de sus ojos insinuaba que había sido la voz cantante de la reunión en el varadero.

Se dirigieron hacia la mesa del bufé, elevando sus voces para hacerse oír sobre la música.

—Me voy mañana en el primer tren —dijo Earl, llenándose la boca de Bugles—. Odio dejar este lugar.

—Ya —murmuró Philip mientras le echaba un rápido vistazo a Mariska. Estaba bailando con Terry Davis, un chico del pueblo que se encargaba de los trabajos de mantenimiento.

Como de costumbre, había bebido. Davis era corpulento como un jugador de rugby, y podía beberse seis cervezas en sólo unos minutos.

—Es tremenda, ¿eh? —comentó Earl, añadiendo una porción extra de ensalada de patata a su plato.

—¿Qué? ¿Quién? —preguntó Philip, fingiendo no

saber a quién se refería. Llevaba haciendo lo mismo durante todo el verano.

—Mariska, ¿quién va a ser? Mírala.

A Philip le costó toda su fuerza de voluntad no borrar de un puñetazo la expresión lasciva del rostro de Earl. También llevaba haciendo eso todo el verano. Todos los chicos del campamento estaban locos por Mariska.

—Mataría por hincarle el diente —siguió Earl.

—Sí, estoy seguro —dijo Philip, sintiendo como su paciencia pendía de un hilo.

Earl se encogió de hombros, sin darse cuenta de nada. Sostuvo el plato en una mano, agarró una bolsa de Screaming Yellow Zonkers con la otra y encontró un sitio en una de las mesas colocadas junto a la pista de baile.

—De verdad que lo haría —insistió Earl.

—Estás enfermo —dijo Philip sentándose junto a él.

—No, sólo estoy caliente. Creo que me está afectando la cabeza. No sé cómo has podido mantenerte tan tranquilo y sereno todo el verano sin echar un polvo —al igual que Philip, Earl estaba comprometido y su novia estaba en el extranjero. Lydia había ido a Biafra a trabajar como voluntaria en la Cruz Roja. Pero a diferencia de Philip, él se había mantenido fiel, aunque se quejara en voz alta por su noble sacrificio.

—¿Cuándo vuelve Lydia? —le preguntó Philip.

—Dentro de dos semanas. Me muero de impaciencia. ¿Y qué hay de Miss América? —Earl se refería a Pamela como «Miss América» porque realmente parecía la reina de un desfile de belleza. Entre ella y el resto del mundo se abría una distancia invisible e insalvable para los simples mortales.

—La semana que viene.

—La espera se hace dura, ¿eh?

—Más de lo que imaginas —admitió Philip.

Earl empezó a atacar las costillas a la parrilla.

—No lo entiendo... ¿Cómo sabes qué has encontrado a la chica adecuada? Quiero decir, a veces sé que Lydia es perfecta para mí, pero cuando veo algo como eso... —señaló a Mariska, quien en ese momento estaba bailando con un grupo de amigas—, no puedo imaginarme con la misma chica el resto de mi vida.

Philip sí que podía. Pero no con Pamela.

—Tus padres parecen hacer buena pareja —dijo Earl, señalándolos con la mano.

Philip observó a sus padres, que se paseaban juntos por la pista de baile. Ninguno de los dos sabía bailar, pero ambos se movían abrazados mientras la voz de Eric Clapton sonaba por los altavoces.

—¿Ves lo que quiero decir? —preguntó Earl—. Me pregunto cómo supieron que estaban hechos el uno para el otro.

—Nadie lo sabe con seguridad —repuso Philip—. Por eso hay tanta gente que comete errores. No porque sean tontos, sino porque están convencidos de haber tomado la decisión correcta.

Sus padres sí formaban una pareja feliz, pero Philip sabía que habían tenido unos comienzos muy difíciles. Los Bellamy se habían opuesto rotundamente al matrimonio. El padre de Philip, Charles, había desafiado a su familia por estar con Jane Gordon, cuya familia había fundado el campamento Kioga. Charles había dejado sus estudios en Yale para casarse con ella y hacerse cargo del campamento.

Finalmente se había reconciliado con sus padres, aunque tal vez fue gracias a los cuatro hijos que Jane tuvo uno detrás de otro. O quizá la familia Bellamy acabó por comprender y aceptar el amor que se profesaban Charles y Jane.

Lo mismo pasaría con él y Mariska. Estaba convencido. Al principio se encontrarían con muchas dudas y resistencia. Pero al final el mundo se daría cuenta de que había encontrado al amor de su vida, y Mariska y él estarían siempre juntos.

—Bailad con nosotras —les ordenaron las hermanas Nielsen mientras empezaba otra canción—. No podéis quedaros sentados mientras suena *Bohemian Rhapsody*.

—Está bien, pero deja de retorcerme el brazo —aceptó Earl, limpiándose la boca con la servilleta.

Sally y Kirsten Nielsen eran unas gemelas a las que los chicos de Kioga habían apodado «las Valkirias», debido a su gran estatura, sus rasgos nórdicos y su imprudente descaro a la hora de abordar a los chicos que les gustaban. Philip se alegró de tener una excusa para ir a la pista de baile, donde estaba Mariska. Notó que sus padres y los Lightsey lo estaban mirando y sintió el peso de la responsabilidad. Tenían puestas demasiadas expectativas en él cuando acabara la universidad. Casarse con Pamela. Doctorarse en Económicas o Derecho. Formar una familia.

Mariska estaba bailando con Matthew Alger, y Philip sintió una punzada de celos al verlos juntos. Alger era un tipo grueso y rubio, pero intentaba emular a su ídolo, John Travolta, con su ridículo tupé y su camisa abierta para mostrar el pecho. Menudo perdedor… Y sin embargo parecía que les gustaba a las chicas, por razones que Philip no podía imaginar.

La música cambió a una canción lenta y Philip agarró a Mariska por la muñeca.

—Me toca —dijo, interponiéndose entre Alger y ella.

—Largo —espetó Alger siempre dispuesto a una pelea—. Aquí no se te ha perdido nada.

—Eso le corresponde decirlo a la dama.

—Ya está bien —intervino Mariska, riendo—. Aún no he bailado con Philip, y os vais todos mañana.

—Yo no —le informó Alger, dándose un aire de importancia—. Voy a vivir en Avalon. Tengo que hacer mi tesis sobre Administración Civil, y Avalon es el tema de estudio.

Alger no procedía de una familia adinerada, pero al parecer tenía cerebro. De repente, Philip sintió una envidia asesina. Alger se quedaría en Avalon mientras él estaría en el campus durante otro año, lejos de Mariska.

—Supongo que te veré por aquí, Mariska —dijo Alger.

Era un tipo agudo y ambicioso, aunque nunca había acabado de encajar en aquel ambiente, a pesar de trabajar como contable y monitor en el campamento.

—No me da buena espina —le dijo Philip a Mariska cuando Alger se alejó—. Deberías alejarte de él.

—Tengo que vivir en este pueblo —le recordó Mariska—. No puedo permitirme tener enemigos.

—No seas tonta. Cuando acabe los estudios viviremos donde quieras. En Nueva York, Chicago, San Francisco...

—Te tomo la palabra —dijo ella con los ojos brillándole de emoción, justo antes de desviar la mirada—. Así que ésos son los padres de Pamela. Dan miedo.

—Oh, no. Sólo son...

—Igual que tu familia. Gente de dinero.

—Son personas, como cualquier otra.

—Claro. Cualquier otra con Gold & Gem de apellido.

A Philip no le gustaba cuando ella hablaba así, como si pertenecieran a dos mundos diferentes.

—Olvídalo. Te preocupas demasiado.

El discjockey anunció que todo el mundo debía bajar al lago para la última hoguera del año, y todos los presentes se apresuraron a salir del pabellón en masa. El fuego tenía una función práctica además de tradicional, pues servía para eliminar los restos de madera acumulada a lo largo del verano.

Mientras la gente se dirigía hacia la pirámide de fuego, Philip puso la mano en el trasero de Mariska y la apartó del sendero.

—¿Qué haces?—susurró ella.

—Como si no lo supieras…

—Nos van a ver —durante todo el verano había estado tan preocupada como él porque los descubrieran, y no quería ganarse una mala fama por robarles los novios a otras chicas.

Él la tomó de la mano y la llevó hacia la fila de cabañas.

—No, nadie nos verá.

Pero alguien sí los vio. Mientras se alejaban del lago, una cerilla se encendió en la oscuridad e iluminó el rostro ebrio de Terry Davis. Sostuvo la cerilla a un brazo de distancia y la débil llama parpadeó sobre Philip y Mariska.

—Buenas noches —los saludó con una sonrisa irónica.

—Maldita sea —masculló Philip en voz baja—. No se encuentra bien —le explicó a Davis—. Voy a llevarla a… su coche.

Davis parpadeó y se llevó la cerilla al extremo de su cigarro.

—Claro.

Philip y Mariska siguieron caminando.

—No te preocupes por él —dijo Philip—. Mañana no se acordará de nada.

Pero a pesar de su convicción, sintió un nudo de aprensión en el pecho. A lo largo del verano, Mariska y él habían buscado toda clase de sitios para hacer el amor. Lo habían hecho en el cobertizo de las barcas, en las barcas, en la furgoneta de reparto de Mariska, en el puente sobre la catarata…

Aquella noche decidieron arriesgarse a hacerlo en la cabaña. Al ser uno de los monitores con más edad, Philip disfrutaba de alojamiento para él solo. Iluminados por una pequeña lamparilla, tomó a Mariska en sus brazos y enterró la cara en sus fragrantes cabellos.

—Me muero por estar contigo para siempre.

—Pues me temo que tendrás que esperar. Esta noche no puedo quedarme hasta muy tarde. Mañana por la mañana tengo cita con el médico.

Philip se apartó y examinó su rostro.

—¿Estás bien?

—Sólo es una revisión.

—Voy a echarte de menos —dijo él con un suspiro.

Ella empezó a desabrocharle la camisa con sus delicados dedos.

—¿Cuánto?

—Más de lo que imaginas —contuvo la respiración mientras ella le abría la camisa y le daba un beso en el cuello.

—Seguramente te olvidarás de mí cuando hayas vuelto a la universidad con tu novia rica y tus amigos de clase alta.

—No hables así. Ya sabes que no es cierto.

—Lo único que tengo es tu palabra... La palabra del niño rico —a pesar de su acusación, había una nota de burla en su voz—. ¿Qué hacen las niñas ricas, por cierto?

—Dejan que los niños ricos les hagan el amor —respondió él, bajándole la cremallera del vestido. Estaba muy excitado, pero se obligó a proceder con calma. Se quitó un gemelo y se lo metió en el bolsillo.

—Son muy bonitos —dijo ella, admirando el brillo de la plata.

—Eran de mi abuelo —se quitó el segundo y se lo puso en la mano—. Quédate con éste. Yo me quedaré con el otro. Después... Cuando vuelva a por ti, los llevaré en nuestra boda.

—Philip.

—Lo digo en serio. Quiero casarme contigo. Ahora te entrego este gemelo de plata. Cuando todo se haya solucionado, será un anillo de diamante.

Los ojos de Mariska volvieron a brillar de emoción mientras se metía el gemelo en su bolso.

—Te tomaré la palabra en eso también. De hecho, ya he elegido el anillo de mis sueños.

—¿En Palmquist, donde tú trabajas?

—Muy gracioso. En Tiffanys.

—Hey, no puedo permitirme un anillo de Tiffanys.

—Claro que puedes. Tus padres están forrados.

—Pero yo no. En mi familia hay que valerse por uno mismo.

—Me tomas el pelo, ¿verdad?

Él se echó a reír y le quitó el vestido por los hombros, viendo cómo caía al suelo.

—Vas a ser la novia de un abogado de oficio, pobre pero noble.

—Vale, ahora sí que me estás asustando.

Philip volvió a contener la respiración cuando el sujetador cayó al suelo. Le costó unos segundos recuperar la voz.

—Lo único que me asusta es que mañana tendremos que separarnos.

CANCIÓN DEL CAMPAMENTO KIOGA

El oso subió a la montaña.
El oso subió a la montaña.
El oso subió a la montaña,
para ver qué había al otro lado.

5

—¿Por qué será que este lugar me recuerda a la película *El resplandor*? —preguntó Freddy Delgado, tatareando una siniestra melodía mientras Olivia conducía el todoterreno de alquiler por la estrecha carretera hacia el pueblo de Avalon.

—Te aseguro que mis recuerdos son más terroríficos que la película. Aquí pasé los peores veranos de mi vida —dijo ella. Aún no podía creerse lo que estaba haciendo. El simple hecho de conducir un coche le resultaba extraño, ya que nunca conducía en la ciudad. Su madre había intentado disuadirla hasta el último momento, pero Olivia estaba decidida. Su padre, en cambio, le había brindado todo su apoyo y le había deseado buena suerte cuando fue a despedirse de él la noche anterior.

—Ya será menos —dijo Freddy—. Este lugar parece ideal para pasar el verano.

Olivia levantó el pie del acelerador al ver una ardilla listada cruzando la carretera. Había cosas que nunca le había contado a Freddy ni a nadie sobre su vida.

—Era una especie de inadaptada.

—¿Tú? —Freddy soltó un bufido de incredulidad que le resultó muy halagador a Olivia—. ¿Qué es esto, un campamento para idiotas y chalados?

Ella le señaló el álbum de fotos, que yacía en el asiento entre ellos. No le gustaba que Freddy viera las imágenes de su pasado, pero tenía que confiar en él. ¿Quién, además de Freddy, lo dejaría todo para pasar el verano en un campamento perdido de las montañas? Cierto era que estaba sin trabajo y sin casa, pero en cualquier caso ya estaba hojeando las fotos antiguas.

—Busca el grupo de 1993. La cabaña Saratoga. Eagle Lodge —le indicó ella.

—Parece un programa de reproducción para la nación aria —comentó él, observando las fotos—. ¿Todo el mundo tenía que ser alto, rubio y guapo para entrar en el campamento?

—Mira de cerca. La fila del fondo, en el extremo.

—Oh —el tono de Freddy insinuaba que la había localizado—. Una fase difícil, ¿eh?

—Yo no lo llamaría «fase». Así fue toda mi adolescencia. Gorda, con gafas y aparato en los dientes.

Freddy dejó escapar un débil silbido.

—Y mírate ahora. El patito feo se ha convertido en un cisne.

—El patito feo tenía buenos contactos, se tiñó de rubio y practicó la natación en la universidad durante todo el año, hasta conseguir el peso ideal. Y no tienes por qué ser amable. Era una chica horrible y desgraciada. Pero cuando aprendí a ser feliz, todo empezó a mejorar.

—Los jóvenes no aprenden a ser felices. Simplemente lo son.

—Algunas familias son diferentes —dijo ella—. Y eso es todo lo que voy a decir sobre los Bellamy, así que no te molestes en preguntar.

—Que te lo has creído... Te tengo para mí solo

todo el verano. Voy a sonsacarte hasta el último de tus secretos.

—Yo no tengo secretos.

—¿Ah, no? A mí me parece que ocultas secretos incluso a ti misma.

—Va a ser divertido pasar todo el verano con el doctor Freud.

—Bueno, me alegra que vayamos a encargarnos de este proyecto. Y me alegro también de que Rand Whitney ya sea historia.

—Gracias —respondió ella en tono sarcástico—. Es todo un detalle por tu parte, Freddy. Querías que mi relación fracasara.

—Olivia. Tú misma te buscas el fracaso una vez tras otra. ¿Te has preguntado alguna vez por qué?

Ouch.

—Tienes la mala costumbre de elegir siempre al hombre equivocado —siguió Freddy—. Y creo que lo haces de un modo inconsciente, porque no sabrías qué hacer si encontraras al hombre adecuado. Has dicho que aprendiste a ser feliz. ¿Por qué será que no te creo?

Olivia no quería hablar de ello.

—Creo que deberíamos parar. Barkis tiene que hacer sus necesidades.

—No, no tiene que hacerlas. Las hizo en Kinsgton. Y según el mapa ya casi hemos llegado. Pero te prometo que mantendré la boca cerrada.

Fiel a su palabra, Freddy siguió observando las fotos en silencio. Olivia ya las había visto, examinando con atención las imágenes en blanco y negro para recordar cómo era el campamento. Por suerte, su abuela mantenía un historial del campamento desde sus humildes orígenes en la década de los 30 hasta su época dorada a finales de los 50. Era el período que Olivia quería recrear para las bodas de oro de sus abuelos.

—Viéndote en estas fotos puedo entender un poco más sobre ti —dijo Freddy.

—¿A qué te refieres?

—Eres una maestra en el arte de la transformación. No me extraña que seas tan buena en lo que haces.

Ciertamente había tenido mucha práctica. De niña había estado obsesionada con cambiarlo todo… su habitación en el apartamento que su madre tenía en la Quinta Avenida, su taquilla en el Dalton School, incluso su cabaña en el campamento Kioga. Era lo único que se le daba bien. Un año, había encontrado un montón de mantas y colchas viejas en el desván que había sobre el comedor. Al volver de una excursión, sus compañeras de cabaña se encontraron las literas cubiertas con edredones hechos a mano, suaves y descoloridos por el tiempo. De las ventanas colgaban cortinas de algodón estampado, y en los alféizares reposaban jarras de mermelada con flores silvestres.

—Ya veremos lo buena que soy —le advirtió a Freddy—. Nunca he reformado un campamento en plena naturaleza.

—Tu abuela te ha concedido un jugoso presupuesto y todo el verano para hacer el trabajo. Será una aventura.

—Espero que tengas razón. Y gracias por venir conmigo. Eres un regalo del Cielo, Freddy.

—Necesitaba esta oportunidad, cariño —dijo él con una sonrisa de modestia—. Pero vas a necesitar mucho más que mi ayuda. ¿A quién vas a contratar como mano de obra?

—El presupuesto de mis abuelos puede pagar a un contratista, pero tenemos que buscar a alguien lo antes posible. También vas a conocer a unos cuantos Bellamy. Mi prima Dare va a venir, y también mi tío Greg y mis primos Max y Daisy. Greg es un arquitecto paisajista y se hará cargo del terreno. No lo está pasando muy bien en su matrimonio, por lo que a él y a los niños les vendrá bien pasar el verano aquí.

—¿Ves como el matrimonio es muy mala idea?

—¿Estás diciendo que no debería molestarme en probarlo?

Freddy ignoró la pregunta y volvió a la colección de fotos.

—Vaya lugar… Por las fotos se parece más a una reunión familiar que a un campamento de verano.

—Hace muchos años, el campamento era sólo para las familias —explicó ella—. A veces, era la única ocasión en que los parientes se reunían al año. Los hijos y las madres se quedaban todo el verano y los padres iban a verlos cada viernes. Extraño, ¿verdad?

—Tal vez. He oído que los retiros familiares vuelven a estar de moda. Ya sabes… La familia agobiada por el trabajo que busca tiempo para estar todos juntos y bla, bla, bla.

—Parece que no te atrae mucho la idea.

—Nena, yo me retiro de mi familia, no con ellos.

—Vaya, ¿y eso? No sabía que tuvieras problemas con tu familia.

—No tengo problemas. De hecho, ni siquiera tengo familia.

Olivia apretó los dientes. Freddy y ella llevaban siendo amigos durante años, pero él nunca le había hablado de su familia. Sólo le había contado que vivían en Queens y que no habían tenido el menor contacto desde que él se marchó de casa.

—Has estado dándome la lata los últimos ciento cincuenta kilómetros. Me toca.

—Créeme, no hay nada interesante que contar, a menos que seas una fan de Eugene O'Neill.

Justo antes de llegar al pueblo de Avalon, el paso a nivel descendió y Olivia detuvo el coche para esperar a que pasara el tren.

—Solía tomar ese tren en Avalon.

Aún recordaba el alboroto y la excitación que salía de los vagones. Algunos de los campistas más veteranos cantaban o se jactaban de sus triunfos en las competiciones de natación o tiro con arco. Todos especulaban sobre quién dormiría en cada cabaña porque todo el mundo sabía que, dependiendo de qué compañeros le tocara a cada uno, el verano podía ser un éxito o un fracaso. Cuando Olivia iba al campamento de ocho a once años, se moría de impaciencia porque llegara el verano. Tenía tres primas en su misma franja de edad, y el trayecto en tren y luego en minibús a las montañas era un viaje mágico a un mundo encantado.

Todo cambió el año en que sus padres se separaron, cuando se rompió el cascarón de su infancia y en vez de una bonita y grácil mariposa salió una adolescente obsesa y huraña que recelaba del mundo entero.

El tren pasó frente al coche, el último vagón desapareció en la distancia y ante ellos apareció el pueblo de Avalon.

—Qué bonito —observó Freddy—. ¿Este pueblo es de verdad?

Avalon era una aldea típica de las montañas Catskills, y ofrecía exactamente lo que anhelaban encontrar los turistas: un mundo apartado y protegido del tiempo por las vías de ferrocarril y por un puente cubierto. Los árboles se alineaban en las calles de adoquines, y en la plaza había un juzgado y tres iglesias. El pueblo apenas cambiaba de aspecto de un año a otro. Olivia recordaba la tienda de Clark's Variety, la ferretería de Agway Feed, la joyería Palmquist y la pastelería Sky River, que aún era propiedad de la familia Majesky según rezaban las letras del escaparate. Había tiendas de regalos y de artesanía, boutiques exclusivas, restaurantes y cafeterías con sus toldos a rayas alrededor de la plaza. Las tiendas de antigüedades exhibían ruecas y colchas viejas, y casi todos los establecimientos vendían sirope de arce y sidra para los turistas que visitaban la región en otoño.

En el asiento trasero, Barkis se despertó de una siesta y asomó el hocico por la ventana mientras pasaban por la zona de picnic, junto al río Schuyler. La calle más bonita del pueblo era Maple Street, con sus casas de estilo gótico de la era eduardiana y sus placas del Registro de Historia Nacional.

—Es como *La edad de la inocencia* —declaró Freddy. Las casas pintadas de color pastel habían sido transformadas en pensiones, bufetes, galerías de arte y un centro de belleza. El último local de la calle tenía un letrero pintado a mano: *Davis Contracting and Construction*—. ¡Cuidado, Olivia!

Ella frenó en seco, haciendo que Barkis a punto estuviera de caerse del asiento.

—Es un cruce —dijo Freddy—. Tienes que frenar.

—Lo siento. No vi la señal —se excusó ella. El nombre de Davis en el letrero la había conmocionado.

Tranquila, se ordenó a sí misma. Había un millón de Davis en el mundo. Aquella empresa de construcción no era... No, no podía ser. Sería una locura.

—Voy a anotar el número de esa empresa —dijo Freddy, ajeno a su turbación.

—¿Por qué?

—Seguramente sea la única en el pueblo, y vamos a necesitar su ayuda.

—Encontraremos otra.

Él se giró en el asiento mientras pasaban junto al local.

—El letrero dice que están asegurados y que ofrecen un estudio gratuito.

—¿Y tú te lo crees?

—¿Tú no? —Freddy chasqueó con la lengua mientras anotaba el número—. ¿Cómo puedes ser tan desconfiada a una edad tan tierna?

Era altamente improbable que Davis Construction tuviera algo que ver con Connor Davis, se dijo Olivia. Pero ¿y qué si así fuera? Seguramente ni siquiera se acordaba de ella. Lo cual era una lástima y al mismo tiempo un alivio, teniendo en cuenta el ridículo que había hecho con él.

—Por favor, dime que eso no es un puente cubierto —dijo Freddy, agarrando su cámara.

—Es un puente cubierto.

—No puedo creerlo. Es mejor que *Los puentes de Madison.*

—Hasta una lobotomía es mejor que *Los Puentes de Madison.*

Freddy sacó varias fotos seguidas, maravillado por el letrero que databa de 1891. Se llamaba Sky River Bridge, y su pintoresca estructura salvaba las aguas poco profundas del río Schuyler. Olivia recordaba que el minibús que los recogía en la estación de tren siempre tocaba el claxon cuando entraban en el túnel, lleno de nidos de golondrina.

Más allá del puente, el camino serpenteaba a lo largo del río y atravesaba una cadena montañosa. Freddy, siendo un chico de ciudad, no salía de su asombro.

—Es increíble. No puedo creer que tu familia sea dueña de un lugar como éste y nunca me hayas hablado de él.

—El campamento ha estado cerrado durante los últimos nueve años. Una gestoría inmobiliaria se hace cargo del mantenimiento y algunos miembros de mi familia vienen a pasar las vacaciones de vez en cuando.

Olivia había sido invitada a reunirse con ellos, pero ella siempre había rechazado la invitación. Aquel lugar albergaba demasiados malos recuerdos.

—En invierno, mi tío Clyde trae a su familia para hacer esquí de fondo.

—Casi hace que desee tener una familia normal —murmuró Freddy.

—Bueno… si lo que ves hoy no hace que huyas despavorido, tendrás a una tribu de Bellamy para hacerte compañía todo el verano.

—Por mí estupendo. ¡Ah! ¿Te he dicho que estoy sin trabajo y sin casa? Soy un buen partido, ¿verdad?

—Vas a trabajar conmigo este verano y vas a vivir

en el campamento Kioga —Freddy era su mejor amigo. ¿Qué más podía decir?

Redujo la velocidad al ver la cola blanca de un ciervo por el rabillo del ojo. Un momento después aparecieron una cierva y un cervatillo, y Freddy se emocionó tanto que casi se le cayó la cámara.

Años atrás, los campistas veteranos anunciaban los puntos más interesantes del camino, y la excitación general crecía a medida que se acercaban a su destino.

—Eso es Lookout Rock —anunciaba alguien, señalando y saltando en el asiento—. Yo la he visto primero.

Otros nombres seguían en rápida sucesión. Moss Creek, Watch Hill, Sentry Rock, Treaty Oak, un árbol tan viejo que supuestamente había plantado Jesse Lyon en persona, para conmemorar el tratado que firmó con Peter Stuyvesant, el gobernador de la colonia.

Pero en su duodécimo verano, Olivia había hecho el trayecto en silencio, y con cada hito del camino se iba apoderando de ella una funesta sensación, como un peso muerto en su estómago. No sólo en su estómago, sino en su aspecto también. Sus kilos de más representaban el estrés sufrido en casa, las exigencias de la escuela y sus propios miedos ocultos.

Pasaron junto a un estudio de arte con un caprichoso letrero junto al camino y a continuación atravesaron un prado verde y bordeado por la misteriosa espesura del bosque. En un claro bañado por el sol, había una caravana Airstream con una Harley negra y cromada aparcada en el exterior.

—Un lugar interesante —murmuró Freddy.

—Aún se puede ver mucha contracultura por aquí —dijo Olivia—. No estamos muy lejos de Woodstock.

Pasaron junto a la granja Windy Ridge, marcada con otro extravagante letrero, tomaron la última curva de la carretera y entraron en un camino de tierra que se adentraba en el bosque y con un letrero que prohibía la entrada. Finalmente, un arco de madera sobre el camino indicaba la entrada a la propiedad. Construido con grandes troncos, era el sello característico del campamento. Un boceto del mismo adornaba las hojas y sobres que usaban los niños para escribir sus cartas semanales a casa. En el arco se leía *Campamento Kioga. Est'd 1932*, escrito con ramitas al estilo de los indios adirondack.

En el minibús, los niños contenían la respiración y no soltaban el aire hasta que pasaban bajo el arco. Una vez dentro de los límites del campamento, había una exhalación general seguida de gritos de alborozo y entusiasmo. «Por fin llegamos».

—¿Estás bien? —preguntó Freddy.

—Sí, muy bien —respondió ella secamente, reduciendo la velocidad y oyendo el crujido de la grava bajo los neumáticos. Mientras avanzaban por el camino, a la sombra de arces y robles, tuvo la extraña sensación de estar volviendo atrás en el tiempo, a un lugar que no era seguro para ella.

El camino estaba lleno de baches y maleza, y las ramas azotaban la pesada carrocería del todoterreno. Olivia aparcó frente al pabellón principal y dejó salir a Barkis. El perro empezó a corretear frenéticamente de un lado para otro, decidido a olisquear hasta la última brizna de hierba.

La finca abarcaba cien acres de terreno y era casi toda campo y bosque, con el lago Willow como eje central. Junto a la orilla había edificios rústicos, prados, cabañas, bungalows e instalaciones deportivas. Olivia vio el campo de tiro con arco, las pistas de tenis y badminton, el anfiteatro y las rutas de senderismo, ahora cubiertas por la maleza. De inmediato empezó a tomar notas mentalmente, calculando lo que haría falta para reformarlo todo.

El pabellón principal albergaba el comedor, y en la gran terraza que sobresalía sobre la ribera del lago se celebraban los bailes y las actividades nocturnas. En la parte baja del edificio estaban la cocina, el salón de recreo y las oficinas del campamento. Todo presentaba un aspecto abandonado, desde el camino infestado de hierbajos hasta los rosales que rodeaban los mástiles de las banderas. Sorprendentemente, las rosas habían sobrevivido, y sus tallos exuberantes y espinosos crecían en todas direcciones.

—No sabía que pudiera existir un lugar como éste —dijo Freddy después de examinar el pabellón principal y algunas cabañas—. Se parece a la película *Dirty Dancing*.

—Ahora no es más que un pueblo fantasma —repuso Olivia, aunque en su imaginación seguía lleno de chicos y chicas con camisetas grises—. Hasta principios de los sesenta había baile todas las noches. Incluso música en vivo.

—¿Aquí, en mitad de la nada?

—Mis abuelos aseguran que los músicos eran bastante buenos. Siempre se podían encontrar jóvenes talentos entre los músicos y actores de Nueva York que quisieran trabajar en verano. Después de que el campamento se limitara exclusivamente a niños y adolescentes, se impartieron clases de baile y de coro.

Se estremeció por el recuerdo. Siempre era la última a la que elegían, y normalmente acababa con otra chica, una prima o un chico que no se molestaba en disimular su asco por verse emparejado con Lolly. «El barril de manteca», como era conocida.

—Vamos a abrir el pabellón y te enseñaré el comedor —propuso.

Usó la llave que le había dado su abuela para la cerradura y abrieron las pesadas puertas dobles. En el vestíbulo, las vitrinas estaban cubiertas con guardapolvos y de las paredes colgaban trofeos de caza: un alce, un oso, un ciervo, un puma...

—Esto pone los pelos de punta —dijo Freddy.

Barkis pareció estar de acuerdo con él, pues se mantuvo quieto y callado mientras miraba con desconfianza los colmillos y los ojos vidriosos de los animales.

—Solíamos ponerles nombres —dijo Olivia—, y robábamos la ropa interior de alguien para colgarla de las astas.

—Eso sí que me pone los pelos de punta.

Olivia lo condujo al comedor, con sus altas vigas de madera en el techo, sus enormes chimeneas de piedra a cada extremo, sus largas mesas y bancos de madera, las altas puertas de cristal que daban a la terraza y otra galería con pasamanos alrededor de un desván. Un tenue olor a leña quemada aún impregnaba el aire.

—Está hecho una ruina —dijo Olivia.

Freddy pareció quedarse aturdido por la magnitud del proyecto que tenían por delante. Giró lentamente sobre sí mismo, asimilándolo todo con ojos muy abiertos.

—Escucha —le dijo ella—, si crees que no podemos hacerlo, dímelo ahora. Podríamos subcontratar a alguien y…

—No pienso marcharme nunca de este lugar —la interrumpió él, caminando hacia las puertas acristaladas con vistas al lago.

El embelesamiento de Freddy hizo sonreír a Olivia y alivió algunos de sus malos recuerdos. Como si estuviera en trance, Freddy abrió las puertas de cristal y salió a la amplia terraza.

—Dios mío —dijo en voz baja y maravillada—. Dios mío, Livvy.

Los dos permanecieron un largo rato contemplando el lago de aguas limpias y tranquilas. Parecía un espejo dorado, reflejando los abedules de las orillas y las boscosas laderas de las montañas. Era realmente bonito. Casi mágico.

—Allí, en el medio —dijo, apuntando con el dedo—.

La isla Spruce —era lo bastante grande para albergar un cenador, un muelle y una zona de picnic, y al mismo tiempo lo bastante pequeña para evocar una imagen misteriosa y lejana, una brillante esmeralda en mitad de un mar dorado—. Mis abuelos se casaron allí, hace cincuenta años. Y allí es donde quieren celebrar sus bodas de oro en agosto, siempre y cuando consigamos tenerlo todo a punto.

—¿Acaso lo dudas?

—Tu seguridad es encomiable, Freddy, pero tenemos que afrontar los hechos. No estamos hablando de pintar y ventilar una casa antigua de doscientos metros cuadrado, sino de cien acres de terreno con un puñado de instalaciones y edificios destartalados, algunos de los cuales datan de 1930.

—No me importa. Podemos hacerlo. Y tenemos que hacerlo.

Olivia le dio un fuerte abrazo.

—Y yo que pensaba que tendría que obligarte...

El abrazo de Freddy fue ligeramente más largo y fuerte que lo necesario, y ella fue la primera en apartarse. Le sonrió y fingió que sólo veía un brillo de amistad en sus ojos. Por primera vez empezaba a entender a Rand Whitney. Al igual que él, era incapaz de devolver el sentimiento de adoración que le profesaba Freddy.

—Gracias por venir, socio —le dijo, caminando por la terraza y saboreando la brisa que soplaba del lago. La fragancia del agua y del bosque le trajo un aluvión de recuerdos, pero sorprendentemente no todos eran malos.

—No creo haber estado nunca en un lugar tan aislado —dijo Freddy—. Es como si fuéramos los únicos humanos en toda la tierra. El primer hombre y la primera mujer. Adán y Eva.

—No vayas a ponerte raro conmigo —le advirtió ella.

—Oh, ¿no puedo hacer de cavernícola cazador? —le preguntó con una mirada salvaje.

—Mejor que no.

—Como quieras. Pero si quisiera escribir un libro, éste sería el lugar perfecto.

—De momento, vamos a pensar dónde dormiremos esta noche —dijo ella, volviendo al interior del comedor.

La primera noche acabaron compartiendo una cabaña. A ninguno de los dos le hacía gracia dormir en uno de los barracones del personal, en el linde del bosque, preguntándose qué clase de criaturas acechaban en la impenetrable oscuridad que rodeaba el campamento al caer la noche. Cuando llegaran los otros, se trasladarían a los alojamientos privados, pero por el momento ninguno de los dos quería estar solo.

Las cabañas llevaban los nombres de fuertes y fortines históricos y de batallas famosas: Ticonderoga, Saratoga, Stanwix, Niágara… Olivia eligió la cabaña Ticonderoga por su proximidad al comedor y por su gran cuarto de baño.

Después de deshacer el equipaje y calentar sopa enlatada en la cocina, todavía en buen estado a pesar de las telarañas, usaron un compresor de aire para inflar los colchones. El campamento había adquirido un cargamento de colchones hinchables para evitar el problema de los ratones y las roeduras. A continuación, Olivia y Freddy prepararon sus literas, cada uno en un extremo de la cabaña, y empezaron a limpiar el polvo y las telarañas.

La tarde descendía lentamente sobre el bosque. El cielo rosado del crepúsculo se tornaba en tonos morados y violetas, hasta que una oscuridad total lo cubrió todo. Barkis se acobardó tanto al caer la noche que cualquier crujido de hojas o el canto de un ave solitaria bastaban para asustarlo.

Después de librar una encarnizada batalla con dos arañas en el cuarto de baño, Olivia se puso unos pantalones de pijama de color lila y un top a juego y se dispuso a acostarse.

—Me encanta la Madre Naturaleza —dijo Freddy, mirándole los pechos.

Ella agarró un jersey para protegerse de la brisa nocturna que entraba por la ventana.

—Me aburro —se quejó él—. Ésta es la hora en la que suelo ver *Dog the Bounty Hunter*.

—Te dije que no había televisión. Ni teléfono, ni Internet, ni cobertura para los móviles.

—¿Y qué demonios vamos a hacer? —preguntó Freddy en tono desesperado.

—Hablar. Jugar a juegos de mesa. Leer. Dormir…

—¿Quieres matarme?

Se sentaron en sus respectivas literas y se miraron el uno al otro, hasta que Olivia apagó la luz de la cabecera.

—Es extraño no oír los ruidos de la ciudad —comentó, arrebujándose bajo las sábanas y la manta de lana—. Estoy demasiado acostumbrada a las bocinas y las sirenas.

Barkis también parecía echar de menos los sonidos de la ciudad. Estaba muerto de miedo por el batir de alas y los ululatos de los búhos, y se metió bajo la litera de Olivia para hacer un ovillo con su cuerpo.

Olivia contempló la oscuridad e intentó dormir, pero estaba demasiado inquieta e incómoda. Los minutos pasaron lentamente y seguía sin poder conciliar el sueño. Se sentía cada vez más despierta y alerta, y su cabeza no paraba de darle vueltas al proyecto.

—¿Freddy? —susurró. No recibió respuesta—. Freddy, ¿estás despierto?

—Ahora sí —respondió una voz incorpórea—. ¿Dónde estás? No veo nada.

—Tenemos que conseguir más linternas —dijo ella.

—Mañana —corroboró él.

Barkis gimió y Olivia reconoció la urgente necesidad.

—Tiene que salir una vez más —dijo, encontrando sus zapatillas y una linterna—. Ven comigo.

—Estoy muy calentito en la cama.

—Gallina.

Freddy soltó un largo suspiro y ella lo apuntó con la linterna. Estaba muy mono con sus boxers, su camiseta blanca y su pelo alborotado. Sin dejar de gruñir, se puso unos pantalones.

Fuera, Barkis se quedó al alcance de la luz mientras olisqueaba el terreno alrededor del bungalow.

—Pareces distinta aquí —comentó Freddy—. Como si te sintieras más a gusto en este lugar que en la ciudad.

—No me digas —se burló ella.

—Lo digo en serio —de repente le agarró la mano—. Apaga la linterna un segundo.

—¿Qué?

—Compláceme. Apágala.

Ella se encogió de hombros y obedeció.

—¿Qué...?

—Shhh. Mira el cielo, Livvy.

Olivia echó la cabeza hacia atrás y contempló la Vía Láctea, atravesando el cielo nocturno con su arco brillante y misterioso. Junto a ella oyó la respiración de Freddy.

—¿Te gusta?

—Nunca había visto un cielo así —respondió él—. ¿De dónde han salido tantas estrellas?

—Siempre están ahí. Pero tienes que encontrar un lugar lo bastante oscuro para verlas.

—Parece que lo hemos encontrado —dijo él, apretándole la mano.

—Mi abuelo tenía un telescopio... Tiene que estar por alguna parte. Podríamos ver si aún funciona.

—Siento que estoy lo bastante cerca para tocarlas

—sin previo aviso, deslizó los brazos alrededor de ella y la apretó contra él.

Olivia se quedó tan sorprendida que se echó a reír.

—Freddy…

—Shhh —susurró él, y la besó en los labios con una delicadeza extrema.

El beso fue tan inesperado que ella se retorció ligeramente.

—Cielos… —le puso las manos en el pecho para apartarse—. ¿A qué ha venido eso?

—Ahora que te has librado de ese imbécil, teníamos que ocuparnos de nosotros.

Olivia se apartó aún más. La sorpresa inicial se transformó en temor.

—Freddy, eres mi mejor amigo. No lo estropees intentando convertir nuestra amistad en algo más.

—¿Por qué no?

—Ya conoces mi historial… Tú mismo lo dijiste. Voy en busca de un fracaso tras otro.

—Eso es porque aún no has elegido al hombre adecuado —volvió a besarla. Su boca era dulce y cálida, y la suavidad del tacto hizo que a Olivia se le saltaran las lágrimas—. Oh, Dios… —exclamó él, retirándose—. Estás llorando.

—Lo siento. No pretendía… ¿Lo ves, Freddy? Soy un desastre —no había llorado por Rand Whitney, y sin embargo se ponía a llorar sólo porque Freddy la había besado.

—Lo sé. Y yo también lo soy. Tal vez tengamos que ocuparnos de eso este verano, además de reformar el campamento.

La soltó y ella se sintió vacía y aliviada al mismo tiempo. Freddy era maravilloso, ella lo adoraba, pero… ¿algo más? Se apretó las mangas contra los ojos. Imposible.

Se alejó de él y contempló el reflejo de las estrellas en la superficie del lago.

—Y ahora... ¿tendremos que soportar una situación incómoda entre los dos porque hayamos intentado besarnos y no haya funcionado?

—¿Quién dice que no haya funcionado?

Dios.

—Freddy...

—Cállate, Livvy —le dio una palmadita en la espalda—. Te estaba tomando el pelo. No he sentido que saliera nada de ti —carraspeó—. Pero entiéndeme, tenía que intentarlo.

Ella se preguntó qué vería en el rostro de Freddy si lo iluminara con la linterna. Pero no estaba segura de querer saberlo.

A la mañana siguiente, ninguno de los dos mencionó lo ocurrido la noche anterior. Por suerte, había mucho trabajo para mantenerlos ocupados. Olivia se puso unos vaqueros cortos y una sudadera y se recogió el pelo en una cola de caballo. Iba a ser un día de trabajo duro.

Mientras se tomaban el café mantuvieron la típica conversación que siempre tenían en la ciudad cuando iniciaban un proyecto. Olivia hizo unas cuantas listas y Freddy dibujó algunos bocetos. Trabajaban en una larga mesa de pino del comedor, con una vista del lago a sus espaldas.

—Va a ser increíble —dijo ella, poniéndose de pie y admirando las ideas que habían compartido sobre el papel—. Lo único que necesitamos ahora es encontrar al contratista adecuado.

Freddy arrancó una hoja de papel de su bloc.

—Aquí tengo el número que anoté cuando pasamos ayer por el pueblo. Davis Construction.

—Preguntaré por ahí, a ver si hay otros... Ya sabes, para alentar un poco la competencia —añadió al ver la expresión de Freddy.

—Que no te extrañe si éste es el único del pueblo. Y con el presupuesto que tu abuela nos ha facilitado, no tenemos por qué escatimar en gastos.

—Aun así, preguntaré —insistió ella—. Deséame suerte.

No tuvo suerte. Los teléfonos móviles no servían para nada en el campamento, y el teléfono de la oficina había sido desconectado años atrás. Para hacer una llamada tendría que ir hasta la entrada y usar el viejo teléfono de pago de la garita. Hasta que hubiera arreglado la oficina del pabellón principal, aquélla sería la única línea telefónica del campamento.

Según la operadora, sólo había un contratista en Avalon, tal y como había predicho Freddy. Apretando los dientes, marcó el número. Como casi todos los contratistas de poca monta, el contestador automático de Davis Construction respondió con una voz masculina y un escueto mensaje:

—Deje su número y me pondré en contacto con usted —la primera vez que lo oyó, colgó sin decir nada.

Vamos, se reprendió Olivia a sí misma. No era su voz. No podía ser él. ¿Qué iba a estar haciendo en una empresa de construcción en Avalon, Nueva York? Y aunque fuera él, ¿qué pasaría? Ella era una profesional y siempre estaba hablando con contratistas.

Pero ninguno de ellos, sin embargo, le había provocado una hiperventilación al marcar su número.

Resuelta a no dejarse intimidar, introdujo otro cuarto de dólar en el teléfono y volvió a marcar el número. Y una vez más le respondió el contestador. Pero esa vez dejó un mensaje en voz alta y clara.

—Mi nombre es Olivia Bellamy, y lo llamo del campamento Kioga. Me gustaría hablar de un... importante proyecto de restauración. Si está interesado...

—¿Ha habido suerte? —le preguntó Freddy.

—No. He dejado un mensaje en el contestador —le

costó un momento encontrar a Freddy, siguiendo la dirección de su voz. Estaba en el desván que había sobre el comedor. La barandilla de la galería estaba hecha de grandes troncos pelados, cubiertos de polvo.

—Y nadie te ha devuelto la llamada.

—He dejado la dirección y he dicho que puede venir si está interesado en el trabajo. Si mañana por la mañana no ha aparecido nadie, buscaremos a otra persona —lo dijo con un ligero alivio—. ¿Qué haces?

—Me he puesto manos a la obra —respondió Freddy—. Estoy sacando toda clase de tesoros.

—¿Como qué?

—Como el telescopio del que me hablaste —era el primer comentario referido a la noche anterior, y Olivia fingió no oírlo. De repente se quedó fascinada por la colección de remos pintados que se habían expuesto en el vestíbulo años atrás.

—Echa un vistazo a esto —dijo Freddy, y dejó caer un bulto desde la galería. El fardo levantó una nube de polvo al chocar contra el suelo.

—Las banderas —dijo Olivia, tosiendo por el polvo. Se agachó y desenvolvió la tela vieja y delicada, y saltó hacia atrás cuando una araña salió entre los pliegues—. No se puede dejar que toquen el suelo —recogió rápidamente el fardo y lo colocó sobre una mesa vacía. Había tres banderas: la del Estado de Nueva York, la de Estados Unidos y la del campamento Kioga. El material estaba cubierto de telarañas y huevos de araña. Volvió a enrollar las banderas y las llevó al contenedor de basura que les habían llevado a primera hora de la mañana.

Tampoco se debía dejar una bandera en un contenedor, según había aprendido de sus clases de ética. Había que quemarla como muestra de respeto, aunque Olivia no sabía por qué el fuego era más reverente que el contenedor.

Entonces se le ocurrió otra idea. Frente al pabellón

principal, en el círculo de la entrada, los tres mástiles se erguían sobrios y desnudos como árboles deshojados en invierno. La imagen de tres banderas ondeando al viento sería un bonito detalle, desde luego.

Decidida, sacudió cada bandera para extenderla. Los cables de las astas parecían estar en buen estado, y en pocos minutos había izado la bandera del campamento Kioga, que representaba un tipi junto a un lago. A continuación izó la bandera del Estado de Nueva York, con sus dos diosas sosteniendo un escudo. Y finalmente, en el mástil central y más alto, izó la bandera de Estados Unidos. Sintió una extraña virtud patriótica mientras tiraba del cable y tatareaba el himno nacional. La bandera era muy antigua, porque sólo tenía cuarenta y ocho estrellas. Al igual que los abuelos de Olivia, había vivido medio siglo de historia, de guerras, de movimientos sociales, crisis nacionales, épocas de prosperidad y pobreza e incluso el nacimiento del rock and roll.

Y ahora volvía a ondear… del revés.

En su fervor patriótico, Olivia la había izado al revés. Y una bandera al revés era una señal de emergencia o auxilio. Olivia no quería dar esa impresión, desde luego. Invirtió la dirección del cable, pero la polea parecía haberse enganchado. Tiró varias veces y maldijo en voz baja, pero no consiguió nada.

—Una escalera —murmuró, dirigiéndose hacia el cobertizo. Encontró una entre los viejos trastos y las telarañas y regresó junto al mástil. El sol empezaba a ser caluroso y Olivia se quitó la sudadera. Le costó unas cuantas maniobras, pero finalmente consiguió sujetar la escalera de mano contra el mástil.

A media subida oyó el viento en los árboles y se detuvo para examinar el terreno desde lo alto. Podía ver todo el campamento, los edificios de madera, las relucientes aguas del lago… La vista era maravillosa, pero también abrumadora. Aquel trabajo era mucho mayor de lo que nunca había imaginado. Sería un milagro si podía llevarlo a cabo.

«Puedo hacerlo», se dijo a sí misma, aumentando su determinación con cada peldaño. Su abuela siempre decía que todo ocurría por una razón, pero que no siempre se sabía cuál era esa razón.

Olivia subió lo más alto que se atrevió y se estiró hasta el límite. Al extender el brazo hacia la tela enganchada, sintió que la escalera empezaba a tambalearse.

No, pensó, invadida por el pánico. Ahora no.

Antes de que pudiera abrir la boca para pedir ayuda, la escalera cayó hacia un lado. Olivia se abrazó al mástil con todas sus fuerzas y oyó como la escalera golpeaba el suelo con un fuerte estrépito.

6

Connor Davis no recordaba haber conocido a una Olivia Bellamy. Había muchos Bellamy en el mundo, y él se había encontrado con unos cuantos en el pasado, aunque no recientemente.

Gracias a Dios. Las mujeres Bellamy que había conocido eran como los caniches del sexo débil, extremadamente nerviosas y sobrealimentadas. Casi todas ellas.

Aun así, el mensaje de esa Olivia Bellamy lo había intrigado, así como la perspectiva de un proyecto. Hasta el momento la temporada de primavera estaba siendo muy floja, después de un invierno brutal. El tiempo había transformado el paisaje en una postal de Currier and Ives y también había congelado la mayoría de los proyectos. Connor estaba más que preparado para ponerle fin a aquella sequía. Tenía a una docena de trabajadores en nómina y apenas podía mantenerlos ocupados.

La furgoneta de la oficina estaba siendo usada por un miembro del personal, así que subió al campamento Kioga con su Harley. Para cualquiera que no conociese su situación, la motocicleta parecía un capricho caro y extravagante. En realidad, un cliente sin fondos se la había cedido unos años atrás como pago por un proyecto.

Hacía un día espléndido para montar en moto. La clase de día primaveral que alejaba definitivamente el invierno. El cielo estaba despejado y los rayos de sol se filtraban entre las ramas, salpicando la carretera con motas doradas. Pero hacía frío, y Connor se alegró de haberse puesto todo el equipo. Chaqueta, guantes, botas y casco.

Ya no hacía ese camino muy a menudo. Ni él ni nadie más, salvo los buscadores de setas durante el otoño. Pero de niño, la carretera al campamento Kioga representaba un trayecto lleno de intensas emociones. Cada verano era igual. Hacía el camino de ida con el corazón rebosante de ilusión y esperanza. Aquel año sería diferente. Aquel año su padre no lo defraudaría ni humillaría. Aquel año podría ser un chico como correspondía a su edad, en vez de cuidar a un hombre que debería estar cuidándolo a él.

Pero todo eso había quedado atrás. Ahora el campamento estaba cerrado y había un cartel junto al camino que prohibía el paso en la propiedad privada.

El arco sobre el camino seguía teniendo el mismo aspecto. Un poco más oxidado, quizá, y un poco más encorvado. Pero había sido erguido para que durase, y parecía formar parte del paisaje como las rocas y los árboles.

El tiempo pareció dar marcha atrás mientras pasaba bajo el arco. De nuevo volvía a ser un niño, agarrando su bolsa y esperando que aquel año consiguiera una buena cabaña.

Las tres banderas que ondeaban frente al pabellón principal parecían... Connor se llevó una mano a las gafas de sol. Algo no encajaba. En el mástil más alto, la bandera de Estados Unidos colgaba torcida de una esquina. Y alguien… una mujer rubia con vaqueros muy cortos, se aferraba al mástil como si la vida le fuera en ello.

Connor aceleró y el rugido de la Harley anunció su llegada al campamento. Aquello podía ser interesante.

NORMAS DE CONDUCTA DEL CAMPAMENTO KIOGA

EL CONSUMO DE ALCOHOL, TABACO Y DROGAS ESTÁ TERMINANTEMENTE PROHIBIDO.
LA MODESTIA DEBE PREVALECER EN EL ATUENDO. NO ESTÁN PERMITIDOS LOS SHORTS, LOS HALTER TOPS, ETC, Y ES OBLIGATORIO EL USO DE CALZADO EN TODO MOMENTO. PARA UNA EXPLICACIÓN MÁS DETALLADA, VÉASE EL CÓDIGO DE VESTUARIO DEL CAMPAMENTO.
LAS RADIOS, RADIOCASETTES, REVISTAS, TEBEOS, ETC. SUPONEN UNA DISTRACCIÓN PARA EL NORMAL DESARROLLO DEL CAMPAMENTO, Y PUEDEN SER CONFISCADOS POR EL DIRECTOR.
NINGÚN CAMPISTA PUEDE SALIR DE SU CABAÑA DESPUÉS DE QUE SE HAYAN APAGADO LAS LUCES.
ESTÁ PROHIBIDO COMER EN EL INTERIOR DE LA CABAÑA. LA COMIDA ATRAE A LOS INSECTOS Y LOS ANIMALES.
ESTÁ PROHIBIDO ENTRAR EN LA COCINA DEL CAMPAMENTO, SALVO A LA HORA DE LAS COMIDAS.
NO JUNTÉIS LAS CAMAS. ESTÁ PROHIBIDO POR LAS LEYES DEL ESTADO.

7

Verano de 1991

En su primer verano en el campamento Kioga, en mitad de las prácticas de socorrismo, Connor Davis descubrió que era un salido. Los hombres siempre estaban hablando de ello, y una erección matinal no era nada nuevo, pero Connor se quedó muy preocupado por su reacción. Había bastado un vistazo a Gina Palumbo en su traje de baño de color rojo para que su miembro adquiriera vida propia al momento. De repente, su bañador azul marino reglamentario se volvió demasiado pequeño e incómodo para contener un bulto de lo más embarazoso.

Él y un grupo de chicos habían sido enviados a una torre de vigilancia, a diez metros sobre la zona de baños, desde donde tenían que vigilar a los bañistas como parte de su entrenamiento. Pero Connor sólo podía fijarse en Gina Palumbo y sus grandes pechos. Algunos chicos de la cabaña contaban historias bastante atrevidas sobre ella, pero Connor dudaba de que fueran ciertas. Decían que hacía todo tipo de cosas detrás del varadero o en el muelle, de noche. A veces añadían a otra chica al relato, e incluso a un pastor alemán. En cualquier caso, Connor no estaba pensando en esas historias cuando vio a Gina a y a dos amigas bajando a la orilla. Y sin embargo, cuando las vio ya no pudo pensar en otra cosa.

¿Por qué las chicas más guapas y sensuales siempre iban en grupos de tres?, se preguntó mientras se mordía el labio inferior para contener un gemido. Así era tres veces más difícil no mirar.

Pero no podía evitarlo. A pesar de la norma del campamento, odiada por las chicas, que obligaba a llevar bañadores reglamentarios de una sola pieza, Gina se parecía a la carátula de un CD de Madonna. El elástico apenas podía contener sus inmensos melones y las voluptuosas curvas de su trasero.

Se decía que los chicos ni siquiera podían mirarla. Su padre era un mafioso multimillonario y podía hacer que sus matones le rompieran el cuello a cualquiera que tuviese pensamientos impuros con su hija. Pero los pensamientos de Connor eran algo más que «impuros». Si había un matón de la mafia por allí, Connor estaba perdido.

Fordham, el monitor de natación y socorrismo, explicaba cómo había que vigilar la zona, siguiendo metódicamente unas coordenadas invisibles para no perderse nada. Un buen socorrista podía localizar rápidamente un problema y actuar de inmediato.

—Bien, ¿dónde está el problema? —preguntó Fordham al grupo, señalando la atestada zona de baños.

«En mi bañador», pensó Connor, rezando para que nadie lo notara. Si los otros chicos lo descubrían, estaría condenado para el resto del campamento. Días antes J. J. Danforth había tenido una erección en la ducha, y desde entonces los chicos lo comparaban con el mástil de una bandera y hacían el saludo al pasar.

Ya ni siquiera estaba mirando a Gina, pero el daño estaba hecho. Intentó distraerse pensando en cualquier otra cosa que no lo excitara.

Como en la boda de su madre con su jefe del club de Buffalo en el que trabajaba. O en cómo su nuevo padrastro, Mel, quería que él se largara para todo el verano. O en el hermano pequeño que Connor tenía en Nueva Orleans y al que nunca veía. O en su padre biológico, que podía hacer de todo con sus manos, siempre que éstas no le temblaran por su adicción a la bebida.

Pero ni siquiera los pensamientos de su patética familia lo ayudaron. Nada podía ayudarlo. Estaba tan mareado y excitado que apenas podía respirar. Y... maldición, Fordham había empezado a preguntarles uno por uno sobre las técnicas de salvamento y primeros auxilios. De repente, todo tenía que ver con el sexo. Los agujeros redondos de los salvavidas. El boca a boca. Los masajes cardiacos en el pecho... Dios, todo era sexo y nada más que sexo. En unos pocos segundos le llegaría el turno a él para responder a las preguntas del monitor, y entonces todos verían su erección y comenzaría el verdadero suplicio.

No podía permitirlo. Miró a su alrededor como un animal atrapado e intentó concentrarse en la vista del lago, en los barracones conectados por una red de senderos, en el pabellón principal, donde una furgoneta blanca de la pastelería Sky River estaba haciendo el reparto de pan, como cada día. Un poco más lejos había un grupo de cabañas y bungalows, donde vivían los monitores y trabajadores, incluido su padre, que le había advertido a Connor que no le dijera a nadie que eran familiares.

Y él no se lo había dicho a nadie. Hasta el momento, sólo lo sabía aquella estúpida Lolly Bellamy, y ella tampoco había dicho nada. Tal vez no fuera tan estúpida, después de todo. Tal vez el estúpido fuera él, con su estúpida erección imposible de ocultar. Tenía que escapar de allí, y rápido.

Se fijó en la plataforma de salto. Les habían dicho y repetido que nunca podía usarse, salvo bajo la supervisión de un monitor o en casos de extrema urgencia. Cuando alguien estuviera en apuros, por ejemplo.

Y si aquello no era una emergencia, Connor no sabía qué era.

Lo malo era que… la plataforma estaba a diez metros sobre el agua. No era el Empire State Building, de acuerdo, pero la altura tampoco invitaba a saltar así como así.

Se acercaba su turno y el estado de su bañador no mejoraba. Todo lo contrario. Sólo tenía unos segundos para tomar una decisión. O actuaba ahora, o se pasaría el resto del verano como el chiste favorito de la cabaña Ticonderoga.

Ni hablar. Sin pensarlo dos veces, echó a correr hacia la plataforma. La brisa le azotó la piel al pasar velozmente junto a los otros. Oyó los gritos y silbidos de advertencia, pero los ignoró y siguió corriendo hasta que el suelo desapareció bajo sus pies.

No se tiró de cabeza, desde luego. Habría que estar loco para eso.

Mientras caía, recordó doblar una pierna para proteger sus testículos, tal y como le habían enseñado. Aunque en aquel momento no parecían tan frágiles.

La caída se alargó una eternidad, como si hubiera saltado de un avión sin paracaídas. El choque fue tan fuerte que el agua le entró por la nariz y sintió que la cabeza le estallaba. La zambullida lo llevó más y más abajo, a una profundidad mucho mayor de la que el lago parecía tener, tan hondo que no creyó que pudiera volver vivo a la superficie.

Entonces sintió la arena y las algas del fondo y se empujó con todas sus fuerzas hacia arriba. La oscuridad de las profundidades fue aclarándose y pronto vio el resplandor de los rayos solares. La subida parecía no acabar nunca, pero finalmente emergió con un gemido agónico y tomó aire desesperadamente.

A medida que recuperaba el aliento, también recuperaba el sentido común. Ahora sí que estaba en serios problemas. Acababa de infringir una de las normas fundamentales del campamento. Seguramente lo tendrían aislado e incomunicado durante horas. O peor aún, lo expulsarían. Lo enviarían a la cabaña de su padre, y se pasaría el resto del verano oyendo el crujido de las latas de cerveza al abrirse y las interminables y absurdas divagaciones de su padre borracho.

Empezó a nadar como si lo estuviera persiguiendo un cocodrilo gigante y agarró a la primera persona que pudo encontrar, rodeándole el cuerpo con el brazo como le habían enseñado en las prácticas de socorrismo.

—Tranquila —gritó—. Ya te tengo. Voy a llevarte a la orilla.

La sorprendida nadadora se debatió como una gata salvaje, retorciéndose y arañándolo. Maldición, pensó Davis. De todas las chicas que había en el lago, había tenido que agarrar a Lolly Bellamy.

—¡Suéltame, imbécil! ¿Quién te crees que eres?

—Soy tu nuevo mejor amigo —le dijo él, repitiendo sus mismas palabras.

—Suéltame —ordenó ella, escupiendo agua por la boca—. ¿Qué te crees que estás haciendo?

—Te estoy salvando —respondió mientras tiraba de ella hacia la orilla. Con su gorro de baño y sus ojos abiertos como platos, parecía un Teletubbie.

—No necesito que me salves —protestó ella, luchando con una determinación y una fuerza que sorprendieron a Davis.

—Lástima, porque voy a hacerlo de todos modos —dijo, intentando someterla.

—Estás loco. Suéltame ahora mismo, idiota.

—Cuando lleguemos a la orilla.

Era la chica más irritante del campamento. La más irritante que él había conocido en su vida. Una bocazas engreída y sabelotodo cuando algo se le daba bien, como el Scrabble, las cartas, el piano o recitar las reglas de las banderas. Y cuando no sabía hacer algo, fingía que no era digno de ella.

Menos la natación. Davis la veía entrenar todos los días, haciendo largos desde la orilla hasta el muelle flotante, ida y vuelta, ida y vuelta. El ejercicio la había fortalecido considerablemente, como pudo comprobar él mismo mientras la llevaba a duras penas hasta la orilla. Ella no dejó de luchar en ningún momento, escupiendo agua y llamándolo idiota, loco e imbécil.

Pero también le hizo un gran favor. Cuando la dejó en la orilla para volver a la plataforma… «Pensaba que se estaba ahogando, lo juro», comprobó que a Lolly Bellamy se le daba bien una cosa más: su erección había desaparecido.

CRÓNICAS DEL CAMPAMENTO KIOGA, 1941

EL CAMPAMENTO KIOGA SE FUNDÓ SOBRE LOS PILARES DE LA IGUALDAD, EL ESPÍRITU DEPORTIVO, EL TRABAJO DURO Y EL CARÁCTER PERSONAL.

8

—Santo Dios… —la voz de Connor Davis reflejaba su incredulidad—. ¿Lolly?

Tal vez la situación tuviera su gracia, pensó Olivia mientras se sacudía el polvo de las manos. La expresión de Davis era una divertida mezcla de desconcierto, asombro y confusión.

Las banderas crujieron al ser agitadas por la brisa matinal, y de alguna parte del bosque salió el canto de una codorniz. El tiempo pareció detenerse, suspendido en algún momento entre los últimos nueve años. Para Olivia sería una perversa satisfacción decirle que le encargaría el trabajo a otro. Pero no había encontrado a ningún otro, y no era probable que lo encontrara.

Además, tenía que ser honesta consigo misma. Era Connor Davis. ¿Qué mujer normal no querría trabajar con él?

Allí estaba, en carne y hueso ante ella. En cuero negro y vaqueros desteñidos, para ser exactos. Seguía irradiando un atractivo extraño, peligroso, no como la refinada belleza de Rand Whitney. No había nada refinado en Connor Davis. Sus rasgos eran duros y curtidos, su pelo negro demasiado largo, sus penetrantes ojos azules demasiado intensos. Siempre había sido el chico malo, y su aspecto lo confirmaba.

Su imagen le provocó a Olivia una inquietante reacción física. No quería sentirse atraída por él. Connor pertenecía al mismo club que Rand Whitney, Richard y Pierce. Los cuatro formaban una fraternidad que cada vez contaba con más miembros. Hombres que la habían abandonado, humillado o engañado. Connor había sido simplemente el primero. Y también el más ingenioso, todo había que decirlo.

—¿Puedes echarme una mano con esta escalera? —en realidad no necesitaba ayuda, pero estaba desesperada por encontrar alguna clase de equilibrio. Volver a verlo era como recordar una pesadilla. Cuando lo miraba, aún sentía aquella absurda atracción que la había llevado a hacer el ridículo cierto verano.

En vez de echarle una mano, Davis agarró la escalera y la llevó hacia el cobertizo.

—Puedes apoyarla contra la pared —le dijo ella—. Hay que limpiarlo todo.

Connor asintió.

—Tengo que quitarme algo de ropa —dijo, bajándose la cremallera de la chaqueta mientras volvía hacia la Harley—. Hace calor.

Olivia observó como se quitaba la chaqueta y la dejaba sobre el manillar de la motocicleta. La camiseta blanca se ceñía a sus músculos, definiendo la forma de sus poderosos pectorales. Sus brazos, fuertes y fibrosos, ya estaban bronceados a pesar de que el verano acababa de comenzar. Apartó la mirada, decidida a no mostrar interés.

Sintió un placer malicioso porque Davis no la hubiera reconocido. Por un lado, era agradable saber que ya no se parecía en nada a la chica gorda y apocada que había sido. Por otro, era irritante el interés que Davis mostraba por su nuevo aspecto. Porque, por mucho que hubiera cambiado su imagen, seguía siendo una cría insegura y asustada.

—¿Sabes? —dijo, dejando más distancia entre ellos—. Hacía años que nadie me llamaba Lolly —hablaba en un tono divertido y despreocupado, como si Davis fuera un viejo conocido y no la persona que le había arrancado el corazón—. Cuando fui a la universidad sólo utilicé mi nombre de pila.

—Nunca supe que tu nombre fuera Olivia.

«Hay muchas cosas que nunca te molestaste en saber de mí», pensó ella.

—Olivia Jane Bellamy. Sofisticado, ¿eh? Una de mis primas pequeñas me bautizó como «Lolly». Estaba aprendiendo a hablar y no sabía pronunciar «Olivia», y con ese diminutivo me quedé desde entonces.

—No me habías contado esa historia. Cuando era joven, creía que todos los niños ricos tenían nombres como Binky, Buffy y Lolly, y como no quería parecer ignorante, nunca me molesté en preguntar.

—¿Cómo has acabado en Avalon? —le preguntó ella.

—Un hombre tiene que vivir en alguna parte.

—Eso no es lo que te he preguntado.

—Lo sé. Después de aquel verano…

Olivia sabía a qué verano se refería. El verano que la destruyó.

—Después de aquel verano, mi padre se puso muy… enfermo. Me pareció que lo más sensato era quedarme por aquí.

—Lamento lo que tuviste que pasar —le dijo ella. Debía de ser horrible perder a un padre. Tal vez debería decírselo, pero las palabras se le quedaron atascadas en la garganta.

—Todos tenemos que pasar momentos duros.

—Bueno —dijo ella, intentando animarse—. ¿Qué te parece si echamos un vistazo y te hablo del proyecto? ¿Cuándo fue la última vez que estuviste aquí?

—Nunca vengo aquí. ¿Por qué habría de hacerlo?

Olivia pensó que era una pregunta retórica que no necesitaba respuesta y lo condujo rápidamente hacia la terraza del comedor. Los escalones de madera crujieron bajo su peso, y la barandilla se movía tanto como un diente suelto. Connor sacó un bloc de su bolsillo trasero y empezó a tomar notas. Cuando salieron a la terraza, Olivia se protegió del sol con la mano para buscar a Freddy y a Barkis, pero no había ni rastro de ellos. Se volvió hacia Connor y se sobresaltó al ver que parecía comérsela con los ojos.

—Me estás mirando —lo acusó, sintiendo la caricia de su indolente mirada.

—Sí —admitió él, apoyando la cadera en la barandilla—. Te estoy mirando.

Al menos no se molestaba en ocultarlo.

—No lo hagas.

—¿Por qué no?

—Me hace sentir incómoda —dijo ella, cruzándose de brazos.

—Si te sientes incómoda porque un hombre te mire, debes de pasar mucho tiempo escondiéndote de las miradas…

Debería tomárselo como un cumplido, pero Olivia no se sintió halagada en absoluto. Sabía que Connor se estaba preguntando cómo una chica gorda e impopular se había transformado en una mujer como ella.

—¿Qué pasa? —le preguntó él.

—He venido a reformar este lugar. Mis abuelos quieren celebrar aquí sus bodas de oro —señaló el lago—. Se casaron en la isla, bajo un cenador que ya no existe. Tengo hasta agosto para ponerlo todo a punto. Van a venir más de cien invitados.

—No los culpo por querer celebrarlo. No conozco a nadie que haya estado casado tanto tiempo.

Sus palabras llenaron a Olivia de nostalgia. Era ciertamente extraño amar a alguien tanto tiempo, y la ocasión merecía celebrarse, sin duda. En aquel momento de su vida, un matrimonio de cincuenta años parecía algo utópico, imposible. Y se sorprendió preguntándose si alguna vez conocería a un hombre con el que quisiera envejecer y celebrar los aniversarios y ocasiones especiales.

Dado su historial amoroso, la probabilidad era prácticamente nula. Entonces miró a Connor, quien parecía estar comprobando la madera podrida, y le pareció que… Sí, no lo estaba imaginando. Un brillo delatador a través de su pelo oscuro y ondulado. Llevaba un pequeño aro de plata en una oreja.

Cielos. Aún conservaba el pendiente. ¿Qué razón tendría para ello? ¿Lo tenía porque le gustaba llevar un pendiente o porque ella…?

—No veo ningún problema serio por aquí —dijo él.

—Vamos a bajar al lago —propuso ella, obligándose a dejar de pensar en el pendiente y en todo lo que sucedió años atrás. Nada de eso importaba ahora.

Los caminos y senderos que recorrían el campamento estaban tan cubiertos de hierba y matorrales que Olivia pronto tuvo sus piernas desnudas llenas de arañazos.

—Permíteme —dijo Connor al fijarse en el estado de sus piernas, y se adelantó para abrir camino entre las hojas y espinas.

Los recuerdos de los veranos pasados esperaban en cada recodo. Las bromas nocturnas, la naturaleza en flor, los campistas cantando y hablando alrededor de una hoguera… Olivia observó la voluminosa figura de Connor, abriendo una franja entre la maleza, y se preguntó qué recuerdos le traería aquel lugar. ¿Estaría rememorando viejas glorias o los momentos más oscuros y difíciles?

Le señaló a Connor el varadero y el muelle, y una cabaña construida al estilo indio junto al lago. Era la cabaña más cómoda del campamento, pues su uso original era albergar al dueño del campamento. Disponía de agua corriente, una chimenea de piedra y una cocina de leña. En invierno se podía llegar hasta ella en motonieve, e incluso en coche si no había demasiada nieve.

—Ésta es la cabaña que quiero reformar especialmente para mis abuelos.

—Muy bien.

—Mi tío Greg pasó la Navidad aquí un año, cuando su mujer lo echó —se ruborizó nada más decirlo—. Lo siento... Me he ido de la lengua.

—¿Cómo es que estás a cargo de este proyecto? —preguntó él, cambiando de tema.

—Creías que pasaría toda mi vida comiendo caramelos de chocolate y leyendo *Town & Country*, ¿verdad? —estaba acostumbrada a dar esa imagen tan pobre de ella.

—No —respondió él simplemente—. Supuse que estarías casada y que llevarías a tus hijos a una guardería de Darien.

—No estoy casada —admitió—. Ni tengo hijos ni una casa en las afueras. ¿Y tú? —le preguntó, aunque estaba casi segura de saber la respuesta.

—Nunca me he casado —la miró de un modo extraño, casi íntimo—. Ni tampoco estoy saliendo con nadie.

Era una invitación para que ella le ofreciera la misma información, pero no lo hizo.

—¿No querías ser profesora? —le preguntó Connor.

Olivia se sorprendió tanto que casi tropezó con la raíz de un árbol. ¿Cómo era posible que Connor se acordara de aquel detalle que ella casi había olvidado? Cuando se convirtió en la nueva Olivia Bellamy, el sueño de dar clases se esfumó por completo.

—Abrí un negocio en Manhattan. Soy reformadora inmobiliaria.

Connor la miró sin entender.

—Cuando alguien pone a la venta una casa, yo me encargo de darle el mejor aspecto posible. Normalmente me dedico a ordenarlo todo, darle una mano de pintura, recolocar el mobiliario o incluir piezas nuevas.

—¿Y la gente paga por ese servicio?

—Te sorprendería saber cuánto. Ven. Te lo demostraré.

Lo llevó de vuelta al comedor, sabiendo que la mejor manera de borrar el escepticismo de Connor era enseñarle en qué consistía su trabajo.

—Ayúdame a mover esto —le pidió, acercándose a una mesa en un rincón, junto a la ventana—. Vamos a colocarla de modo que reciba la luz del sol —desdobló un hule que había encontrado en un armario—. Procuro usar cosas que pertenezcan al propietario, ya que eso le confiere al lugar un ambiente auténtico. A veces alquilo algunos muebles y accesorios. Este verano, buscaré exclusivamente madera de sauce y muebles Adirondack. También voy mucho a los mercadillos —se estremeció por dentro al recordar el aparador tansu que había alquilado para el apartamento de Rand.

Extendió el mantel sobre la mesa y añadió unos cuantos detalles, como la jarra de flores silvestres que había recogido mientras sacaba a Barkis a pasear, un par de tazas de porcelana y una servilleta a cuadros.

—Todo es pura apariencia —le dijo a Connor—. Intento imaginar al propietario ideal para cada propiedad, y luego recreo su fantasía —dobló un periódico atrasado y lo dejó sobre la mesa—. No hace mucho estuve trabajando en Greenburgh, y de repente la vi como la vivienda ideal para un jugador de los Nicks. Era una casa inmensa, de techos altísimos y muebles enormes, así que la retoqué para que fuera del gusto de un deportista.

—¿Y qué pasó?

—Kwami Gilmer la compró la misma semana que salió a la venta —se subió a una silla para bajar las cortinas. Estaban secas y rígidas por el tiempo y el desuso, y cuando Olivia tiró del cordón, se levantó una nube de polvo que la hizo estornudar.

—Ten cuidado —le advirtió Connor—. Esa silla es muy inestable —se acercó como si estuviera listo para agarrarla si se caía.

Ella carraspeó, muy consciente de los vaqueros cortos y el top que llevaba.

—No te preocupes. Pero gracias de todos modos. Normalmente no necesito que se me rescate más de una vez al día —se bajó de la silla con mucho cuidado, ignorando la mano que él le ofrecía caballerosamente. Sacudió las cortinas y esperó a que se disipara el polvo para contemplar el resultado. Una mesa de café con vistas al lago. Se le ocurrió que unos pósters antiguos de Borscht Belt despertarían la nostalgia de veranos pasados—. Muy bien. ¿Qué te parece?

—Se te da bien recrear las fantasías de los demás.

—Supongo que podría decirse así.

—¿Y qué hay de las tuyas?

—¿Mis fantasías? —intentó no toser por el polvo—. Nunca he pensado mucho en ellas.

No se podía ser más mentirosa. En su cabeza atesoraba una fantasía tan vívida e intensa como el cielo sobre las montañas. Una casa grande y antigua con un porche, rosales, un salón de música, una gran cocina con galletas haciéndose en el horno, niños jugando en el jardín… Y por supuesto, un marido. Un hombre fuerte, cariñoso y risueño que la levantara del suelo y la besara con pasión cuando volviera a casa del trabajo. Era curioso, pero en su fantasía el marido no era nadie en particular. Era simplemente un hombre que la amaba. Un hombre que la abrazaba por la noche, que la hacía reír y que la hacía sentirse feliz y segura mientras envejecía a su lado.

—¿Qué es lo que deseas? —le preguntó Connor, interrumpiendo sus pensamientos.

Olivia sintió como se ponía colorada, y se preguntó si sus anhelos secretos se reflejaban en su rostro. Pero entonces se dio cuenta de lo que Connor le estaba preguntando.

—Este lugar va a necesitar mucho más que una limpieza general y unas viejas banderas ondeando al viento. Y sólo tenemos un verano —las notas y bocetos que ella y Freddy habían hecho estaban esparcidas sobre una larga mesa y clavadas a una pared—. Varios miembros de mi familia van a venir a ayudarme. Mi prima Dare se dedica a organizar eventos, de modo que se ocupará de las celebraciones. Mi tío Greg es arquitecto paisajístico y se encargará del terreno. Su hija Daisy acaba de terminar el instituto y puede echar una mano donde sea necesario, igual que su hermano Max. El objetivo es que el campamento parezca un lugar de ensueño para todo el mundo.

—Todo lo contrario a lo que realmente es.

—Creía que te gustaba.

—Me gustaba. En su mayor parte.

Olivia intentó descifrar su expresión, pero ya no lo conocía tan bien.

—¿Debería buscar a otra contratista?

—Estarías loca si lo hicieras.

—¿Y por qué? —preguntó ella, fingiendo no estar impresionada por su seguridad.

Él se echó hacia atrás, cruzó los tobillos y se puso las manos detrás de la cabeza.

—En primer lugar, no encontrarías a nadie en cien kilómetros a la redonda. Y en segundo lugar… me necesitas a mí y a nadie más.

—A ti. ¿Cómo estás tan seguro?

—Porque te recuerdo, Lolly, y sé exactamente lo que quieres.

9

—Tengo que reconocerlo —le dijo Dare a Olivia—. No creía que pudieras lograrlo.

El proyecto para reformar el campamento iba sobre ruedas. Connor Davis no se había equivocado al decir que sabía lo que Olivia deseaba. Había llevado consigo un equipo numeroso y experimentado, y ya había hecho algunos progresos visibles. Además, conocía a todos los subcontratistas del condado: fontaneros, pintores, electricistas…

Dare se bajó de la furgoneta de alquiler y observó el complejo con un brillo de aprobación en los ojos. Olivia siempre había visto a su prima como alguien mayor y más madura que ella. Hija de la tía Peg y el tío Clyde, Dare era una de esas personas que hacía que todo pareciera fácil y divertido. Había acabado sus estudios sin el menor esfuerzo y había iniciado una exitosa carrera como organizadora de eventos. Era una mujer atractiva, agradable y simpática, y vestía con un estilo alegre y despreocupado. Había muchas razones para envidiar a Dare, pero Olivia la adoraba.

—Vamos, chicos. Hemos llegado —abrió la puerta

lateral de la furgoneta para que se bajaran el tío Greg y sus dos hijos: Max, de diez años, y Daisy, de diecisiete. Olivia quería mucho a sus primos pequeños, y le dolía terriblemente que sus padres estuvieran al borde del divorcio.

—Dios mío —exclamó, sonriéndole a Max—. Qué alto estás. Me temo que ya no podré ganarte en una pelea. ¿Dónde está tu hermana?

Daisy salió del asiento trasero de la furgoneta y le sonrió a Olivia, tan radiante y hermosa como su nombre. A sus diecisiete años se había convertido en una mujercita adorable, con su largo pelo rubio y sus ojos azules. A Olivia le costó creer que fuera la misma chica de la que Greg le había hablado por teléfono cuando le pidió ayuda para el proyecto. Su padre había descrito a una Daisy rebelde y problemática que se peleaba en el instituto, que se escapaba de noche y que abusaba del tabaco y el alcohol. Al parecer, la separación de sus padres le estaba afectando tanto como Olivia había sufrido con los suyos.

—¿Cómo estás? —la abrazó y aspiró su olor a juventud y jabón—. Me alegro de que hayas querido venir —Barkis se acercó a saludar a todos, y se retorció de entusiasmo cuando Max se agachó para jugar con él.

—¡Qué perro tan bonito! —exclamó Daisy.

—Gracias. Lo adopté en una perrera.

Daisy miró a su alrededor con expresión sobrecogida.

—Así que éste es el campamento.

—Sí. Nunca viniste cuando aún estaba abierto.

—¿Qué vamos a hacer durante todo el verano? Además de trabajar, me refiero.

—Hay un piano en el comedor —dijo Olivia—. Una biblioteca, un salón de recreo y todos los juegos de mesa que quieras.

La expresión de sus primos no insinuaba que estuvieran muy entusiasmados.

—¿Les has explicado que no hay antenas ni repetidores en el campamento? —le preguntó Olivia a Greg, dándole un codazo.

—Sí, pero me parece que no me han creído.

—Estar sin antenas significa que no hay televisión ni Internet, y tampoco hay cobertura para los móviles. Y no nos instalarán el teléfono hasta dentro de dos semanas. Hay una emisora de radio que puede oírse cuando no sopla mucho viento.

Sus primos la miraron horrorizados.

—Bienvenidos al gulag —dijo Dare.

Max y Daisy se marcharon a explorar las cabañas, y Olivia y Dare se quedaron con el tío Greg para ocuparse del equipaje. Había un carrito eléctrico que aún funcionaba, y lo utilizaron para transportar las bolsas y maletas. Greg era el hermano menor del padre de Olivia, el benjamín de la familia, y siempre había sido un bromista que no se tomaba nada en serio. Aunque siendo adulto y padre de dos hijos, todo hacía suponer que algo habría cambiado.

—¿Cuánto crees que van a durar?

—Tengo la sensación de que van a sorprendernos —respondió él—. Estarán bien.

Olivia y Dare intercambiaron una mirada.

—¿Y tú, tío Greg? —preguntó Dare—. ¿Tú también estarás bien?

—Necesito pasar este tiempo con mis hijos —dijo, flexionando y estirando las manos. Iba vestido como un adolescente, con pantalones cortos, camiseta de Flay-Vah y una gorra de béisbol con la visera hacia atrás—. Vuestra tía Sophie... Bueno, aún no sabe qué va a hacer este verano. Los chicos lo están pasando muy mal, y tenía la esperanza de que aquí pudieran sentirse... no sé... —la voz se le quebró por el dolor.

—Lo siento mucho, tío Greg —dijo Olivia, compadeciéndose de él.

—¿Qué ha ocurrido? —preguntó Dare.

—Es difícil de explicar. Las cosas se complicaron y nadie se dio cuenta hasta que fue demasiado tarde. Entre el trabajo de Sophie y el mío, y todas las actividades de los chicos… perdimos el contacto. La empresa de Sophie le ofreció un importante caso en Seattle y ella lo aceptó, aunque podía llevarle muchos meses, o incluso un año. No se marchó sólo por el trabajo, y todos lo sabemos.

—¿Os vais a separar para siempre? —preguntó Dare.

—No lo hemos anunciado oficialmente, pero eso parece.

—¿Y cómo se lo están tomando Max y Daisy? —preguntó Olivia.

—No sabría decirlo. No hablan del tema.

—Tendréis mucho tiempo para hablar este verano —le aseguró Olivia. Conocía bien el dolor que sufría una familia rota. Un dolor que arraigaba en el corazón y ensombrecía toda esperanza y felicidad—. ¿Qué podemos hacer?

—Sólo con estar aquí ya me ayudáis —su rostro se iluminó débilmente—. Max podría aprender a remar y a pescar.

—Habéis venido al lugar adecuado —dijo Dare

—Soy muy afortunado al tener a dos sobrinas como vosotras.

Cargó todo el equipaje y se subió al carrito. Por un momento pareció tan triste y perdido como un perrito abandonado. Pero las risas de los chicos que llegaban del lago volvieron a animarlo e hizo un gesto de aprobación con el pulgar antes de alejarse.

Olivia y Dare se enfrascaron en las labores de la cocina. Además de planificar la celebración del aniversario, Dare se había atribuido la responsabilidad de suministrar las provisiones para todos los invitados.

—Se acabaron los espaguetis y las mandarinas en almíbar —decidió mientras reorganizaba la inmensa despensa—. Y por favor, nada de fideos instantáneos.

—Has eliminado mi dieta de un plumazo —dijo Olivia.

Dare siguió explorando la cocina, con su nevera de tamaño industrial, sus grandes parrillas y sus electrodomésticos y encimeras de acero inoxidable. Todo funcionaba correctamente a pesar de su antigüedad, y todas las superficies relucían como nuevas. Aquélla había sido la primera tarea de limpieza que Olivia y Freddy habían acometido después de los cuartos de baño, y tras unas reparaciones básicas efectuadas por el personal de Connor, la cocina presentaba un aspecto inmejorable.

—A la abuela le va a encantar —comentó Dare—. Tu contratista debe de ser un dios o algo así.

—No —se apresuró a negar Olivia—. Sólo se parece a un dios, nada más.

—¿En serio? Entonces quizá debería conocerlo…

Olivia se obligó a mantenerle la mirada.

—Ya lo conoces. Es Connor Davis.

Dare se quedó boquiabierta. Al ser la prima más cercana de Olivia, sabía todo lo que había sufrido de joven por culpa de Connor Davis.

—¿Está aquí? ¿En Avalon?

—Sí —respondió Olivia. Aparte de interesarse por su padre, Olivia no le había preguntado por qué se había quedado en Avalon ni nada más. No quería mostrar el menor interés.

—No puedo creer que estés trabajando con él.

—No pasa nada —le aseguró ella—. Hasta el momento todo va bien —día tras día se repetía aquello mismo, y en apariencia así era.

Le enseñó a Dare los progresos que había hecho. Había retirado los guardapolvos de las vitrinas y los muebles del vestíbulo, y los objetos y trofeos del campamento volvían a evocar los días pasados.

—¿No te resulta extraño volver a verlo después de tantos años? —le preguntó Dare, negándose a cambiar de tema.

—¿Tú qué crees?

Dare se echó a reír.

—Está bien. Olvida la pregunta. Pero… ¡Oh, Dios mío! —exclamó al mirar por la ventana.

Olivia siguió la dirección de su mirada y vio a Freddy, que estaba empujando una carretilla cargada de madera. El chico de ciudad se había adaptado con una entereza sorprendente a la vida en el campo. El sol de la tarde arrancaba destellos dorados en sus cabellos. Llevaba una camiseta ceñida y unos pantalones de pintor caídos por el peso del cinturón de herramientas.

—Ése no puede ser Connor Davis —dijo Dare, lamiéndose los labios.

—No. Es Freddy. Ya te he hablado de él.

—¿Freddy? ¿El loco del teatro?

—Él mismo se llama así, a veces. Ahora se dedica al diseño de interiores y decorados. La última obra para la que estaba trabajando se quedó sin presupuesto, de modo que se ha venido conmigo para ayudarme con este proyecto.

—Oh, Dios mío —repitió Dare—. Es monísimo, pero… ¿es gay?

—Todo el mundo piensa lo mismo. No lo es.

—Entonces, ¿os habéis…?

—Claro que no —respondió Olivia. Después de la primera noche se habían instalado en cabañas separadas, y todo había quedado en un vago recuerdo—. Que yo sepa, está soltero y sin compromiso. Vamos. Te lo presentaré.

Entre Freddy y su prima pareció surgir una atracción inmediata. ¿Y por que no? Los dos eran encantadores, uno con su atractivo metrosexual, y la otra con su encanto y elegancia innatas. Tenían incluso la estatura adecuada. Para las personas como Dare y Freddy, la atracción, el cortejo y el enamoramiento eran cosas naturales y sencillas que no implicaban el menor riesgo, y Olivia los envidió por su rápida compatibilidad.

Les dejó un poco de tiempo para charlar, hasta que finalmente les llamó la atención.

—Siento interrumpir, pero tengo que recoger algunas cosas del pueblo. Y tú, Dare, ¿no tenías que ver al proveedor?

—Tienes razón —afirmó Dare, y miró a Freddy con expresión trágica—. Lo siento. Tenemos que irnos. ¿Quieres que te traigamos algo del pueblo? Tengo que pasarme por la tienda del proveedor y después por la pastelería.

—¿Qué tal un cannolo?

—¿Un qué?

—Ya sabes, uno de esos pasteles en forma de tubo y rellenos de crema. Si no los has probado aún, no sabes lo que te estás perdiendo —le guiñó un ojo.

—Vámonos —acució Olivia, llevándose a su prima hacia el aparcamiento—. Dios… no puedo creerlo.

—¿El qué?

—Ha intentando seducirte descaradamente.

—¿Tú crees?

—¿Un pastel en forma de tubo y relleno de crema? Vamos…

—Estupendo. Quería que me sedujera.

Y también Olivia. Les tenía mucho afecto a Dare y a Freddy, y le alegraba ver las chispas que prendían entre ellos.

De camino a Avalon estuvieron charlando de todo, como si se vieran todos los días. Así era siempre con Dare, por mucho tiempo que hubieran estado separadas. Cuando llegaron al pueblo ya habían hablado de Rand Whitney y del miedo atroz que tenía Dare a quedarse embarazada.

—De una cosa estoy segura —declaró—. No estoy lista para tener hijos.

Olivia sonrió, invadida por un repentino anhelo.

—Curioso. Yo sí que estoy lista. Me gustaría tener más de uno.

—¿En serio?

—Es una locura, lo sé. Pero así lo siento. Es como una necesidad incontenible.

Dare se encogió de hombros.

—Yo siento necesidad de atiborrarme de chocolate, y no por eso voy a hacerlo.

Olivia le dedicó una sonrisa irónica.

—Antes debería salir con alguien, creo.

—Con Connor Davis —corroboró Dare.

—Jamás. Ni en esta vida ni en la siguiente. ¿Cómo puedes sugerirlo siquiera?

—Los dos habéis cambiado. Tal vez…

—De ninguna manera —rechazó Olivia. Pero entonces, ¿por qué sentía una dolorosa punzada cada vez que se imaginaba a Connor y a ella juntos?

Dare tenía un don para saber cuándo había que dejar un tema, y durante un rato permaneció en silencio mientras contemplaba el paisaje por las ventanas. El verano se desplegaba perezosamente por las montañas. El suelo del bosque se cubría de hierba y helechos, y los árboles buscaban la luz del sol sobre las colinas.

—¿Ha cambiado algo este lugar? —preguntó cuando llegaron a las afueras del pueblo.

—Apenas —respondió Olivia. Pasaron junto a una agencia inmobiliaria, Alger Estate Properties, que ofrecía viviendas desde 450.000 dólares—. Los precios han subido, eso sí.

—¿Crees que los abuelos venderán el campamento después del verano?

—No me los imagino haciendo algo así. Sé que les gustaría conservarlo para la familia, si pudieran. Tal vez lo herede el tío Greg. Parece estar un poco perdido.

—Creo que ya tiene bastantes problemas como para hacerse cargo del campamento.

—No sé. He pensado mucho en ello. Es un lugar idílico, imposible de encontrar en otra parte. Tal vez no vuelva a ser un campamento de verano, pero…

—¿Un centro de conferencias? ¿Un retiro para hombres de negocios? Esa clase de lugares están de moda.

—Estaba pensando en algo más parecido a un lugar para las familias. Ya sabes, un sitio para desconectarse del mundo y volver a encontrarse…

—Sigues siendo una idealista —dijo Dare con una sonrisa.

—Y que lo digas.

Aparcaron frente a Camelot Catering y Dare sacó una carpeta.

—¿Puedes llevar esto a la pastelería Sky River? —le pidió a Olivia—. La mujer está haciendo la tarta para el aniversario, y le prometí llevarle las fotos de la tarta original.

—Por supuesto. Nos encontraremos aquí dentro de un rato.

Olivia agarró la carpeta y cruzó la calle. La pastelería Sky River era un próspero negocio en el pueblo que llevaba funcionando varias décadas, desde que lo fundaran unos inmigrantes tras la II Guerra Mundial. En su letrero escrito a mano se leía: *Leo & Helen Majesky. Propietarios desde 1952.*

Olivia recordó la furgoneta blanca que llevaba el pan diariamente al campamento Kioga. Tenía un vago recuerdo de una chica morena con un mono y una gorra blancos, empujando el carrito con los bollos a la cocina del campamento. Todo el mundo decía que aquél era el mejor lugar para tomar un café y un pastel, pero Olivia había resistido la tentación. Tenía que olvidarse de los dulces si no quería volver a engordar.

Una campana repicó al abrir la puerta. Olivia tropezó al cruzar el umbral y se agarró al pomo de la puerta para guardar el equilibrio. Otro letrero escrito a mano en la puerta avisaba: *Cuidado con el escalón.*

Se sintió un poco avergonzada, pero enseguida se olvidó de su torpeza al recibir de golpe la fragancia que reinaba en el local. La pastelería olía a pan recién hecho y bollos de canela, tartas caseras y exquisitos kolaches, sabrosos pasteles y deliciosos donuts. Olivia aspiró con todas sus fuerzas, deleitándose con el aroma del paraíso. Quería morir en un lugar así.

La pastelería era un comercio antiguo y familiar, con amplias vitrinas y una gran caja registradora de latón. En la pared de detrás del mostrador había una colección de fotos y recuerdos enmarcados… un billete de un dólar, una licencia de apertura, recortes de periódicos, fotos familiares. Un chico corpulento y somnoliento levantó la mirada del periódico deportivo que leía sobre el mostrador. Tenía el pelo rubio y lacio, una expresión huraña y una placa que lo identificaba como Zach Alger.

—¿Puedo ayudarla? —preguntó.

—Venía a dejar una cosa… Es sobre un pedido especial.

—Un momento —desapareció por una puerta al fondo, y unos minutos después entró una mujer. Tendría unos treinta años y era bastante atractiva, con el pelo negro y los ojos marrones, labios carnosos y sonrisa profesional.

—Hola. ¿Puedo ayudarla?

A Olivia le resultó extrañamente familiar. Observó aquel bonito rostro de piel cremosa y rasgos vivaces, intentando situarla. ¿Dónde la había visto?

La mujer morena le dedicó otra sonrisa cortés. Iba profusamente engalanada, por lo que no parecía dedicarse a hacer la masa de los pasteles. Unos aros dorados colgaban de sus orejas, y un collar de plata con colgante adornaba su cuello. No llevaba anillo de casada.

—Soy Jenny Majesky.

—Me llamo Olivia Bellamy. Vengo a dejarle una foto de una tarta nupcial.

El rostro de Jenny se iluminó al instante.

—El pedido. Hablé por teléfono con alguien sobre el mismo.

—Mi prima Dare, la organizadora de eventos. Teníamos la esperanza de que pudiera hacer la tarta para las bodas de oro de nuestros abuelos —abrió la carpeta y sacó una foto en blanco y negro de sus abuelos el día de su boda. En la imagen se disponían a cortar la tarta, que estaba cubierta con flores y palomas de azúcar—. Es una foto de la boda de mis abuelos, en 1956. Se casaron en el campamento Kioga. Quizá los conozca… Jane y Charles Bellamy.

Los labios de Jenny Majesky se curvaron en una sonrisa divertida.

—Los recuerdo muy bien. ¿Cómo están?

—Los dos están muy bien. Deseando celebrar una gran fiesta en el campamento para finales de agosto.

—Parecen estrellas de cine —dijo Jenny, sosteniendo la foto por los bordes—. Tan jóvenes y felices. Me encantan las fotos de bodas.

—Tiene muchas fotos de su familia —observó Olivia, señalando la pared.

—Así es. Mis abuelos fundaron este negocio a comienzos de los cincuenta.

Olivia examinó las fotos… Una mujer sonriente con una trenza y una diadema, un hombre en mono de trabajo, una chica delgada y… Volvió a mirar una de las fotos. Mostraba a una chica risueña y de relucientes cabellos, vestida con una camiseta del campamento y pantalón corto, y Olivia recordó entonces donde había visto esa imagen. Era la misma foto que había encontrado entre las cosas de su padre. La foto de 1977.

Pero la foto que había en la pared estaba recortada y sólo mostraba a la mujer. Desvió la mirada hacia Jenny Majesky y vio el parecido, salvo el pequeño y bonito hoyuelo que Jenny lucía en la barbilla.

De pronto se sintió alejada de la realidad. Aquella mujer. Jenny Majesky. Era…

—¿Señorita Bellamy? —la llamó Jenny.

—Por favor, llámame Olivia —recuperó rápidamente la compostura, aunque sabía que tenía las mejillas coloradas—. En cualquier caso, la idea del aniversario es recrear el campamento tal y como era hace cincuenta años. Dare y yo pensamos que podrías hacer una réplica de esta tarta —le dio la vuelta a la foto. Alguien había escrito al dorso: *tarta de la señora Majesky*.

—Era mi abuela, Helen Majesky.

—Desde luego. Entonces tu... ¿tu abuela se ha jubilado? —no quería preguntar lo evidente, pero Jenny le evitó la pregunta.

—Mi abuelo falleció hace unos años, y mi abuela sufrió una apoplejía —dijo con una expresión de tristeza en sus intensos ojos marrones.

—Lo siento.

—Está inválida, pero seguro que podría guiarnos a mí y al pastelero para hacer esta tarta —sonrió y una vez más Olivia se quedó sorprendida por la sensación familiar. Tal vez sólo fuera un déjà vu, o quizá algo más. Miró el colgante de Jenny. Se parecía al gemelo que había encontrado en el baúl de su padre. Tenía la forma de un pez.

—Eso sería estupendo —dijo, poniéndose otra vez nerviosa—. A Dare le encantará saber que puedes hacerte cargo. Y quédate con la foto para que te sirva de referencia.

—Se la enseñaré a mi abuela —aceptó Jenny con otra sonrisa—. ¿Sabe? El padre de Zach, Matthew Alger, podría darle muchos detalles del campamento. Fue a Kioga de niño y luego estuvo trabajando allí. Ha vivido siempre en Avalon.

—Lo tendré en cuenta.

—Gracias por pasarse por aquí.

Olivia se marchó, sintiéndose un poco aturdida por el encuentro. No le comentó nada a Dare y guardó silencio durante el trayecto de vuelta. Al llegar, el tío Greg y los niños estaban explorando el terreno, con Barkis trotando alegremente entre ellos. Greg era como el Flautista de Hamelin, guiándolos por la orilla del lago hasta el muelle. Max lanzaba gritos de entusiasmo, e incluso Daisy parecía contenta.

—Hasta ahora parecen pasarlo bien —comentó Dare.

—Sí, pero sólo llevan medio día sin tele, móviles ni Internet.

—Nunca eché de menos la tele cuando venía al campamento. Los niños son muy especiales para eso. Reúnelos alrededor de una hoguera y empieza a contarles historias de miedo, y se olvidarán de todo lo demás.

Se dirigieron hacia el pabellón principal cargadas con bolsas.

—Parece que hay problemas —murmuró Dare al entrar en el comedor. Los bocetos de Freddy estaban esparcidos por las mesas y clavados a una pared. Frente al diseño de una alzada, Freddy y Connor Davis se miraban fijamente.

—Dios mío —dijo Dare, bajando aún más la voz—. Es Conan el Bárbaro.

—Hola, chicos —los saludó Olivia alegremente, ignorando sus miradas ceñudas—. ¿Qué pasa?

—Abandono, eso es lo que pasa —espetó Freddy, sin dejar de mirar a Connor.

Desde el primer momento habían recelado el uno del otro, y Olivia sospechaba la razón. Eran como dos perros salvajes y agresivos, cada uno marcando su territorio.

—No puedes abandonar —dijo—. Necesitas este trabajo y yo te necesito a ti.

—Díselo a él —dijo Freddy, apuntando con la cabeza hacia Connor.

—También lo necesito a él —añadió Olivia en tono tranquilo y sereno.

—Parece que los dos somos exclusivos —repuso Connor en un tono igualmente tranquilo.

—Vamos —dijo ella—. Estáis aquí por distintos motivos, y os necesito a los dos. ¿Qué ha pasado?

—Ya te lo he dicho. Abandono —repitió Freddy—. Ha destrozado la visión que tenía para el cenador —señaló sus bocetos y salió airadamente de la sala.

—Yo me encargo —dijo Dare, dándole una palmadita en el brazo a Olivia.

10

Connor se alegró de librarse de Freddy por un rato, el insoportable chico de ciudad con su peinado hortera y sus vaqueros de doscientos dólares.

Olivia no parecía darse cuenta de lo cerca que había estado Connor de partirle la cara a Freddy. Seguramente estaba acostumbrada a trabajar con hombres afeminados que se alborotaban cuando alguien criticaba sus «visiones».

—Parece que no te ha gustado el diseño de Freddy —comentó ella mientras observaba el boceto con las modificaciones que había hecho Connor en rotulador.

—La estructura era insostenible. El primer soplo de viento lo habría barrido. Él se dedica a diseñar escenarios, por amor de Dios. Yo construyo cosas sólidas y permanentes.

Olivia se llevó un dedo a los labios en un gesto pensativo.

—Respetaremos tu diseño porque no queremos que el viento lo derribe. Pero hazme un favor. Intenta llevarte bien con Freddy. Es muy importante para mí.

¿Cómo de importante? Connor apretó los labios

para no preguntárselo y se limitó a emitir un gruñido evasivo.

Fueron juntos a inspeccionar las cabañas del personal, en el borde del campamento. Aún no se había acometido ninguna reforma en ellas. En aquella fila de cabañas se habían alojado los friegaplatos, limpiadores, guardias de seguridad y el resto de trabajadores. Y, por supuesto, el encargado de mantenimiento, Terry Davis, que vivía allí todo el año.

La imagen del bungalow en el extremo de la hilera produjo un extraño efecto en Connor. Redujo la marcha y deseó marcharse de allí. Demasiados malos recuerdos de angustia y humillación.

Por su parte, Olivia seguía tomando notas, completamente ajena a la turbación de Connor. Se dirigió hacia la última cabaña y subió los tres escalones de la puerta.

—Deberíamos examinar estas cabañas —dijo—. A ver qué reformas necesitan.

Él permaneció donde estaba. No, no quería entrar allí.

La puerta mosquitera chirrió al girar sobre sus goznes. Olivia usó la llave maestra para abrir el cerrojo.

—El aire está viciado aquí dentro —se volvió hacia él—. ¿Vienes?

Dios... ¿Acaso no recordaba Olivia que allí había vivido él con su padre?

No, no parecía recordarlo. Connor se obligó a moverse y subió los escalones, atravesó el porche y entró en el bungalow. Al instante lo golpeó el olor a cerrado y a humedad, junto a un aluvión de imágenes dantescas. Allí estaba la nevera, que nunca había contenido más que un paquete de salchichas y varias cajas de cerveza. El raído sofá había desaparecido, y en su lugar quedaba un rectángulo de color pálido en el suelo de linóleo. Y ante Connor apareció la imagen de su padre inconsciente en los cojines grises, rodeado de latas vacías.

—¿Ocurre algo? —le preguntó Olivia con falsa inocencia—. Estás muy nervioso hoy.

—¿Cómo demonios te creías que iba a sentirme?

Ella dio un paso atrás, encogiéndose ligeramente al oír su tono irritado.

—¿Cómo un contratista, tal vez?

Su aparente confusión puso a Connor en su sitio. Era mucho pedir que Olivia hubiera recordado quién ocupaba aquel bungalow en particular. Aunque, por otro lado, también era posible que lo supiera y que lo estuviera haciendo a propósito. Quizá lo había llevado hasta allí para recordarle quién era él y por qué se había alejado de su lado.

—En efecto —dijo—. Un contratista. Eso es lo que soy.

Ella lo miró con el ceño fruncido.

—Escucha, si quieres que hable con Freddy, lo haré, pero…

Connor soltó una amarga carcajada.

—Hazlo, Olivia. Habla con Freddy.

Ella desistió y entró en la cocina, donde aún estaba el viejo calendario clavado a la pared. Incluso desde la puerta, Connor reconoció la letra de su padre en algunas de las casillas. Hasta el final de sus días como alcohólico, Terry Davis se había esforzado por llevar una vida normal. No era un mal hombre, ni siquiera un mal bebedor. Jamás le había levantado la voz ni la mano a Connor. En cierto modo, le habría resultado mucho más fácil si su padre hubiera sido un tipo violento. Así al menos podría haberlo odiado, y tal vez podría haberse marchado aquella noche, nueve años atrás, en vez de sacrificarse a sí mismo para proteger a su padre.

Olivia examinó la cocina y abrió algunos cajones y armarios, hasta que finalmente se dio cuenta de dónde estaba. Fue al ver algo escrito en el calendario amarillento. Se volvió hacia él y dejó el sujetapapeles en la encimera.

—Oh, Dios mío. No sabía que… ¿Por qué no me has dicho nada?

—¿Decirte qué? —¿que era allí donde había pasado los peores momentos de su infancia y juventud? ¿Que el fantasma de su padre seguía vagando como un alma en pena?

—Lo siento mucho, de verdad —dijo ella, y se acercó a él para tomarlo de las manos—. No sabía que tu padre vivía aquí, te lo juro.

Su tacto era suave, y muy expresivo. Connor no se esperaba recibir una compasión y una comprensión semejantes. Ella no podía haberlo sabido, era cierto. De joven, Connor se había esforzado por distanciarse lo más posible de su padre y mantener en secreto su parentesco, como hacían todos los hijos de alcohólicos.

Bajó la mirada a sus manos unidas y luego miró a Olivia a la cara. Desde la última vez que la vio había cambiado mucho. Ya no era la Lolly torpe, culta y entrañable que él había conocido y de la que se había enamorado. Se había convertido en una hermosa desconocida de mirada fría y reservada, y sin embargo, se había compadecido de él en cuanto se percató de lo que estaba pasando.

—Por favor, Connor, perdóname —susurró—. Por favor.

Con mucho cuidado, y sin apartar la mirada de la suya, Connor se soltó de sus manos. Al mismo tiempo sintió que su enojo se desvanecía. Sólo con mirarla a los ojos su corazón se aliviaba. Era la única persona que le causaba un efecto semejante.

—No hay nada que perdonar, Lolly.

Ella dejó escapar un suspiro.

—¿De verdad? ¿No vas a abandonarme?

—No. Ésa parece ser la especialidad de tu amigo Freddy.

—Freddy le pone mucha pasión a sus diseños, y yo… hum, lo necesito, Connor. Se vino conmigo hasta aquí después de… después de una mala experiencia que tuve y… y lo necesito —repitió.

¿Una mala experiencia? Connor esperó una explicación más detallada, pero no llegó.

—De acuerdo —aceptó—. Intentaré ser amable con tu chico.

—Freddy no es mi chico.

—¿No le gustan las mujeres?

Olivia se echó a reír y sacudió la cabeza.

—No has cambiado nada.

—Sí que he cambiado.

—No tanto —insistió ella, y se dio la vuelta para agarrar su sujetapapeles y salir.

Mientras la veía cerrar la puerta con llave, Connor tuvo la sensación de haber dicho algo inapropiado.

Muy bien, pensó. Lo mejor sería mantener la relación en un nivel estrictamente profesional e impersonal.

No tardó en descubrir que era imposible. Tenían que trabajar juntos día tras día, y no había manera de negar lo que una vez habían compartido.

Entre los dos habían asignado tareas para todo el mundo, como un par de oficiales en el campo de batalla. Hasta Max tenía una ocupación. Él y su hermana estaban a cargo del pontón, manteniéndolo limpio y en buen estado para que pudiera transportar a los invitados a la isla del lago.

Connor escuchaba y tomaba notas, pero a menudo perdía la concentración por culpa de Olivia, tan familiar y al mismo tiempo tan desconocida. Olía a flores frescas, y Connor deseaba enterrar el rostro en sus exuberantes cabellos rubios.

Se sacudió mentalmente y se obligó a concentrarse en las discusiones que tenían sobre el cenador, el pabellón principal y el resto de construcciones. Casi siempre le resultaba agradable, aunque extraño, trabajar con ella, codo con codo. Y a veces ella también parecía quedarse absorta, mirándolo fijamente.

—¿Qué pasa? —le preguntó él, al ver cómo lo miraba desde la mesa de trabajo.

—He olvidado de qué estábamos hablando.

A Connor le encantaba cuando le decía aquellas cosas. Le recordaban a la Lolly patosa y descarada.

—Entonces hablemos de otra cosa —sugirió él.

Ella se mordió el labio inferior y apartó la mirada.

—¿Conoces a Jenny Majesky, de la pastelería?

—Sé quién es. ¿Por qué? —intentó leer la expresión de Olivia, pero era inescrutable.

—La conocí el otro día. Ella... ¿No sabes nada de ella ni de su familia?

—Sus abuelos se han ocupado de la pastelería del pueblo desde siempre. Hace unos años abrieron una franquicia en un centro comercial de Kingston, y creo que Jenny se hizo cargo. Seguro que ella misma te lo contará si se lo preguntas.

Olivia se incorporó y se sirvió otra taza de té.

—Lo siento. Debo parecer terriblemente cotilla.

—Cotilla, tan sólo —dijo él con una sonrisa.

—Me sorprende que no la conozcas mejor.

—¿Por qué te sorprende?

Ella se puso colorada, y por un instante volvió a parecer una cría.

—Es un pueblo pequeño. Creía que habías salido con ella.

—No —negó Connor. No estaba dispuesto a darle más detalles.

—Tú eras el que quería ver mundo y no pasar más de una noche en un mismo lugar. ¿Qué pasó con esos planes?

—Lo hice. Durante un tiempo.

Ella se recostó en la silla, al otro lado de la mesa.

—¿En serio? ¿Adónde fuiste?

Él la miró en silencio por unos segundos. No era ningún secreto, pero no le apetecía responder más preguntas.

—Aún conservas el pendiente —dijo ella, cambiando de tema al ver que no iba a contarle nada más.

—Sí —afirmó él, tocándose el pequeño aro de plata. Seguro que ella sabía por qué. Tenía que saberlo—. Le has puesto Barkis a tu perro.

Ella se cruzó de brazos en un gesto defensivo. Pero la postura sólo hizo que se acentuaran aún más sus voluptuosas curvas.

—Es un buen nombre para un perro.

—Desde luego —sonrió, pues sospechaba que Olivia había elegido ese nombre por la misma razón por la que él conservaba el pendiente. Era parte de su historia común.

Pero de momento dejó el tema y se desplazó hacia el estrado donde los músicos habían tocado en los días de música en vivo. Un piano de media cola seguía ocupando el mismo lugar que entonces, cubierto con una gruesa funda de vinilo. Connor bajó la cremallera de la funda y la retiró del piano.

—¿Cuáles son las probabilidades de que todavía funcione?

—Avisaré al afinador lo antes posible. Necesitamos un piano, y cuanto antes mejor.

Levantó la cubierta del teclado y un ratón salió corriendo. O al menos parecía un ratón. La criatura se movía tan rápido que era difícil identificarla. Connor esperó a que Olivia hiciera lo mismo que casi todas las mujeres y se pusiera a chillar como si el ratón fuera un asesino con un hacha. Pero ella se limitó a abrir una de las puertas acristaladas y dejó salir al asustado ratón. A continuación se volvió hacia Connor.

—Debo de estar loca al pensar que podremos tenerlo todo listo para final del verano.

—Lo conseguiremos.

Olivia se subió al estrado, ofreciéndole a Connor una excelente vista de tu trasero. ¿Aquel contoneo de caderas era algo natural, o lo hacía a propósito para provocarlo? Fuera como fuera, le estaba causando efecto. La luz de la tarde añadía un suave resplandor dorado a su piel. Llevaba unos vaqueros por las pantorrillas, zapatillas blancas y una blusa rosa sin mangas. De repente, Connor se sintió invadido por la necesidad de tocarla. Tocarla de verdad, no rozarla accidentalmente.

—... ser la última a la que elegían —estaba diciendo, y él se dio cuenta de que apenas había oído una palabra de lo que había dicho.

—Lo siento, ¿qué decías? —preguntó, fingiendo un repentino interés en un atril.

—No importa. Sólo estaba recordando las clases de baile en el campamento.

—Me gustaban esas clases.

—No me sorprende. Siempre ganabas todos los concursos de aptitudes.

—¿Para qué participar si no se tiene intención de ganar?

Ella lo observó un momento.

—¿Aún cantas?

—Siempre.

—Tal vez podrías cantar en la celebración del aniversario.

—¿Aún tocas el piano?

—Casi nunca.

Eso sí que era extraño. O tal vez no. Connor necesitaba la música en su vida, tanto como el aire que respiraba, pero Olivia Bellamy parecía haber encontrado suficiente satisfacción en su vida sin necesidad de llenar los huecos vacíos con luz y sonido.

—¿Y eso? Te gustaba mucho tocar el piano.

—Era una de las pocas cosas que hacía mejor que los demás chicos —volvió a levantar la tapa del teclado, tosiendo por el polvo—. Ya no tengo la necesidad de demostrar continuamente lo que valgo.

—Tal vez nunca lo hiciste —señaló él.

—Para ti es fácil decirlo, habiendo ganado todos los premios del campamento. Eras un acaparador.

—Un competidor —la corrigió él—. Y no recuerdo que fuera como tú dices.

—¿No recuerdas ganarlo todo? —se burló ella, sonriendo—. Las chicas de mi cabaña se quedaban despiertas hasta altas horas de la madrugada, intentando encontrar la manera de ser tu pareja para el concurso de baile.

—No me lo creo —dijo él, riendo.

—¿Te acuerdas de Gina Palumbo?

—No —mintió. Había perdido la virginidad con ella, en su tercer y último año en el campamento. Había sido una experiencia increíble.

—Gina les dijo a todas las chicas de la cabaña que le habías prometido todos los bailes del verano.

—¿Ah, sí? —preguntó él. Seguramente era cierto.

Olivia asintió.

—Yo, en cambio, siempre tenía que conformarme con bailar con otra chica o con algún monitor que se compadecía de mí.

Connor la miró un momento a la luz de la tarde. Entonces agarró el mando a distancia del iPod y buscó *Lying Awake*, un clásico de Nina Simone de los años sesenta.

—Muy bien. Yo también me compadezco de ti. Baila conmigo.

—No lo he dicho para que…

—No importa —la interrumpió él, y la tomó en sus brazos. Había pasado mucho tiempo, pero recordaba perfectamente la postura. Olivia encajaba perfectamente en sus brazos, aunque podía sentir cómo se resistía—. ¿Qué pasa?

—Odiaba los bailes de salón con toda mi alma.

Cada año les suplicaba a mis abuelos que eliminaran esta actividad del programa.

—No estaba tan mal —dijo él.

—Tal vez para ti no lo fuera, pero para mí era una experiencia horrible. Solamente de pensar en ella me estremezco de pavor. La elección de pareja era una tortura.

—Para ser una chica tan desgraciada, te has convertido en una adulta perfectamente sociable y normal.

—Gracias.

—Por no decir que eres una mujer preciosa.

—Perfecto. No lo digas. Pero, sinceramente, tenemos mucho que hacer, así que no…

—Cállate y baila, Lolly. Te demostraré por qué siempre ganaba —además de la postura clásica se guardaba algunos ases en la manga.

El contacto visual, por ejemplo. Una mirada que expresaba su deseo porque estuvieran desnudos. Uno de los secretos del baile consistía en ser un buen farsante. Pero en aquel momento no tenía que fingir nada. Le encanta mirarla a los ojos. Y realmente deseaba que estuvieran desnudos.

Ella se aferró a su cuello, temblando. Era mejor así, ya que no se daría cuenta de que él también estaba temblando. Sintió su cuerpo cálido y suave contra el suyo, inhaló la fragancia de su piel y lo sacudió una fuerte atracción. El baile era lento, pero Olivia respiraba rápidamente, emitiendo gemidos ahogados entre los dientes. Su boca estaba entreabierta, a escasos centímetros de la suya. Connor sentía el irrefrenable deseo de besarla, y antes de que sus labios se encontraran, la expresión de Olivia sugirió que ya se estaban besando. Sus ojos cerrados, sus labios separados…

—Lolly…

Entonces se oyó un portazo y Freddy irrumpió en la sala.

—¿Trabajando duro, chicos?

Los dos se apartaron bruscamente y Connor vio el rubor en las mejillas de Olivia.

—No era un trabajo duro, en absoluto —dijo él, sonriéndole a Freddy—. Pero tengo que irme —salió a donde su Harley estaba aparcada y se sorprendió al ver que Olivia lo seguía. Empezó a ponerse el uniforme, pieza a pieza, sin apartar la mirada de ella.

—¿Qué? —preguntó ella.

—No he dicho nada.

—Me estabas mirando.

—Y te sigo mirando —admitió con una media sonrisa.

—Preferiría que no lo hicieras.

Él la miró unos segundos más. Cuando se ruborizaba parecía más joven y vulnerable, como la chica que él había conocido.

—¿Alguna vez piensas en nosotros, Lolly? —le preguntó—. ¿En cómo éramos?

Olivia se ruborizó aún más.

—No —negó con vehemencia—. No más de lo que pienso en aquellos años.

Naturalmente. Le estaba recordando que ya no se conocían.

—Será mejor que me ponga en marcha —dijo, subiéndose la cremallera de la chaqueta de cuero.

—Nunca te habría imaginado como el típico motorista.

—Desde luego que sí —replicó él, y dejó que el rugido del motor ahogara la respuesta de Olivia.

PASEO EN BARCA

UNA DE LAS TRADICIONES FAVORITAS DEL CAMPAMENTO KIOGA ES EL PASEO EN BARCA SEMANAL POR EL LAGO WILLOW Y DISFRUTAR DE UNA PUESTA DE SOL MARAVILLOSA. LOS CAMPISTAS TIENEN QUE ESTAR LISTOS EN EL MUELLE A LAS 7:30 DE LA TARDE.

11

Verano de 1993

En su tercer verano en el campamento, Connor Davis supo que sería el último. Por un lado, aquel año empezaría octavo en el colegio y al año siguiente iría al instituto, y su madre y Mel siempre decían que los chicos del instituto tenían que trabajar. Por otro, no sabía qué hacer con su padre. Verlo año tras año consumido por la bebida, convertido en el hazmerreír del campamento, hacía que Connor odiara a todo el mundo.

Vivir con Mel y su madre tampoco le gustaba, pero había una diferencia. A pesar de todo, Connor quería a su padre. Terry Davis era un buen hombre con un serio problema, y Connor no sabía cómo ayudarlo.

Pero qué demonios, pensó. Era su último verano en el campamento Kioga y estaba decidido a aprovecharlo al máximo. Ganaría el cuadratlón. Escalaría las Shawangunks. Superaría la prueba de supervivencia, en la que había que pasar dos días perdido en la naturaleza sin más equipo que una brújula. Tal vez conseguiría vencer a Tarik en el torneo de ajedrez. Se haría un agujero en la oreja, sólo para enfadar a su padrastro. Besaría a una chica, tal vez con magreo y sexo incluidos.

Sí, quería hacer todo eso y más. Cuando tuviera que escribir la redacción «Cómo he pasado el verano» para el colegio, quería que fuera tan extraordinaria que su maestro pensara que se lo había inventado.

De camino al comedor vio al señor Bellamy, el dueño y director del campamento. Era un hombre de edad avanzada, con el rostro lleno de arrugas y una voz como la de Lawrence Olivier en las películas antiguas.

—Hola, señor —lo saludó, extendiendo la mano—. Soy Connor Davis.

—Pues claro, Davis. Te recuerdo muy bien. ¿Cómo estás, hijo?

—Muy bien, señor —¿qué más podía decir? ¿Que su vida era un infierno, que echaba terriblemente de menos a su hermano pequeño, que despreciaba a su padrastro y odiaba vivir en una caravana en Buffalo? Su madre, actriz frustrada, le había enseñado a fingir, de modo que dibujó una sonrisa en su rostro—. Me alegra estar aquí de nuevo, señor Bellamy. Quiero darles las gracias a usted y a la señora Bellamy por permitirme volver.

—Tonterías. Para Jane y para mí es un privilegio tenerte aquí.

—Bueno, en cualquier caso les estoy muy agradecido —deseaba que hubiera alguna manera de demostrarles su agradecimiento a los Bellamy, pero no se le ocurría nada. Aquella gente lo tenía todo. Tenían el campamento; aquel lugar tan increíble en plena naturaleza donde se podía subir a la cima de una montaña y tocar las estrellas. Se tenían el uno al otro, tenían un puñado de nietos que estaban locos por ellos, y tenían una vida perfecta en todos los sentidos. No había nada que Connor Davis pudiera ofrecerles.

La cena del primer día era siempre una fiesta, y aquel año no fue una excepción. Connor se sentó en una larga mesa con sus compañeros de cabaña, una panda bastante ruidosa y heterogénea, y todos se atiborraron de ternera, leche y brócolis y ensalada, incluso los chicos que normalmente evitaban la verdura. De postre tenían las famosas tartas de moras de la pastelería Sky River.

—¿Has visto a la chica que conduce la furgoneta del pan? —le preguntó Alex Dunbar, quien dormía en la misma litera que Connor.

Connor negó con la cabeza. En aquellos primeros años de adolescencia, cualquier chica bastaba para revolucionarle las hormonas y hacerlo sentir como un obseso sexual.

—Se llama Jenny Majesky y se parece a Wynona Ryder —dijo Dunbar, agarrando el cuenco del puré de patatas—. Tengo que encontrar la manera de meterme en su…

—Cuidado con lo que dices, Dunbar —lo interrumpió su monitor, Rourke McKnight, poniendo el pie en el banco entre Dunbar y Connor.

—¿Qué pasa? —preguntó Dunbar en tono fanfarrón, pero Connor sabía que se sentía intimidado por McKnight, igual que todo el mundo en la cabaña Fort Niagara. Rourke McKnight acababa de terminar el instituto, y con su aspecto duro y amenazador infundía un respeto total entre los campistas.

—No se te ocurra hablar de la señorita Majesky ni de ninguna otra chica, ¿está claro?

—Clarísimo —respondió Dunbar con el ceño fruncido, y esperó a que McKnight se alejara para reírse por lo bajo—. Seguro que él también lo hace.

—Como te oiga hablar así, te vas a enterar —le advirtió Cramer, que estaba sentado al otro lado de la mesa.

Los chicos siguieron bromeando, pero Connor ya no los escuchaba. Se le habían puesto los vellos de punta y un escalofrío le recorría la columna, como siempre que sentía la presencia de su padre. Entonces lo oyó. Un ruido de cristales rotos.

Rápidamente se levantó y corrió hacia la puerta. Efectivamente, su padre estaba en el vestíbulo, al pie de una escalera de mano, rodeado de cristales.

—¿Estás bien, papá? —murmuró Connor, agarrándolo por la manga de la camisa.

—Un pequeño corte, nada más —dijo Terry Davis, balanceándose ligeramente sobre sus pies mientras se examinaba el dorso de la mano—. Sólo iba a cambiar la bombilla.

A Connor se le cayó el alma a los pies. Era un idiota. Todos los años confiaba en que no se repitiera la misma historia, pero era inevitable. Su padre olía a alcohol, y lo peor de todo era que fingía estar sobrio y sereno.

Como era de esperar, el ruido había atraído a muchos curiosos. Casi nadie sabía que Terry Davis era el padre de Connor, y el propio Terry siempre le recordaba que no lo dijera, pero Connor se sentía muy extraño al tener que ocultarlo.

—Eh, ¿cuántos borrachos hacen falta para cambiar una bombilla? —preguntó un chico—. Uno para servir los martinis, y otro para leerle las instrucciones.

Connor se encogió de vergüenza, pero intentó disimularlo y fulminó al chico con la mirada. Sabía que era una mirada letal, pues se había pasado años perfeccionándola.

—Largo de aquí —espetó.

—¿Qué te pasa a ti? —lo retó el chico.

—Eso —dijo otro chico—. ¿Qué problema tienes tú?

—Volved a las mesas —ordenó Rourke McKnight, llenando el umbral con su metro ochenta de estatura. Su aparición provocó la inmediata estampida de los chicos—. Yo me encargo de recoger esto.

—No, espera —protestó Terry Davis—. Tengo que cambiar la bombilla. Tengo que…

—Señor Davis, ese corte tiene muy mal aspecto. Permítame acompañarlo a la enfermería para curarlo —la sugerencia vino de Lolly Bellamy, que había aparecido de repente. Connor apenas había tenido tiempo de saludarla al llegar al campamento y le dedicó un gesto con la cabeza. Lolly era la última persona del mundo con la que se imaginaba trabando amistad, y sin embargo se alegró de verla. En los dos últimos veranos se habían llevado bastante bien. En parte porque Lolly era lista, divertida y sincera, y en parte porque era la clase de persona que podía agarrar a su padre del brazo y llevarlo a la enfermería, tranquilizándolo con palabras amables.

Conmovido por aquel gesto de bondad, los siguió a la enfermería, provista de un botiquín completo y cuatro camillas de sábanas blancas y limpias.

—Ponga su mano bajo el agua, señor Davis —le ordenó Lolly mientras abría el grifo—. Tenemos que ver que no haya cristales en la herida.

El aliento de Terry Davis apestaba a alcohol, pero Lolly no pareció inmutarse mientras le limpiaba y vendaba la herida.

—Muchas gracias —dijo Terry—. Eres una auténtica Florence Nightingale.

—Así soy yo —corroboró Lolly con una radiante sonrisa.

—Escucha, papá, ¿por qué no te vas a casa? —preguntó Connor mientras Lolly guardaba las cosas—. ¿Quieres que te ayude?

—¡No! —rechazó Terry—. Creo que conozco el camino, después de todo este tiempo.

La «casa» de Terry Davis era una cabaña en el borde del campamento donde vivía todo el año. Al estar en el interior del complejo no hacía falta desplazarse en coche, lo cual era una preocupación menos. Terry ya había cometido varias infracciones por conducir ebrio, y una más lo llevaría a la cárcel.

—¿Quieres que vaya contigo? —insistió Connor.

—No —volvió a rechazar Terry. Sin decir otra palabra, salió de la enfermería y cerró con un portazo tras él.

Connor no se movió, y tampoco Lolly. No la miró, pero sentía su presencia, expectante, y oía su respiración suave y sosegada. Y de repente fue demasiado. La bondad de Lolly, su naturalidad al aceptar la situación y no darle mayor importancia. Connor sintió como le escocían los ojos y la garganta y supo que estaba a punto de echarse a llorar.

—Tengo que irme —murmuró, agarrando el pomo de la puerta.

—Muy bien —fue todo lo que ella dijo.

No hacía falta que dijera más. Era Lolly, al fin y al cabo. Aunque sólo se veían durante el verano, entendía mejor a Connor que ninguna otra persona, incluso mejor que él mismo. Aquel pensamiento hizo que retirase la mano del pomo, después de haber dominado sus emociones. Cuatro años viviendo con Mel le habían enseñado a no mostrar sus sentimientos, porque algún indeseable podía aprovecharse de ello.

Odiaba aquellas situaciones. Odiaba que su padre bebiera…

—¿Sabes lo que más deseo en este momento? —le preguntó a Lolly.

—¿Darle puñetazos a la pared?

Connor no pudo evitar una sonrisa. Realmente Lolly lo conocía bien. Pero entonces su sonrisa se desvaneció y pronunció unas palabras que nunca se había atrevido a formular delante de otra persona.

—Desearía que mi padre dejara de beber y fuera él mismo. Así no tendría que preocuparme por él y podría pasarme todo el día jugando al cribbage y construyendo casas de pájaros.

—Tal vez lo haga algún día —dijo ella, sin parecer afectada en absoluto—. Mi abuela Lightsey… la madre de mi madre, también es alcohólica, pero dejó de beber cuando empezó a ir a esas reuniones especiales en su iglesia. Mi madre se comporta como si fuera un secreto de familia, pero yo me siento orgullosa por su recuperación.

Connor no supo si se alegraba o no de que Lolly le hubiera hecho aquella confesión. Por un lado, le daba esperanza. Por otro, parecía muy improbable que su padre dejara alguna vez la bebida.

—No sé por qué tus abuelos le permiten seguir aquí —murmuró—. No se puede decir que sea un buen trabajador.

Ella frunció el ceño detrás de sus gafas.

—¿Nunca te lo ha dicho?

—¿Decirme qué?

—Por Dios, Connor, deberías dejar que tu padre o mi abuelo te lo contaran. Tu abuelo y el mío sirvieron juntos en la guerra de Corea, y tu abuelo le salvó la vida al mío.

Connor nunca había conocido a su abuelo, Edward Davis.

—Sabía que lo habían matado en Corea cuando mi padre era muy pequeño, pero mi padre nunca me contó nada más.

—Deberías pedirle a mi abuelo que te contara la historia. Estaban luchando en un lugar llamado Walled City y tu abuelo salvó a toda un pelotón, mi abuelo incluido. Así que cuando mi abuelo volvió de la guerra, prometió que siempre velaría por la familia de tu abuelo, pasara lo que pasara.

Incluso si el hijo de Edward Davis se convertía en un alcohólico, pensó Connor. Sin embargo, la historia de Lolly lo hizo sentirse un poco mejor.

Permanecieron un largo rato en silencio. Finalmente, Connor se acercó al armario y abrió uno de sus blancos cajones esmaltados.

—Estaba pensando en hacerme un agujero en la oreja.

—¿Cómo dices?

Connor dejó escapar una carcajada. Lolly era muy divertida cuando adoptaba aquella actitud tan formal.

—Estaba pensando en hacerme un agujero en la oreja —repitió.

—Estás loco de remate.

—¿No me crees capaz? —en el cajón encontró una lanceta en una bolsa esterilizada—. Esto servirá —dijo, y se dispuso a rasgar la bolsa con los dientes.

—Espera —lo detuvo ella, abriendo los ojos como platos. Las gafas se le torcieron cómicamente sobre la nariz—. No seas tonto, Connor. No necesitas más agujeros en tu oreja.

—Uno más no importa.

Se detuvo y buscó en su bolsillo el pequeño aro plateado que había llevado consigo durante semanas, intentando reunir el valor para ponérselo. Se lo había dado Mary Lou Carruthers el año anterior, quien estaba enamorada de él desde segundo curso. Estaba sujeto a una tarjeta negra de plástico. Lo despegó y lo dejó sobre la mesa.

—No puedes hablar en serio —dijo Lolly, poniéndose colorada—. Pillarás una infección. Se te puede caer la oreja.

—Tonterías. Mucha gente se hace agujeros en las orejas y no les pasa nada.

—Porque los hace un médico o un profesional.

—O alguna chica lista y habilidosa que se deje convencer.

—Ni hablar —espetó ella, dando un paso atrás y negando con la cabeza. Ya no se recogía sus cabellos castaños en coletas, sino que lo llevaba sujeto en una especie de nudo con un elástico. Algunos mechones se soltaron y se curvaron alrededor de su rostro.

—De acuerdo. Entonces lo haré yo mismo.

—Podrían expulsarnos por esto.

—Sólo si nos pillan. Y no van a pillarnos, Lolly —abrió la lanceta y se inclinó hacia el espejo. No parecía tan fácil como había pensado. Si se traspasaba el lóbulo con la lanceta, ¿se abriría un agujero en el cráneo? ¿Saldría sangre? ¿Y como demonios se metería el pendiente?

Vio cómo Lolly lo observaba en el espejo. De acuerdo. Ya no había vuelta atrás. Respiró hondo y contuvo el aire mientras cerraba los ojos con fuerza. No, así no. Tenía que ver lo que hacía.

Entonces oyó un ruido tras él y casi dejó caer la lanceta. Era Lolly, poniéndose unos guantes de goma.

—Muy bien, chico duro. Luego no me culpes a mí si se te pone la oreja negra y se te cae a pedazos.

PESCA EN EL LAGO WILLOW

EL LAGO WILLOW ES UN ABUNDANTE CALADERO DE TRUCHAS. EL LÍMITE SE ESTABLECE EN TRES TRUCHAS POR PESCADOR CON LICENCIA. ES OBLIGATORIO SOLTAR EL RESTO.

12

—¡Vamos, Daisy! Es la hora.

Cuando Daisy oyó la voz alegre y forzada de su padre, supo que no podía significar nada bueno. Su padre estaba en la puerta de la cabaña que compartía con ella y con Max, y fuera aún estaba oscuro. Oyó sus pisadas en el porche y los golpes en la puerta.

—Arriba, dormilona —la apremió—. Hora de levantarse.

—No —gimió débilmente y enterró la cabeza bajo la almohada. ¿Acaso su padre no podía ver que aún no había amanecido? ¿Por qué demonios la gente se levantaba tan temprano? Tal vez si no respondía, su padre la dejaría dormir en paz.

No tuvo tanta suerte. Se oyó el chirrido de la puerta mosquitera al abrirse. Masculló una maldición y se obligó a levantarse y a sortear los montones de ropa, libros, cartas y latas vacías desperdigados por el suelo.

—¿Daisy? —volvió a llamarla su padre desde el umbral.

—Ya me he levantado, papá. No hagas tanto ruido.

—De acuerdo. Te espero fuera. No tardes.

Lo último que Daisy quería era hacer algo con su padre a una hora tan temprana, como ir de pesca. Pero él llevaba atosigándola con las estúpidas actividades en familia desde que llegaron al campamento, y a ella se le habían acabado los recursos para evitarlo. Había muy pocos lugares para esconderse en el campamento Kioga sin perderse en el bosque o ser devorada por los mosquitos.

La noche anterior, ella y sus primas, Olivia y Dare, se habían quedado levantadas hasta muy tarde, jugando al whist con Freddy. Al whist, por todos los santos... De ahí al bridge sólo había un paso. Y si alguna vez aprendía a jugar al bridge, se convertiría oficialmente en la idiota del siglo.

Si su padre le hubiera dicho lo que la esperaba en el campamento Kioga, le habría pedido a cualquiera que le pegase un tiro. Siempre sería preferible una muerte rápida que consumirse lentamente en un verano largo y tedioso.

Se había creído al pie de la letra las historias que su padre y sus abuelos contaban sobre el campamento Kioga, donde nunca faltaba la diversión, y en ningún momento había puesto en duda la idílica imagen de un retiro maravilloso junto a un lago de ensueño. No se había parado a pensar que, una vez allí, necesitaría encontrar alguna distracción además del trabajo.

Lo curioso era que no se estaba aburriendo tanto. Gracias a Dios, sus primas mayores tenían mucho sentido del humor, y Olivia parecía especialmente sensible a la dramática situación que vivía la familia de Daisy. Y cuando la apatía o la frustración amenazaban con dominarla, a Daisy siempre le quedaban algunos trucos en la manga, como un cartón de tabaco bajo la cama, una bolsa de marihuana e incluso una bola de hachís de Líbano. Lo bueno de ir a un instituto internacional era que muchas de sus amistades disfrutaban de inmunidad diplomática y se aprovechaban de ello.

Al pensar en sus amigas de la ciudad soltó un triste suspiro. Echaba de menos su compañía. Y al mismo tiempo sentía un ligero alivio. A punto de acabar el instituto, todas sus amigas sabían exactamente lo que querían hacer con su vida. Casi todas soñaban con estudiar en Ivy League, o en Julliard School, o incluso en la Sorbona de París. Junto a ellas se sentía insegura y perdida. Cierto era que conseguía unas notas excelentes, que iba a uno de los mejores institutos del país y que sabía tocar el piano y la guitarra. Pero, a pesar de todo, sentía que vagaba sin un rumbo fijo. Había oído cómo su madre, una prestigiosa abogada, le decía a su abuela que Daisy era como su padre, y eso no era ningún cumplido. Su padre podía ser un arquitecto paisajístico con mucho talento, pero era el elevadísimo sueldo de su madre lo que mantenía a la familia en el lujo y la opulencia. Y a pesar de todo, sus padres no podían ser felices juntos.

Tal vez si ella hiciera algo, si contrajera alguna terrible enfermedad, sus padres no se separarían. Las ideas se arremolinaron en su cabeza como un torbellino de polvo. En el fondo, sabía que nada podría mantener unidos a sus padres.

Se dobló por la cintura para cepillarse el pelo. Se lo sujetó en una cola de caballo y se puso unos shorts con la palabra *Pink* escrita en el trasero, un top y una sudadera con capucha. Por último, se puso unas chancletas y agarró inconscientemente su iPod. Al instante volvió a soltarlo. Si se le caía al agua, se quedaría sin música para todo el verano. Y entonces sí que estaría perdida.

Mientras se lavaba la cara y los dientes agradeció que no hubiera ningún espejo en la cabaña. Ver su propia imagen bastaría para deprimirla por completo. Le echó un último y triste vistazo a su litera y salió a la oscuridad. Una niebla densa y agobiante envolvía el campamento.

Un paquete de cigarrillos yacía bajo el porche, junto al tarro de cristal que usaba como cenicero. Fumar era una estupidez, pero Daisy lo hacía de todos modos. No podía resistirse a hacer algo tan prohibido y censurable. Fumar era peor que el sexo o las drogas de diseño, y por tanto, era la mejor manera de enfurecer a sus padres.

Y ésa era la intención de Daisy. Quería enloquecer a sus padres, igual que ellos llevaban años haciendo con ella.

Sin embargo, su padre nunca le había ordenado que dejase de fumar. ¿Acaso no entendía que ella quería que se lo prohibiera, y así tener un motivo para enfrentarse a él? Quería que le recordara que seguía siendo su hija y que era responsable de su salud, y entonces ella dejaría voluntariamente el tabaco. Sólo necesitaba que su padre se lo ordenara.

—Buenos días, Merry Sunshine —la saludó su padre con voz cantarina, tatareando la cancioncilla que le cantaba en su infancia—. ¿Cómo te encuentras hoy?

—Te doy cien pavos si dejas de cantar —gruñó ella.

—No tienes cien pavos.

—La abuela le dijo a Olivia que me pagara en metálico todos los viernes. Hasta ahora he ahorrado casi seiscientos dólares.

Su padre emitió un débil silbido.

—Como quieras. No cantaré ni una sola nota. Ni siquiera para darle los buenos días a mi chica.

—Además, por si no lo has notado, ni siquiera ha salido el sol. Así que, técnicamente, no puedes darme los buenos días.

—Es genial, ¿verdad? —dijo él, llenándose los pulmones con el aire de la mañana—. Es mi hora favorita del día.

Daisy se estremeció de frío.

—No puedo creer que estemos haciendo esto.

—No había más remedio. Ninguno de mis hijos ha pescado nunca. Es algo sagrado.

—Pero, ¿qué importa a qué hora del día vayamos a pescar? ¿Es que los peces tienen un horario especial o qué?

—Tiene que ver con la luz y la temperatura del agua. Las truchas se alimentan de insectos al amanecer y al crepúsculo.

Un silencio sepulcral reinaba en el campamento. El manto de niebla ahogaba el sonido de sus voces y el ruido de las chancletas. El campamento parecía el escenario de una película de horror donde un psicópata asesino acechaba en la profundidad del bosque.

—¿Cómo has dormido? —preguntó su padre.

—Estupendamente, hasta que me has despertado. No se puede hacer mucho más por aquí, aparte de dormir.

—Oh, yo diría que has encontrado algunas distracciones —señaló hacia la orilla del lago, donde podían verse los restos de la hoguera de la noche anterior—. Yo también lo hacía cuando venía al campamento. Encendíamos un fuego en la orilla y nos colocábamos.

—Yo no… —empezó a protestar Daisy, pero se calló y lo miró desafiante. ¿Para qué negarlo? Era obvio que su padre lo sabía y que le importaba un bledo. En vez de enfadarse con ella, se comportaba como si colocarse fuera lo más natural del mundo, pues era algo que él mismo había hecho. Era su madre quien se encargaba de gritarle y reprenderla, y su madre no estaba allí. Según ella, era sólo una separación temporal, pero Daisy sabía que era algo mucho más serio.

—¿Qué hay para desayunar? —murmuró, entrando en la cocina delante de su padre.

Max ya estaba allí, absorto con el dorso de una caja de cereales mientras se metía una cucharada tras otra en la boca.

—¿De dónde has sacado los cereales Cap'n Crunch? —le preguntó Daisy.

—Papá y yo fuimos anoche al pueblo a comprar provisiones —respondió él sin levantar la mirada—. Dare ha llenado la despensa de comida sana. ¿Quieres un poco?

—No, gracias. Demasiada azúcar puede crear adicción, por si no te has dado cuenta. Es lo peor que puedes darle a tu cuerpo.

—Salvo el humo del tabaco —objetó Max—. Así que no me critiques.

—Cállate —espetó Daisy, y sacó un yogurt griego bajo en calorías de la nevera.

—Papá, tendrías que obligarla a que deje de fumar —dijo Max.

Su padre sacó un gran cuenco y lo llenó de cereales.

—Debe dejarlo cuando ella lo decida —repuso.

—Lo que debería hacer es estar en la cama, en vez de estar levantada a esta hora infernal con un par de chalados —declaró Daisy. Echó un poco de muesli en el yogur y cortó un melocotón en trozos para añadirlo a la mezcla.

—Chalados —repitió Max, y chocó los cinco con su padre.

Al acabar de desayunar, dejaron los platos en el fregadero y su padre y Max se dirigieron hacia el varadero. Daisy se quedó atrás para lavar los cubiertos. El inmenso fregadero de acero inoxidable estaba equipado con un grifo comercial para enjuagar los cacharros, y ella sólo necesito medio minuto para tenerlo todo listo. Guardó los cereales y la leche, ¿se pensaban su padre y Max que iban a guardarse solos?, y salió tras ellos para echarles en cara su falta de conciencia doméstica. No eran maleducados. Simplemente no pensaban. Y ése era un hábito mucho más difícil de cambiar que la mala educación.

Mientras caminaba por el sendero hacia el muelle, ya completamente despejada, tuvo que reconocer que aquel lugar tenía algo especial a esa hora de la mañana. Un susurro mágico impregnaba el aire, y las aguas del lago cobraban un brillo tenue y místico con la salida del sol. La niebla se desplazaba como si tuviera vida propia, flotando sobre la tranquila superficie del lago. Todo olía a fresco, a agua limpia, a flores silvestres y hierba cubierta de rocío, y el canto de los pájaros empezaba a saludar al nuevo día. No sería ninguna sorpresa si la Dama del Lago surgiera de las aguas con la espada Excalibur. De vez en cuando una trucha emergía de un salto para cazar un insecto volador, formando suaves círculos concéntricos que poco a poco iban desapareciendo. Pobre y confiada criatura, pensó Daisy. ¿Por qué había gente que se empeñaba en arrancarla de su hábitat natural para sacarle las entrañas y freírla en una sartén?

Porque ni ella ni su hermano habían pescado nunca, y el tonto de su padre pensaba que había que ponerle remedio.

—¡Mira, Daisy! —exclamó Max, corriendo hacia ella—. Papá y yo los conseguimos anoche —le enseñó una gran lata de café, llena de tierra húmeda y oscura en la que reptaban y ondulaban un montón de gusanos viscosos y repugnantes.

—Genial, Max —murmuró—. Ahora, si me disculpas, tengo que ir a vomitar a los arbustos.

—Qué blandengue —murmuró Max—. No son más que lombrices de tierra.

Daisy tragó saliva y respiró hondo un par de veces. Lombrices de tierra… Su padre podía parecer el Padre del Año al llevarse a sus hijos de pesca y proponer actividades en familia, pero siempre había gusanos por medio, de uno u otro tipo.

Junto al varadero había un gran cobertizo donde se guardaba el material deportivo.

—Guau —exclamó Max, con los ojos muy abiertos—. Mira cuántas cosas. Hay de todo.

—Desde luego, campeón —corroboró su padre, retirando una lona cubierta de polvo para revelar una hilera de bicicletas.

—¡Bicis! —exclamó Daisy. Le encantaba montar en bici.

—Hay también unos tándems —dijo su padre—. Tendremos que inflar las ruedas después.

Había muchísimas otras cosas, incluyendo redes, raquetas y pelotas, porterías flotantes de waterpolo, arcos, flechas y dianas, y también un juego de cróquet. Daisy se dijo que tendría que probarlo más tarde. Sin sus pasatiempos habituales, Max y ella tenían que emplear la imaginación para divertirse. Nunca había creído que le gustara el bádminton, pero la perspectiva cobraba un nuevo atractivo en aquellas circunstancias.

Una sección del granero estaba dedicada a los aparejos de pesca, con cañas y carretes de todos los tamaños, anzuelos, cebos, botas y chalecos de pescador... Había una gran caja llena de aparejos y otra aún mayor con el nombre de Majesky.

—¿Qué es eso? —preguntó Max.

—Aparejos para la pesca en el hielo —explicó su padre—. El señor Majesky solía venir a pescar en invierno. Él y el abuelo fueron compañeros de pesca hace mucho tiempo, por eso están aquí sus cosas, supongo.

—¿Qué dice aquí, papá? —preguntó Max, señalando un letrero.

—Dice... —empezó su padre, pero Daisy lo hizo callar. Se suponía que tenían que ayudar a Max con su lectura siempre que fuera posible. Desde que habí entrado en el colegio estaba teniendo muchas dificultades para aprender a leer, a pesar de recibir ayuda pedagógica y clases particulares—. ¿Qué pasa? —preguntó con el ceño fruncido.

—Lee lo que está escrito, Max —ordenó Daisy.

—No importa —gruñó Max—. Eres tan mandona como mamá.

—No, no lo soy. Y si fuera mamá quien te lo pidiera, intentarías leerlo.

Max salió del cobertizo, farfullando algo sobre la lata de gusanos.

Su padre se quedó completamente perplejo.

—Espera un momento... El letrero dice *Normas de pesca para los residentes*. ¿Estás diciendo que Max no puede leerlo?

—¿Tanto te sorprende? —preguntó Daisy, cruzándose de brazos.

—Sabía que estaba teniendo dificultades en el colegio, pero creía que su tutor se encargaba de ello.

Típico, pensó Daisy. Su padre siempre creía que la solución a todos los problemas era contratar a alguien para que los resolviera. Y su madre no era mucho mejor, porque su solución era contratar a alguien y largarse a Seattle.

—¿Alguna vez has leído su PEI? —le preguntó a su padre, cuya expresión delató su ignorancia al respecto—. Plan de Educación Individualizada —explicó, enfatizando cada palabra—. La actividad principal para el verano es que leas con él cada día durante una hora, por lo menos. No puedo creer que mamá no te lo haya dicho.

—¿Me tomas el pelo?

—Desde luego. Para mí es muy divertido decirte que Max no sabe leer y luego inventarme una manera de solucionarlo.

Su padre no entendió el sarcasmo, o quizá prefirió ignorarlo.

—Entonces, ¿tengo que leer con él? ¡Me parece genial! —dijo con una amplia sonrisa.

Daisy no estaba segura de haberlo oído bien.

—¿Genial?

El rostro de su padre se iluminó de entusiasmo como si fuera un crío.

—Hay muchos libros que siempre he querido leerle a Max. Y a ti también.

«¿Y por qué no lo hiciste?», quiso preguntarle Daisy.

—Tú sabes leer muy bien, ¿no? —le preguntó su padre.

—¿Me lo preguntas? —dijo ella, agarrando tres remos de la pared—. Tranquilo, papá. Yo sé leer muy bien.

Su padre se comportaba como el mejor padre del mundo sólo porque no le prohibía que fumase tabaco y porros. Pero había demasiadas cosas que no sabía de ella. Por ejemplo, que aquel año había ganado el premio Dickinson de poesía y un puesto en la National Honor Society. Que había sido la máxima anotadora en la última temporada de lacrosse. Que su pianista de jazz favorito era Keith Jarrett y que una vez había esnifado cocaína en una fiesta.

—Hay muchos libros que podríamos leer —dijo su padre—. *Camelot*, *La isla del tesoro*... Había una biblioteca en el pabellón principal. La exploraremos esta noche.

Una cosa era cierta: a su padre nunca le faltaba el entusiasmo.

Eligieron las cañas y los carretes, boyas y plomos y salieron al muelle. Su padre había echado al agua una gran canoa con seis asientos, y había llevado una nevera portátil con suficientes bebidas, sándwiches y refrigerios para alimentar a una tropa. Al verlo con las primeras luces del alba, organizándolo todo para ellos, Daisy sintió que se le encogía el corazón por la emoción. Su padre lo estaba intentando.

Entonces se fijó en un montón de toallas y un tubo de crema solar. ¿Crema solar? ¿Su padre pensaba que iban a estar el rato suficiente en el lago para necesitarla?

—Dijiste que querías que plantásemos flores junto al camino de entrada y alrededor del pabellón —le recordó ella.

—En efecto —dijo él, arrojándole un chaleco salvavidas—. Las flores le darán un toque alegre al terreno. Rosas rojas y geranios blancos, sobre todo.

—Entonces no deberíamos volver muy tarde —arguyó Daisy.

—No te preocupes por eso. A las flores les dará igual qué día las plantes. ¿Qué gracia tiene estar en un campamento si no puedes saltarte el horario de vez en cuando? —sonrió—. Parece que estás atrapada con Max y conmigo.

—Genial.

La canoa era más inestable de lo que parecía, y se balanceó peligrosamente de lado a lado cuando estuvieron los tres a bordo, lo cual le pareció a Max muy divertido.

—Estate quieto —le ordenó Daisy mientras agarraba un remo—. Si nos haces volcar lo lamentarás.

—Sólo es agua.

—Deja de hacer el tonto y ponte a remar… ¿o es que no sabes cómo hacerlo?

—Pues claro que sé —desafiante, agarró otro remo mientras su padre apartaba la canoa del muelle.

Daisy se acomodó lo más que pudo en la proa y empezó a remar. No sabía muy bien lo que estaba haciendo, pero había remado un poco en las clases de Educación Física en el colegio. No era muy difícil, aunque no había la menor compenetración entre su padre, Max y ella. Sus remos chocaban entre ellos, derramando el agua en el interior de la canoa.

Daisy se imaginó contándole la actividad al doctor Granville, su psicólogo. Seguramente le diría que la falta de coordinación expresaba la situación familiar. Siempre estaba empleando todo tipo de estúpidas metáforas. Le explicaría cómo la inmadurez y el desapego de su padre, la búsqueda desesperada de Daisy por establecer lazos y la necesidad de Max por recibir apoyo y consuelo se reflejaban en el desacompasado chapoteo de los remos.

—Cuando yo era niño —dijo su padre—, formábamos equipos de cuadratlón. Era una prueba física que consistía en cuatro etapas. Primero teníamos que remar hasta la isla, dar una vuelta alrededor y volver. Luego teníamos que nadar hasta las boyas y volver. A continuación, una carrera en bici de cinco kilómetros, y finalmente, una carrera campo a través de dos kilómetros hasta la línea de meta. El primero en acabar se hacía con el premio.

—¿Cuál era el premio? —preguntó Max.

—No me acuerdo. Seguramente un postre doble o algo así.

—¿Tanto esfuerzo para eso?

—No lo hacíamos por los postres, hijo.

—¿Entonces por qué lo hacíais?

—Para ganar. El equipo más rápido podía pavonearse por derecho propio.

—No lo entiendo.

—Vamos, Max. ¿Dónde está tu espíritu competitivo?

—Supongo que lo olvidé en casa.

—¿Cuándo vamos a empezar a pescar? —preguntó Daisy. Cuando antes empezaran, antes acabarían.

—Tenemos que llegar al lugar perfecto —dijo su padre—. Se llama Blue Hole.

El trayecto se hizo eterno, porque aquel lugar estaba en la otra punta del lago y la canoa avanzaba muy lentamente debido a la descoordinación de los remos. Y con el ruido que estaban haciendo debían de haber espantado a todos los peces.

Por fin, cuando a Daisy empezaban a salirle ampollas en la mano, su padre anunció que habían llegado. El lugar era realmente bonito, rodeado parcialmente por una pared rocosa y con la superficie del lago tan quieta como una lámina de cristal.

—¿Y ahora qué? —preguntó Max.

—Ahora preparamos los cebos y a esperar. ¿Puedes darme la lata de gusanos, Daisy?

—Ni loca voy a tocar esa lata.

—Cobarde —se burló Max, acercándose a ella.

—¡Cuidado, idiota! —le gritó Daisy cuando hizo oscilar la canoa.

Sorprendentemente, Max mantuvo el equilibrio mientras agarraba la lata y se la pasaba a su padre. En cuestión de minutos los cebos estaban listos y en el agua.

Y luego... nada. Los tres permanecieron quietos y callados como estatuas, mirando fijamente las boyas rojiblancas. De vez en cuando su padre recogía sedal y cambiaba el gusano del cebo, como si las truchas le hicieran ascos a un bicho muerto e hinchado. A veces una boya se movía y entonces recogían sedal con gran expectación, sólo para descubrir que el cebo había desaparecido.

—Parece que son muy listas —comentó su padre.

—¿Desde cuándo una trucha es lista? —preguntó Daisy.

—Desde que saben robar un gusano sin tragarse el anzuelo —explicó Max.

Al cabo de una hora, el aburrimiento empezó a hacer mella y los tres se pusieron a jugar a las adivinanzas y al Veo-veo. Las risas de Max se elevaban sobre las aguas como el canto de los pájaros, y Daisy se sintió invadida por una extraña e inesperada sensación de paz y tranquilidad.

Un poco más tarde, su padre empezó a contar historias. Les habló de su infancia y de los veranos que había pasado en el campamento.

—Era la única vida que conocía, y por eso nunca me di cuenta de lo afortunado que era. Los niños nunca saben lo que tienen.

Pero sí sabían lo que no tenían, pensó Daisy amargamente.

A Max le entró hambre y desenvolvió un sándwich de mantequilla de cacahuete.

—Mi favorito —dijo, dándole un gran mordisco—. Cuéntanos la historia de cuando el tío Philip metió un cebo en la cabaña de las chicas —le pidió con la boca llena, aunque ya se sabía la historia de memoria.

Los minutos transcurrieron tranquilamente mientras escuchaban los relatos de su padre. Distraído, Max le quitó la corteza al pan y la desmenuzó sobre la borda. A los pocos segundos, Daisy vio cómo aparecía una trucha y atrapaba el trozo de pan que flotaba en la superficie, seguida de otra, y otra más…

—¡Pásame la red! —susurró en tono apremiante.

—¿Han picado? —preguntó Max.

—Mira el agua. Tu sándwich las está atrayendo a montones.

Los ojos de Max se abrieron como platos. Daisy agarró la red y la sostuvo sobre las dos truchas que se deslizaban entre los trozos de sándwich. Sólo tenía que hundir la red y cazarlas.

—Vamos, Daisy —la apremió Max—. Puedes hacerlo.

Tan rápidamente como pudo, hundió la red bajo el agua. Los peces desaparecieron.

—Maldita sea —masculló la joven—. He estado a punto.

—Mira —dijo Max, arrojando otro pedazo de sándwich—. Han vuelto. Hay tres.

Daisy volvió a intentarlo sin vacilar ni un instante.

—¡Tengo una! ¡Mira, papá! He pescado una —exclamó. El cuerpo plateado y escamoso de la trucha se retorcía y aleteaba dentro de la red.

—Fantástico, Daisy. Métela en la nasa…

—¡Una trucha! ¡Daisy ha pescado una trucha! —gritaba Max, loco de contento.

—Tranquilo, campeón —le advirtió su padre cuando la canoa empezó a zozobrar.

—¡Papá! —lo llamó Daisy. La trucha había conseguido escapar de la red, y Daisy se lanzó hacia delante para intentar capturarla de nuevo.

Lo cual fue un craso error, naturalmente. Sintió cómo la canoa se volcaba hacia un lado y fue incapaz de contrarrestar el impulso, cayendo al agua de cabeza y agitando frenéticamente los brazos.

El agua helada y el chaleco salvavidas la impulsaron inmediatamente hacia la superficie. Un grito de indignación estuvo a punto de brotar de sus labios, pero se lo tragó al ver a Max batiendo los brazos y a su padre intentando agarrarlo en el aire. Los dos cayeron al agua, levantando una pantalla acuosa en la que se dibujó fugazmente un arco iris.

—¡Diablos! —espetó su padre—. ¡Está helada!

Nadó alrededor de la canoa y recogió la red, las toallas y los dos remos que estaban flotando. Había agua en el fondo de la embarcación, pero no corría riesgo de hundirse. Max echó la cabeza hacia atrás y miró al cielo.

—¡Está helada! —gritó, riendo y girando sobre sí mismo—. ¡Está helada, está helada!

Daisy estaba temblando, pero las vigorosas brazadas que daba en busca de sus chancletas le permitieron entrar en calor y disfrutar de la sensación de estar flotando sin peso. Jugó a las ahogadillas con su padre y su hermano, chillando y riendo y sin duda ahuyentando hasta el último pez del lago. Al cabo de un rato, a Max empezaron a castañearle tanto los dientes que no podía ni hablar, así que decidieron volver.

Era mucho más fácil decirlo que hacerlo. Entre Daisy y su padre consiguieron aupar a Max, pero era imposible subirse a la canoa sin que volviera a volcar, y no tardaron en desistir, riendo y con los brazos laxos y temblorosos. Empujaron la canoa hasta la orilla más próxima, cubierta de hierba y abedules. Los tres tiritaban de frío.

—Encenderé un fuego —dijo su padre—. Así podremos secarnos antes de volver.

—Un fuego… ¿Con qué? —preguntó Daisy con escepticismo.

Su padre los sorprendió entonces, al encender un fuego con cordón de zapato, dos ramitas y un poco de hierba seca. Con una de las ramas y el cordón improvisó una especie de arco con el que frotó rápidamente la otra rama, haciendo que saltaran chispas sobre la hierba. Tras unos cuantos y vigorosos intentos, la hierba prendió y los tres soplaron suavemente para avivar las llamas y conseguir una hoguera perfecta en la orilla del lago. Una vez secos y tras zamparse los Fritos y las uvas que no se habían mojado, volvieron remando al campamento.

Al llegar, los tres estaban exhaustos por el esfuerzo y por las interminables versiones que cantaron de *El oso subió a la montaña*. Daisy se sentía fresca y limpia por el agua del lago, y su piel había adquirido un ligero bronceado.

—¿Ha habido suerte? —les preguntó Olivia después de que hubieran atado la canoa y guardado los empapados aparejos.

Daisy, Max y su padre se miraron entre ellos y se echaron a reír.

Aquella noche, Max se quedó dormido sobre su plato de macarrones con queso y su padre lo llevó a la cama. Daisy se metió en la biblioteca del pabellón principal, una habitación agradable y acogedora con estantes empotrados, rincones de lectura y muebles rústicos. Las estanterías estaban repletas de toda clase de libros, desde novelas con títulos tan curiosos como *El huevo y yo*, hasta guías de la naturaleza y la colección completa de cuentos del Dr. Seuss. Daisy agarró un libro y fue tras su padre y su hermano, que ya estaban acostados en una litera. Se metió en la cama junto a Max y le dio el libro a su padre.

—Deberíamos empezar con algo sencillo —le dijo.

Su padre encendió la lámpara, abrió *Horton escucha a quien* y empezó a leer con un dramatismo tan intenso y divertido que Daisy se quedó embobada escuchándolo.

13

—Bueno, ¿qué hay entre Olivia y tú? —le preguntó Connor a Freddy Delgado.

Tenía que preguntarlo y aquél era tan buen momento como cualquier otro. Estaban reconstruyendo el cenador, y hasta el momento habían trabajado juntos sin matarse el uno al otro.

Era obvio que había algo entre Olivia y Freddy, pero Connor no sabía qué. Desde que la estrechó entre sus brazos y estuvo a punto de besarla, no había pasado nada más. ¿Y él quería que pasara algo más, además de besarla? Sinceramente, no lo sabía.

En cuanto a Olivia, o lo evitaba descaradamente o estaba demasiado ocupada.

Freddy tomó una medida con un metro de carpintero y la señaló con un lápiz.

—¿Qué hay entre nosotros?

—Eso es lo que te he preguntado —dijo Connor, sujetando unas tachuelas con la boca.

—¿Por qué lo quieres saber? —lo miró con sospecha mientras dejaba el lápiz y sacaba dos botellas de la nevera portátil.

—Me preguntaba si tenéis alguna especie de relación íntima, porque si es así, lo respeto.

—¿Y si no la tenemos? —preguntó Freddy, tendiéndole una botella.

—En ese caso, mis opciones están abiertas —tomó un trago de agua y puso una mueca de asco. Sabía a carbonato—. ¿Qué es esta porquería?

—Agua mineral Ty Nant, de Gales —respondió Freddy, como si todo el mundo tuviera que saberlo—. Mira, lo único que necesitas saber de Olivia y de mí es que ella es la mejor amiga que he tenido en mi vida. Ha tenido algunas experiencias realmente malas, y me siento fatal por eso, porque tendría que ser capaz de protegerla.

—¿Qué clase de experiencias? —preguntó Connor.

—La clase de experiencias de las que no puedo protegerla —dijo Freddy en tono severo.

Olivia estaba de pie en la terraza del pabellón, contemplando la isla del lago y viendo a Connor Davis trabajando en el cenador. Tenía muchísimas cosas que hacer aquella tarde, pero no podía dejar de pensar en el beso. En el beso que no fue. El conato de beso que Freddy había interrumpido y que Connor no se había molestado en reintentar, a pesar de las muchas oportunidades que ella le había dado. Era evidente que se arrepentía de haberlo hecho, y ella no podía culparlo. Al arrastrarlo a la cabaña de su padre, él debió de pensar que lo hacía para torturarlo.

Aun así, seguía oyendo la pregunta que le había hecho. «¿Alguna vez piensas en nosotros, Lolly?».

«No más de lo que pienso en aquellos años», había mentido ella.

—¿De qué crees que estarán hablando? —preguntó Dare, acercándose a ella—. Parecen estar manteniendo una conversación, más que una discusión.

—¿Quién sabe? Al menos la abuela tendrá su cenador.

Decidieron ir remando hasta la isla y hacer un picnic.

Dare preparó unos sándwiches, uvas, bizcochos de chocolate y limonada, todo con su eficacia y elegancia innatas, y lo guardaron todo en una cesta clásica con un trapo a cuadros.

Llegaron a la isla a tiempo de ver como Freddy se quitaba la camiseta, lo que le provocó un gemido a Dare.

—Seguramente nos ha visto acercarnos y lo ha hecho a propósito —dijo Olivia, que conocía bien la vanidad de Freddy. Lo que le faltaba en estatura lo compensaba con un poderoso físico esculpido en fibra y músculo, producto del trabajo diario y de las muchas horas que pasaba en el gimnasio.

Al acercarse, Freddy se secó el sudor del pecho y los antebrazos con la camisa.

—O tal vez no —murmuró Olivia con una expresión de disgusto.

Freddy sacudió la camiseta y la colgó de la rama de un árbol.

—Definitivamente no —corroboró Dare.

Olivia miró a su prima con curiosidad. Dare parecía colada por Freddy. Estaba a punto de decírselo cuando apareció Connor, con un montón de tablas sobre el hombro.

Fue el turno de Olivia de soltar un gemido.

—¿Así que te sigue gustando después de todos estos años? —le preguntó Dare al oírla—. ¿Después de lo que te hizo?

—Ahora soy una persona distinta —se defendió ella—. Y siempre lamenté no haber hecho las cosas de otro modo aquel verano.

—Bueno, ahora tienes tu oportunidad para enmendarte.

Freddy las vio acercándose por el muelle y se llevó una mano al corazón al ver la cesta de picnic que llevaba Dare.

—Creo que me he enamorado —dijo.

—Un hombre fácil de complacer —observó ella.

—Muy fácil —admitió él—. Sólo hace falta una cesta de picnic y una mujer complaciente.

—Entonces hoy es tu día de suerte. Ve a lavarte las manos y ponte la camiseta.

Olivia sintió los ojos de Connor fijos en ella, mientras veía cómo su prima tonteaba con Freddy. Sacó dos botellas de limonada de la nevera y le ofreció una.

—Habéis avanzado mucho —le dijo.

—Te lo mostraré. Ten cuidado dónde pisas —le ofreció la mano, con la palma hacia arriba, y Olivia recordó una imagen de la última noche que vio a Connor, elegantemente vestido e invitándola a bailar.

Parpadeó y la imagen se borró, devolviéndola al presente. Era Connor Davis, con unos pantalones Levi's, una camiseta y un pañuelo saliendo del bolsillo trasero.

Olivia miró brevemente su mano, preguntándose qué efecto le causaría tocarla. Seguramente se derretiría igual que antaño. Ya estaba medio derretida, de hecho.

Colocó su mano en la suya, y volvió a sentir lo mismo que había sentido el otro día, cuando Connor la estrechó entre sus brazos. Una ola de calor irresistible la invadió. No era una reacción deseada, pero tampoco quería negarla.

Connor la llevó a la plataforma octogonal que había construido con Freddy, y Olivia echó la cabeza hacia atrás para examinar las vigas.

—Me siento como Cenicienta en el baile.

—Claro. Y yo soy el príncipe azul.

Olivia se apoyó en la barandilla y aspiró el olor de la madera cortada.

—Seguramente se casaron en un día como hoy —dijo, protegiéndose los ojos con la mano—. Mi abuela me dijo que era un perfecto día de verano.

Una foto en blanco y negro había sido clavada a un poste. En ella se veía a sus abuelos, jóvenes y enamorados, el día de su boda bajo el cenador original.

—Tranquila. Es una copia —dijo Connor, malinterpretando su expresión.

—¿La has puesto tú aquí?

—¿Te sorprende?

—Bueno... sí.

—La he puesto yo ahí, sí. ¿Por qué pones esa cara?

—Por nada. Te has convertido en un buen tipo, Connor. Eso también me sorprende.

—Y tú te has convertido en una mujer muy... sexy, lo que no me sorprende en absoluto.

Ella dejó escapar un bufido de incredulidad.

—Ni siquiera me reconociste al verme.

—Estabas colgada de un mástil. No habría reconocido ni a mi madre en esa postura.

Olivia sintió como se abría involuntariamente a él. Por alguna extraña razón, albergaba una confianza plena hacia Connor Davis.

Observó la fotografía con interés. El júbilo se reflejaba en los rostros. Su abuelo estaba muy atractivo con su esmoquin, y los ojos de su abuela brillaban de felicidad. Los dos eran más jóvenes de lo que Olivia era ahora. Eran jóvenes y estaban enamorados. No se insinuaba el menor atisbo de los conflictos que soportaba la familia de su abuelo, quienes se habían opuesto duramente al matrimonio. No se adivinaban las sombras que esperaban a la pareja feliz, los buenos y malos momentos. Vietnam, la crisis del petróleo, una riqueza inimaginable y una tragedia insoportable. En el momento que se tomó la fotografía, sólo se respiraba la ilusión y la inocencia por embarcarse juntos en una aventura para toda la vida.

Reconoció a sus otros abuelos en la foto. Samuel Lightsey era el padrino de la boda. Unos años después de aquella celebración, se casó con su novia, Gwen.

—Quiero que el día de su aniversario sea tan perfecto como el día de su boda —dijo con una sonrisa melancólica.

—Tengo el presentimiento de que tú y Dare vais a hacerlo posible.

Ella se hundió aún más en su hechizo masculino, aumentando su confianza con cada palabra que pronunciaba. Está bien, pensó, obligándose a respirar hondo.

—Estuve comprometida —dijo en voz baja—. Por si acaso te lo estás preguntando.

La expresión de Connor permaneció inalterable.

—Supongo que las cosas no salieron bien.

—Supones bien.

—Freddy me dijo que te habían hecho daño, pero no me contó nada más.

Ella cambió de postura y se aclaró la garganta. ¿Por qué había de contárselo? De todos modos acabaría por enterarse.

—Tres veces —confesó.

—¿Cómo?

—Tres veces estuve comprometida. Con tres hombres distintos. Bueno, el tercero no era técnicamente un compromiso. Digamos que lo… evité a tiempo —Freddy tenía razón. Le habían hecho daño, y con cada fracaso emocional se convencía más y más de que el problema era suyo. Parecía tener un don para elegir al hombre equivocado—. ¿Y bien? —preguntó, mirando fijamente a Connor. Su expresión seguía sin delatar nada.

—¿Y bien qué?

—¿No vas a decir nada?

—¿Qué quieres que diga?

—No sé. ¿Qué tal: «lamento oír eso»?

—No lamento oír eso.

—¿Qué?

—Si cualquiera de esos compromisos hubiera funcionado, ahora estarías casada y yo estaría deseando a la mujer de otro hombre.

Su sinceridad la dejó sin respiración.

—¿Me deseas?

Él se echó a reír.

—¿Es que no resulta evidente?

—Deberías alejarte de mí —murmuró, sintiendo como le ardía la piel de vergüenza.

—De ninguna manera —rechazó él, volviendo a reír.

—No conseguirás nada.

—Maldita sea, Lolly, no estoy intentando comprometerme contigo. Sólo pensaba que tal vez querrías ser mi novia para el verano.

Un espasmo se desató en su interior.

—Eso parece una amenaza.

—Lo tomaré como un no.

—Un NO con mayúsculas. Por Dios, Connor. ¿Por qué iba a querer ser tu novia?

—Porque así podríamos salir juntos, echar unas risas, hacer el amor de todas las maneras posibles…

Olivia casi se atragantó con su limonada.

—¿Estás bien? —le preguntó él, dándole unas palmaditas en la espalda. Ella asintió con la cabeza; no podía hablar—. ¿Ha sido por algo que he dicho?

Ella volvió a asentir.

—Los hombres no suelen hablarme así.

—Supongo que ése es el problema, entonces. No me extraña que hayas dejado a los tres últimos.

—¿Por qué supones que fui yo quien los dejó?

—No importa. La buena noticia es que ya no están.

A Olivia no le quedó más remedio que estar de acuerdo. Por muy perfecto que Rand le hubiera parecido, no lo echaba de menos. Se había preparado para afrontar los momentos de debilidad y desesperación, pero esos momentos nunca habían llegado. No se había desgarrado por dentro, añorando su presencia, deseando que pudieran ser amigos, anhelando sus brazos alrededor de ella. Y eso no era bueno para ella. Significaba que no se conocía a sí misma. El único hombre al que había echado de menos en su vida era…

Connor le tendió su pañuelo.

—Está limpio —le dijo—. Sécate la cara.

14

Los recuerdos más inquietantes de Olivia solían acosarla por la noche. Todos los demás trabajaban hasta caer rendidos y se acostaban temprano, pero Olivia no. Normalmente no tenía problemas para dormir, pero en el campamento Kioga le costaba conciliar el sueño. Su cabeza estaba en continúa ebullición, no sólo con las preguntas sin respuesta sobre Jenny Majesky o con el entusiasmo que suponía aquel desafío profesional, sino también con los recuerdos.

Salió de la cabaña y siguió viendo sus recuerdos en las rutilantes estrellas que rociaban el cielo nocturno. A través de la niebla, el resplandor de la luna se recortaba en forma de arco en la negra superficie del lago. Una ligera brisa agitaba las aguas y Olivia se estremeció de frío, arrebujándose en su chaqueta vaquera. En la ciudad era imposible encontrar lugares como aquél, donde podía estar completamente a solas con los pensamientos que se arremolinaban en su cabeza, donde sólo se oía el canto de las ranas y el susurro del viento entre los árboles. La sensación era extraña, e incluso un poco siniestra.

Debería volver a la cama. Al día siguiente le esperaba mucho trabajo. Connor Davis llegaría a primera hora de la mañana con los contratos de los fontaneros y electricistas. Sería una reunión de negocios, se dijo a sí misma. Una simple reunión de negocios. Y sin embargo, ya estaba pensando en qué ropa se pondría. Patético.

Connor Davis. ¿Por qué seguía recordando todas las caricias y besos que habían compartido años atrás? ¿Por qué aún sentía el tacto de sus labios, su sabor exclusivo y los latidos de su corazón? La vida la había colmado de experiencias desde que se fuera del campamento Kioga. ¿Por qué, entonces, se seguía sintiendo atrapada en aquel momento con él?

Porque cuando él volvió a abrazarla en la pista de baile, todos esos sentimientos y sensaciones habían vuelto a invadirla.

Suspiró y entró en el comedor, la base de operaciones del proyecto. Tal vez pudiera trabajar un poco, ya que dormir era imposible. Encendió la luz y extendió algunos planos sobre la mesa. Pensó en preparar un poco de té y examinar los diseños de su tío para los jardines, cuando un fuerte ruido la arrancó de sus divagaciones.

Era el motor de una motocicleta. Oh, Dios… Una oleada de nervios la sacudió mientras iba hacia la puerta para esperarlo. Eran las diez y media de la noche. ¿Qué estaba haciendo allí?

Connor condujo hasta la entrada, apagó el motor y la luz y fijó el soporte de la moto.

—Espero no haberte despertado —dijo, quitándose el casco.

—Estaba levantada —admitió ella, y lo siguió al interior sintiéndose perpleja y desconcertada. Connor olía a cuero y brisa nocturna, y las planchas de madera crujían bajo sus botas. Se quitó los guantes y flexionó los dedos.

—Esta noche hace más frío de lo que pensaba —dijo—. Casi me congelo al venir hacia aquí.

—Lo siento —murmuró ella.

—¿Tienes pensado instalar pronto el teléfono?

—Está previsto para la semana que viene.

—Bien, porque no me gusta conducir veinte kilómetros montaña arriba cada vez que tenga que hablar contigo.

—Así que tienes que hablar conmigo —dijo ella, sentándose en un banco—. ¿Qué pasa?

—Voy a recibir una compañía inesperada para el verano —respondió él, sentándose junto a ella—. Mi hermano Julian.

—¿Lo dices en serio? Me acuerdo muy bien de Julian —era el hermanastro de Connor, y los dos habían crecido por separado. Connor con su madre en Buffalo, y Julian... Gastineaux, ése era su apellido, en Nueva Orleáns con su padre—. Es genial.

—Bueno, se trata de Julian —era diez años más joven que Connor, y había estado en Kioga en 1997, el verano que ella y él fueron monitores.

—De niño era muy problemático —dijo ella.

—Ahora tiene diecisiete años y acaba de terminar su tercer año en el instituto. Vive con nuestra madre en California, después de que ella se divorciara de Mel. El padre de Julian murió hace unos años, y por eso ahora está con su madre.

Para Olivia, la idea de perder a su padre le parecía insufrible.

—¿Cómo está?

—No lo lleva muy bien, y sigue siendo problemático.

—Y va a venir a visitarte.

—Para todo el verano. Va a trabajar conmigo.

—Vaya, eso es estupendo. Seguro que podemos mantenerlo ocupado.

—Es una orden judicial —dijo Connor.

—¿Cómo dices?

—Julian siempre se está metiendo en serios problemas. Después de su último arresto, el juez le dio a elegir: o lo mandaba a un centro de menores o cambiaba de ambiente para todo el verano. Y este lugar es muy distinto a Chino, California.

Olivia no podía imaginarse la responsabilidad que suponía hacerse cargo de un adolescente con problemas.

—Es muy… considerado por tu parte.

—Sí, bueno. Soy un buen tipo.

—Siempre lo fuiste —afirmó ella. «Hasta que me humillaste y me abandonaste», estuvo a punto de añadir. Pero se contuvo.

—Llegará al aeropuerto de La Guardia en un vuelo nocturno y tomará el primer tren de la mañana en la ciudad. Tengo que ir a recogerlo a la estación.

—Claro.

—No podía prever algo así —dijo él, soltando un suspiro de cansancio.

—Era imposible preverlo… Y dime, ¿en qué tipo de problemas se ha metido?

Él le dedicó una sonrisa.

—¿De cuánto tiempo dispones?

—Toda la noche. Recuerda que no hay televisión en el campamento —se estremeció de frío y se abrazó para protegerse de la brisa.

—Encenderé un fuego —ofreció él.

Olivia se sentía intrigada, y por primera vez en su vida, estaba encantada de no tener teléfono. Si Connor hubiera podido llamarla, no estaría allí ahora, encendiendo un fuego y acercando dos sillones a la chimenea. Había algo primitivo, y al mismo tiempo extremadamente sensual, en un hombre encendiendo un fuego para una mujer. Un instinto y una atracción natural que se remontaba a la época de las cavernas.

Los troncos prendieron rápidamente, y las chispas y

las llamas se elevaron en la chimenea, proyectando luces y sombras danzarinas en los anchos hombros de Connor. Sus rasgos iluminados atrajeron inevitablemente la mirada de Olivia.

De acuerdo, pensó. Lo primero era reconocer la verdad. Sentía algo por Connor Davis. Seguía sintiéndolo. Pero aquello no era todo. Tenía que mantenerse serena y distante, demostrándole lo que se había perdido cuando desaprovechó su oportunidad.

—¿Estás bien? —le preguntó él, mirándola con una expresión extraña, y Olivia se dio cuenta de que la había sorprendido mirándolo.

—Ibas a contarme lo de tu hermano —dijo ella, sacudiéndose mentalmente.

—Sí —se sacó una cartera del bolsillo y le tendió una foto—. Es su foto del instituto del año pasado.

Julian Gastineaux se había convertido en uno de los chicos más atractivos que Olivia había visto en su vida. Tenía una estructura ósea perfectamente simétrica y una sonrisa encantadora. Era mulato, con los ojos oscuros, espesas pestañas y un montón de rastas.

—Es monísimo —dijo—. Parece un ángel.

Connor sacó una hoja doblada del bolsillo y la desplegó sobre la rodilla.

—Lo detuvieron por bajar en monopatín por la rampa de un aparcamiento. Se chocó con un coche que estaba subiendo y salió volando sobre el capó.

—¿Se hizo daño?

—No, pero sí que se lo hizo a un Lexus último modelo y le dio un susto de muerte al conductor. Lo obligaron a pagar las reparaciones, y se puso a trabajar de socorrista.

—Eso está muy bien.

—Lo despidieron cuando lo sorprendieron tirándose al agua desde la plataforma de diez metros.

—Creía que las plataformas estaban para eso.

—De noche, cuando la piscina estaba cerrada.

—Vaya... ¿Y qué más?

Connor enumeró una lista de incidentes a cada cual más espeluznante y peligroso. Julian había tomado «prestada» un ala delta y se había lanzado desde los acantilados Sansovino, dislocándose una cadera en el aterrizaje. Había hecho surf con olas de siete metros. Había hecho puenting, había escrito sus iniciales con un spray en lo alto de una torre de agua, y había conducido una moto robada entre los pozos de alquitrán del Rancho La Brea.

—Y eso es todo... que nosotros sepamos —concluyó Connor—. Cuando cumpla dieciocho años se eliminará su historial, pero sólo si no se mete en líos este verano. Y ahí es donde intervengo yo.

—El juez opina que se mantendrá alejado de problemas si pasa el verano contigo —dijo Olivia. Le parecía perfectamente lógico y razonable.

—Sinceramente, creo que el juez está intentando impedir que mi madre se desentienda de él —hizo una bola con la hoja y la arrojó al fuego—. En cualquier caso, parece que tengo un nuevo proyecto para el verano. Y tú tienes una decisión que tomar.

—¿Sobre...?

—Sobre la posibilidad de seguir trabajando conmigo.

—¿No te crees capaz de ocuparte de Julian y de este proyecto a la vez?

—Voy a tener que hacerlo.

—Entonces no hay nada que decidir. Seguro que a Julian le encanta este lugar.

—Deberías pensarlo mejor. Ese chico es un maníaco del riesgo.

—Todo saldrá bien. Y si su afición por las emociones fuertes lo mete en problemas... bueno, tenemos un seguro a todo riesgo.

Connor pareció sorprendido, como si no se hubiera esperado una reacción semejante.

—Gracias por tu comprensión. Volveré mañana después de recoger a Julian en la estación —dijo, y entonces frunció el ceño.

—¿Qué pasa?

—Estoy intentando pensar dónde alojarlo.

—¿No se quedará contigo?

—Tendré que alquilar un apartamento en el pueblo, porque ahora no tengo espacio.

—¿Dónde vives?

—En la carretera del río, entre el estudio de arte Studides y la granja Windy Ridge.

Olivia recordó la pequeña caravana Airstream en el prado junto al río, rodeado de arces y abedules. Intentó no mostrar asombro, pero Connor vio su expresión y le dedicó una sonrisa fugaz.

—Hogar, dulce hogar —dijo en tono irónico.

—Yo no he...

—Lo sé —la tranquilizó él, pero ella se sintió fatal de todos modos.

—Tu hermano puede quedarse aquí. Tenemos espacio de sobra.

—Gracias, pero Julian va a necesitar una vigilancia permanente y cercana.

—Puedes quedarte con él —intentó aparentar que sólo se trataba de una cuestión práctica de alojamiento, pero en realidad quería que Connor Davis pasara todo el verano en el campamento Kioga—. Es lo más sensato. Tienes que trabajar aquí todos los días, y esta solución te evitaría el desplazamiento.

«Bravo, Olivia».

—Este lugar es de tu familia —dijo él—. No tienes que ofrecer alojamiento a cambio de la ayuda.

Olivia reconoció la expresión de su rostro. Era la misma expresión que adoptaba de niño cuando la gente hablaba de su padre. Terry Davis era esa «ayuda».

—¿De verdad te incomoda esta solución? —le preguntó ella.

Él se recostó en el sillón, estiró las piernas hacia el fuego y cruzó los tobillos. El silencio se alargó hasta un límite bastante incómodo, y los chisporroteos de las llamas sonaban como disparos de escopeta.

—No, supongo que no, Lolly —dijo él finalmente, en tono divertido—. ¿Y esa mirada?

—No te estaba mirando.

—Claro que sí.

Era cierto, y la había pillado.

—Podrías haberle dicho a tu madre que no. No tienes por qué hacerte cargo de tu hermano. ¿Sabes lo que creo? Creo que te comportas como un tipo duro, pero sólo es una fachada.

—¿Una fachada para qué? —preguntó él con el ceño fruncido.

—Para ocultar tu dulzura.

—Oh… Soy muy dulce.

Desde luego que lo era, pensó ella, aunque Connor preferiría morir antes que reconocerlo.

—Julian tiene la misma edad que Daisy —dijo ella, intentando zanjar el asunto antes de que él cambiara de opinión—. Pueden distraerse juntos, y esto volverá a ser como era cuando teníamos su edad.

—Eso es lo que temo.

—Eh, nosotros conseguimos sobrevivir, y los jóvenes de hoy día parecen mucho más sofisticados de lo que era yo. Si compartes una cabaña con Julian podrás controlarlo fácilmente. ¿Trato hecho? —añadió rápidamente.

Él la miró durante un largo rato. Su mirada se posó en sus labios y luego en sus ojos. Olivia casi se había olvidado de sus silencios, de aquella manera que tenía Connor de mirarla, como si se estuviera preguntando lo que le pasaba por la cabeza. Sintió cómo empezaba a ponerse colorada.

—Supongo que sí, Lolly —dijo él—. Trato hecho.

Oh, Dios, pensó ella. ¿Qué había hecho?

—Ahora sí que me estás mirando —observó él.

—Oh… —parpadeó—. Lo siento.

Connor se levantó y se giró hacia la puerta.

—¿Connor?

Él volvió a darse la vuelta.

—¿Alguna vez…? —tragó saliva y se aclaró la garganta—. Quiero preguntarte lo mismo que me preguntaste el otro día. ¿Alguna vez piensas en… nosotros?

—No —respondió él, encogiéndose de hombros—. Hace mucho que no he pensado en nosotros.

De acuerdo. Ella misma se lo había buscado. Se levantó y bajó la mirada al suelo.

Entonces él sonrió y la tocó en el hombro.

—Pero ahora sí que pienso.

15

Connor no le había contado a Olivia ni la mitad. Se había sentido intrigado desde el primer momento, cuando la vio abrazada a lo alto de un mástil. Desde entonces, los recuerdos lo habían acosado sin tregua. Los buenos y malos recuerdos del tiempo que había pasado con ella.

No estaba seguro de la razón de su secretismo. Podría haberle explicado lo de la caravana Airstream y la Harley sin ningún problema. Incluso podría haberle explicado por qué le había hecho daño años atrás. Pero no lo había hecho. Por alguna razón, sentía que era mejor hacerle creer que era un cretino egoísta, un motorista huraño y solitario que vivía en una caravana. Tal vez así no se enamoraría de él. Porque, aunque deseaba correr todo tipo de riesgos con ella, sabía que no tenían ninguna posibilidad de estar juntos, como tampoco la habían tenido de jóvenes.

La noche anterior había querido explicárselo todo, pero le había parecido demasiado intenso. Obsesivo, incluso. No tenía sentido analizar por qué habían tomado caminos separados. Por aquel entonces eran unos jóvenes de diecisiete y dieciocho años recién salidos del instituto. Ella era terriblemente desgraciada y él le tenía un miedo atroz a la responsabilidad. No era el mejor comienzo para cimentar una relación, desde luego. Y, sin embargo, no era la razón por la que esa relación había fracasado.

A lo largo de los últimos nueve años, Olivia había experimentado un cambio radical. En su aspecto, su pelo, su actitud, incluso su nombre. Ya no era Lolly, aquella chica tímida y soñadora que quería ser profesora. Una chica con un corazón de oro que había resultado ser la única persona en el mundo que amaba a Connor.

Miró su reloj por centésima vez. Las once y cuarto de la mañana y no tenía ningún mensaje en el contestador. Estupendo. Julian llegaría en el tren de las once y media.

Se preguntó qué le parecería Avalon a Julian. El pueblo parecía una réplica de Mayberry, habitado por ecologistas, ex hippies, bohemios y poetas. Connor nunca se hubiera imaginado viviendo allí de manera permanente, en un lugar donde la gente no se molestaba en cerrar la puerta con llave. Y, sin embargo, cuando la vida lo llevó al borde del desastre, fue el vínculo que mantenía con Avalon, y con la familia Bellamy en particular, lo único que lo había salvado.

En la estación vio a Rourke McKnight, el jefe de policía de Avalon. Connor sabía que no estaba de servicio, pues estaba acompañado de sus dos accesorios favoritos: una mujer que muy bien podría ser una modelo de lencería y unas gafas de aviador para ocultar los efectos de su última fiesta. Al ver a Connor lo saludó con la mano y Connor asintió con la cabeza.

La modelo le dijo algo a Rourke y se dirigió hacia los aseos de la estación, y Connor aprovechó la oportunidad para prevenir a Rourke sobre Julian.

—Hola, Rourke —lo saludó.

—Connor —se estrecharon las manos.

—¿Tienes un minuto?

—Claro —respondió él, mirando hacia los aseos—. Ya sabes cómo son las mujeres…

Rourke era conocido por sus romances y aventuras. Sus amantes siempre eran mujeres hermosas y siempre regresaban a la ciudad al cabo de uno o dos días… para no volver jamás. Las malas lenguas criticaban un comportamiento tan escandaloso en un jefe de policía, pero a la mayoría de la gente no le importaba lo que hiciera en su vida privada, siempre que fuera legal.

—Quería decirte que mi hermano menor va a venir a pasar el verano conmigo —le explicó Connor—. Hay problemas familiares. Nos alojaremos en el campamento Kioga.

—Muy bien.

—Está aquí por una orden judicial —añadió Connor—. Tiene diecisiete años y ha tenido algunos problemas con la justicia en California.

—¿Qué has hecho para que te lo endosen a ti? —le preguntó Rourke con una breve sonrisa—. ¿Has perdido una apuesta o qué?

—Algo así. En cualquier caso, se llama Julian Gastineaux y debería llegar en el próximo tren.

—Lo tendré en cuenta —dijo Rourke, y se quitó las gafas oscuras para mirar a Connor a los ojos—. Avísame si hay algo en lo que pueda ayudar.

—Gracias —volvieron a estrecharse las manos y Rourke se puso de nuevo las gafas.

El tren del sur había llegado. La modelo de lencería le dio un beso a Rourke y subió a bordo. Un momento después, sonó el móvil de Connor. Era su madre.

—¿Ya ha llegado? —le preguntó ella sin saludarlo siquiera.

—Su tren está a punto de llegar —respondió él, viendo como el tren del sur desaparecía entre las montañas. Intentó imaginarse a su madre en Chino, California, donde se había mudado después de que Mel la dejara. Autopistas, ganado y centros comerciales.

—¿Estás seguro de que viaja en ese tren?

—¿Cómo dices? —Connor frunció el ceño. ¿Su madre estaba sufriendo un repentino ataque de preocupación maternal—. ¿Qué ocurre, mamá?

Su madre tardó un momento en responder.

—A veces se escapa —dijo en voz baja y tranquila.

—Genial. Gracias por decírmelo —murmuró él, apretando la mandíbula. Seguramente su madre tendría que pagar una multa considerable si el chico se esfumaba. Connor no sabía qué lo molestaba más, si el hecho de que su madre lo hubiera manipulado para hacerse cargo de Julian o el hecho de que él se lo hubiera permitido—. ¿Qué más me estás ocultando, mamá?

—Por Dios, Connor. No te estoy ocultando nada. Sólo llamo para preguntar por tu hermano.

—Claro.

—Oye, si vas a enfadarte tanto deberías habérmelo dicho. Casi me quedo en la ruina por comprarle un billete en el último momento.

—¿Por un simple billete de avión? —se preguntó si su madre le habría dado a Julian suficiente dinero para el tren.

—Tuve que comprar un billete completo.

Su madre tenía cincuenta y cinco años. Debería tener dinero suficiente para un billete de avión desde Los Ángeles a Nueva York. Pero su adicción al gasto era tan fuerte como la que había tenido su padre con la bebida.

—Le diré que te llame cuando llegue. Y si no llega, te llamaré yo mismo.

Otra pausa. Connor advirtió una advertencia en el silencio.

—¿Qué ocurre, mama?

Su madre respiró profundamente al otro lado de la línea.

—Eh… no le he dicho a tu hermano cuánto tiempo va a quedarse ahí.

—¿Cuánto tiempo cree que va a quedarse? —preguntó Connor, aunque ya se temía la respuesta. Era obvio que su madre había mentido para conseguir su propósito, igual que siempre.

El tren estaba entrando en la estación, de modo que apenas prestó atención a la justificación de su madre. Le había dicho a Julian que sólo serían una o dos semanas, y que si no colaboraba, ella acabaría en la ruina y él acabaría en la cárcel. Connor ya había oído todo eso antes, o algo parecido.

Sólo se bajaron un puñado de pasajeros: una monja con una bolsa de viaje, un profesor del instituto del pueblo, un hombre de negocios y una familia de turistas que se dirigieron hacia el mostrador de alquiler de vehículos.

Y nadie más. Connor recorrió el andén de un extremo a otro. El revisor estaba en la puerta de tren, mirando las vías y el andén. Se llevó un silbato a la boca, disponiéndose a dar la señal.

Ni rastro de Julian. Connor maldijo en voz baja y le hizo un gesto al revisor para que esperase. En ese momento un joven alto y delgado con rastas apareció en la salida de emergencia entre los vagones. Arrojó una pesada bolsa y una mochila al andén y a continuación se bajó de un saltó.

Connor se llevó el móvil a la boca sin apartar la mirada del chico.

—Mamá, ya está aquí. Te llamaremos más tarde —se guardó el teléfono y le gritó a su hermano—. ¡Eh, tú!

Julian se puso rígido y adoptó una postura defensiva, como si temiera que fueran a agredirlo. Era la postura de alguien acostumbrado a sufrir daños. Alguien que había pasado la noche entre rejas, tal vez.

La última vez que se vieron, Julian tenía catorce

años. Connor había ido a California porque así se lo había suplicado su madre, desesperada tras el fracaso de su matrimonio.

El Julian que había visto entonces tenía un brazo roto, una sonrisa torcida y un corazón desgarrado por la pérdida de su padre.

Tres años después, Connor estaba frente a un desconocido extremadamente alto con una expresión arisca y hostil.

—Hola —lo saludó, deteniéndose a unos pasos de Julian.

Su hermano sacudió la cabeza para apartarse el largo flequillo de los ojos.

—Hola —tenía una voz de hombre, una mirada dura y amenazante y más tatuajes y piercings que un marinero de la marina mercante.

—Acabo de hablar con mamá —dijo Connor—. Tenía miedo de que no aparecieras.

Julian se colgó la mochila militar a la espalda.

—Pues ya ves que sí.

No se dieron la mano. Ni se abrazaron como harían dos hermanos que no se habían visto en tres años.

—Tengo ahí la camioneta —señaló la Dodge Power Wagon de 1974—. Echa tus cosas en la caja y sube.

—Bonitas ruedas.

—Cállate.

La bolsa hizo un ruido metálico al chocar en el suelo de la caja, y Connor se preguntó cómo habría podido pasar los controles de seguridad del aeropuerto. Julian se quedó con la mochila y la colocó entre sus piernas largas y desgarbadas. Sacó de ella una barrita energética y se la zampó en dos bocados. Connor le echó un vistazo al contenido de la mochila. Ropa y muchos libros. Debía de pesar una tonelada, pero Julian la llevaba sin el menor esfuerzo. Estupendo. Iba a necesitar sus músculos durante el verano.

—Tengo buenas y malas noticias —dijo—. Las

buenas son que no vas a tener que pasar el verano en un centro de menores.

—¿Y las malas?

Connor puso el vehículo en marcha y se alejaron de la estación.

—Las malas son que vas a pasar todo el verano conmigo.

16

La vida de Julian Gastineaux se hizo aún más miserable al cruzar las puertas del campamento Kioga. Un cementerio para el verano, pensó con asco mientras miraba a su alrededor. Le recordaba a una de esas películas de Disney donde la gente blanca siempre estaba cantando estúpidas canciones.

Sólo había estado allí una vez, cuando tenía ocho años. Al igual que ahora, estaba allí porque su madre tenía cosas mejores que hacer que ocuparse de él, y su padre…

En aquella ocasión su padre se había largado de vacaciones a Italia. La familia de su padre vivía en un pueblo perdido de chabolas y puestos de lotería al sur de Luisiana. Siempre se alegraban de ver a Julian, pero ni él ni su padre encajaban allí. Un profesor de la Universidad de Tulane y su hijo tenían muy poco en común con el resto de los Gastineaux, así que Julian tuvo que quedarse con su madre cuando su padre se fue a pasar el verano a Italia. Pero su madre no quería ni verlo, de modo que el campamento Kioga se convirtió en su hogar temporal. La historia volvía a repetirse, con la diferencia de que el campamento ya no le parecía una excitante aventura.

De niño se había quedado fascinado por el campamento de verano. Criado en una casa antigua y con olor a humedad de Nueva Orleáns, recordaba una infancia repleta de libros amarillentos apilados por doquier. Todas las mesas y superficies posibles estaban cubiertas de hojas, papeles, notas, periódicos y todos los trastos imaginables. La casa estaba en el límite de un barrio medianamente decente, y sólo un par de manzanas la separaba de una zona donde las mujeres sensatas no salían solas de noche y adonde el padre de Julian le prohibía ir, siempre que se acordaba de su presencia.

Louis Gastineaux era un hombre olvidadizo, despistado y excéntrico, pero era un genio. Un auténtico chiflado con coderas en las chaquetas, gafas gruesas y despeinado. Poseía una mente prodigiosa y una personalidad patética. Pero al menos era negro y estaba bien formado.

Julian lo había intentado todo para ganarse su atención, pero había sido en vano. Ni las mejores notas del colegio ni saltarse todas las clases servían para nada. Y si fingía estar enfermo o herido, podía morirse de aburrimiento en la cama antes de que su padre se diera cuenta.

—Enseguida estoy contigo —decía, sin apartar la mirada del monitor. Sus habilidades matemáticas eran sobrehumanas, pero no tenía ni idea de lo que significaba «enseguida». El profesor Gastineaux habitaba en un universo de cifras y ecuaciones, mucho más acogedor para él que una vida sencilla y cotidiana de almuerzos, reuniones de padres, cumpleaños y compras en el supermercado. A veces hasta se olvidaba de que tenía un hijo.

Para entretenerse, Julian buscaba los riesgos extremos. Trepaba a los árboles más altos, a las escaleras de incendios y a los puentes. Aprendió a amar la sensación de peligro que le recorría las venas, la emoción de volar en su monopatín o cabalgar sobre las olas del Golfo de México.

Le resultaba absolutamente inconcebible imaginarse a sus padres en la misma habitación, y mucho menos en la misma cama. Su madre, una rubia despampanante. Su padre, el profesor chiflado. Sobre su fatídico encuentro, su padre tenía poco que contar.

—Nos conocimos en una conferencia sobre la propulsión a chorro en las Cataratas del Niágara. Ella estaba actuando en un club y yo había presentado los últimos avances de mi equipo de investigación sobre la aplicación de la tecnología láser. Teníamos mucho que celebrar.

Julian era demasiado pequeño para entender lo que significaba una aventura de una noche, y su padre tampoco le dio muchas explicaciones. Louis era quince años más joven que su madre, y la simple idea le revolvía el estomago a Julian.

Más tarde, su madre le reveló algunos detalles más esclarecedores.

—Después de que tú nacieras, me di cuenta de que no podía mantener a otro hijo, así que le cedí la custodia a Louis.

Julian sospechaba que la verdadera historia ocultaba mucho más, y al final llegó a la amarga conclusión de que había sido un embarazo no deseado.

Años atrás, su padre le había explicado los peligros del sexo sin protección. Lo había hecho a su manera, detallada y minuciosa, como si estuviera dando una charla sobre física cuántica. Al acabar, le entregó a Julian una caja de preservativos.

La vida de un profesor universitario no debía suponer grandes riesgos, pero un genio excéntrico conduciendo un viejo Duster en hora punta era una invitación al desastre.

El día que cambió la vida de Julian había empezado de la forma más ordinaria posible. Lo último que su padre le dijo aquella mañana no fue nada profundo ni profético. Simplemente le dijo que no volvería a casa para cenar. No fue hasta la mañana siguiente cuando alguien se acordó de llamar a Julian para informarle de que Louis Gastineaux había salido con vida de un accidente, pero se había quedado tetrapléjico. A Louis no le supuso una gran desgracia, ya que, a pesar de su invalidez permanente, su mente seguía funcionando a pleno rendimiento. Y una de las primeras cosas que pensó fue que no podía cuidar a un hijo de catorce años. Julian tendría que irse a vivir con su madre.

Ella aceptó, pero Julian volvió a sospechar que había alguna razón oculta, como una generosa ayuda económica. De ese modo acabó viviendo en Chino, California, una anodina ciudad donde su madre trabajaba de camarera en un café teatro, siempre aspirando a ser una estrella del escenario. Allí se unió a las pandas de patinadores y delincuentes, y se pasaba casi todo el tiempo buscando emociones fuertes y escapando de la policía. Pero cuando al cabo de unos meses le comunicaron que su padre había muerto, su destino quedó sellado para siempre.

Un profundo rencor le hizo hervir la sangre al entrar en el campamento Kioga con su hermano. El puñetero Connor Davis. Aparte de tener los dos la misma estatura, un metro ochenta y ocho, parecían proceder de mundos distintos en vez de ser hijos de la misma madre. Connor era el típico motero con aspecto de leñador, mientras que él llevaba rastas y seguía la moda del hip hop. Su estilo lo había ayudado a integrarse en la escuela, pero lo había separado definitivamente de su madre, rubia y con aspecto de reina nórdica.

Aún no podía creer que lo hubiera convencido para ir al campamento. Sólo una semana, le había dicho. Para hacerle ver al juez que estaban siguiendo su consejo. ¿Cómo podía haber sido tan ingenuo para creerla?

Un lago en medio del bosque podría ser un lugar idílico para mucha gente, pero no para él. Prefería mil veces un skatepark. En casa podía saltar sobre la mediana de una autopista o hacer surf en Huntington Beach durante una tormenta. Pero allí no tenía ni idea de lo que podría hacer. Con su suerte, lo más probable era que su hermano lo pondría a limpiar retretes o algo por el estilo. Era otro rasgo propio de Connor. Julian apenas lo conocía, pero sabía hasta qué punto valoraba su hermano mayor el trabajo duro. Para la gente como Connor, el valor de una persona se definía por su ética laboral, algo que él era incapaz de comprender.

Pasaron junto a las cataratas Meerskill y Julian se estremeció por dentro al recordar el puente. Fue allí donde, con ocho años, practicó por primera vez el puenting. El consiguiente castigo fue muy severo, pero el salto había merecido la pena. Incluso le hizo ganarse el apodo de «El hombre pájaro de Meerskill Falls» por parte de los otros chicos. El apelativo que recibió por parte de su hermano fue ligeramente distinto: «Condenado imbécil con menos sesos que una nutria». Connor siempre se había preocupado por él mucho más quc sus propios padres.

—Nos alojaremos aquí —dijo Connor, señalando una hilera de cabañas al pie de la colina y rodeadas por el bosque. Las cabañas eran todas idénticas, hechas de madera curada, chimeneas de piedra, porche frontal y ventanas con vistas al lago.

—El campamento lleva muchos años cerrado —explicó Connor mientras abría la puerta de la última cabaña—. Tenemos mucho que hacer.

Julian dejó la mochila y la bolsa en el suelo y soltó un suspiro. Las nubes de polvo se elevaban de todas las superficies.

—Tío —dijo con su mejor tono surfero—, esto es increíble.

—Desde luego —murmuró Connor, dirigiéndose

hacia el mayor de los dos dormitorios—. Yo me quedaré con Este.

—No puedo creer que me obligues a estar aquí.

—Teniendo en cuenta cuáles son tus opciones, yo diría que tienes suerte —repuso Connor—. Puedes tomarte el día libre. Haz tu cama, limpia un poco, descansa del viaje, echa un vistazo al campamento, come algo…

Si ésa era la idea que tenía Connor de «un día libre», ¿cómo sería un día de trabajo?

—Mamá me mandó un e-mail con las normas del juez —continuó Connor, y sacó varias hojas dobladas del bolsillo—. Cuarenta y siete reglas y pautas —arrojó las hojas a la estantería de la habitación de Julian—. Por lo que a mí respecta, sólo tienes que recordar una sola regla mientras estés conmigo.

—¿Ah, sí? —preguntó Julian, entornando los ojos—. ¿Cuál?

Connor se metió las llaves en el bolsillo.

—No la fastidies.

Al ponerse el sol, el hambre de Julian acabó por vencer a su orgullo. Su intención había sido acostarse sin comer nada, sólo para demostrarle a Connor lo que pensaba de aquel asqueroso verano. Pero su apetito era insaciable. Era como un animal que devoraba todo lo que tuviera a su alcance.

Se dirigió hacia el comedor, oyendo cómo le rugían las tripas. El pabellón principal no le pareció tan grande y palaciego como cuando era niño y entraba en la enorme sala con el resto de los chicos.

Una campana avisaba de la hora de comer, como cuando el campamento estaba en funcionamiento. Connor le había dicho a Julian que si se saltaba la hora de la comida tendría que apañárselas por sí mismo. Julian tenía intención de saltárselas todas, pero su estómago volvió a traicionarlo, como siempre. Tenía tanta hambre que podría comerse su propia pierna, y cuando sonó la campana de la cena salió disparado hacia el comedor, babeando como el estúpido perro de Pavlov.

Connor le presentó a todo el mundo. Olivia Bellamy, la mujer que había contratado a Connor para reformar el campamento, era una rubia escultural. Dijo que recordaba a Julian de años atrás, pero él no se acordaba de ella. Para Julian, todos los monitores formaban parte del mismo grupo de gente blanca y aburrida que escuchaba mala música y cantaba ridículas canciones alrededor de una hoguera. Había un tipo llamado Freddy, algunos parientes… como la prima Dare, organizadora de eventos y responsable de las comidas, un hombre llamado Greg y su hijo Max. Con sus diez años de edad y sus horribles mofletes, le recordaba a uno de los repelentes críos de la familia von Trapp en una de las películas más aborrecibles de la historia: *Sonrisas y lágrimas*.

—Daisy llegará enseguida —dijo Olivia—. Ve sirviéndote, si quieres.

¿Daisy?

Julian se acercó a la mesa del bufé, intentando reprimir su curiosidad. Tenía que admitir que la prima Dare era una cocinera fabulosa, pensó mientras se llenaba el plato de puré de patatas, ensaladas y panecillos. A su lado, Max lo miraba con la boca abierta.

—¿Vas a comerte todo eso? —le preguntó.

—De primero —respondió Julian—. De segundo como niños pequeños.

No funcionó. En vez de correr a los brazos de su padre, el crío se echó a reír.

—Qué miedo.

Julian desistió de intentar asustarlo y dejó su bandeja en una mesa, y justo en ese momento llegó Daisy, la prima que faltaba.

Tal vez fue un efecto lumínico, o tal vez Julian estaba imaginando cosas, pero en cuanto la joven apareció en la puerta del comedor, todo cambió.

Viendo su silueta recortada contra el sol del crepúsculo, Julian creyó oír un coro de voces celestiales entonando el Aleluya en perfecta armonía. Normalmente tenía que cerrar los ojos para evocar una fantasía semejante. Pero allí estaba, en carne y hueso, caminando directamente hacia él. El coro en su cabeza pasó a cantar *Pretty Woman* mientras ella se aproximaba contoneándose sensualmente, como si también pudiera oír la música.

Los buenos modales que aún pervivían en su interior lo hicieron levantarse para las presentaciones. Daisy era de Nueva York, y al igual que Julian había acabado su tercer año en el instituto. Le dedicó una sonrisa que bastaría para iluminar el mundo por sí sola, y sus ojos azules resplandecieron cuando le preguntó si podía sentarse en su mesa.

A pesar de la cortesía se sentó a su lado sin esperar respuesta, como si fuera una reina honrando a un vasallo con su presencia.

Y él no estaba dispuesto a protestar, desde luego.

El parecido de Daisy con su padre y su hermano Max era inconfundible. Rubia y de rasgos germanos, tan hermosa y perfecta que podría servir de modelo a una muñeca Barbie. Sin embargo, su belleza ocultaba algo que Julian no pudo reconocer, como la sombra de un espíritu atormentado.

Durante la cena, descubrió que Daisy iba a un prestigioso instituto de Nueva York que, según ella, todo el mundo debería conocer. Su madre era una afamada abogada internacionalista, y su padre un arquitecto de paisajes que se había tomado el verano libre para ayudar en las reformas del campamento Kioga.

Por suerte, no le preguntó a Julian por sus padres y dejó el tema cuando Dare llevó el postre: tarta de melocotón con helado de vainilla. La tarta estaba tan deliciosa que Julian estuvo a punto de echarse a llorar, y al mirar a su alrededor vio que todo el mundo se sentía igual. Tenían los ojos cerrados y una expresión de éxtasis sublime.

—La tarta es de la pastelería Sky River —dijo Dare.

—No, es del Cielo —corrigió Greg.

Lo único malo de la cena fue que Julian y Daisy tuvieron que lavar los platos. Pero ni siquiera eso estuvo tan mal. La cocina estaba perfectamente equipada para lavar la vajilla en cantidades industriales, por lo que apenas les llevó tiempo acabar la tarea. Estuvieron riendo y bromeando mientras frotaban, enjabonaban, enjugaban y secaban todo. Cuando terminaron ya había oscurecido en el exterior. Freddy se llevó a Max y al chucho llamado Barkis al salón de recreo para jugar al ping pong, y Connor y los demás se sentaron a tomar café y revisar los planos y la agenda de trabajo. Todo era tan normal que a Julian le entraron ganas de vomitar.

—¿Podemos hacer un fuego en la orilla? —preguntó Daisy.

—¿Tú y Julian? —le preguntó su padre.

—Sí, papá. Julian y yo.

Al fin había algo interesante, observó Julian. Una lucha de poder entre Daisy y Greg Bellamy. Decidió que lo mejor sería intervenir.

—Le prometo que sabré comportarme, señor.

Ningún padre podía resistirse a que lo llamaran «señor». Bastaba con esa palabra para que se comportaran como si su hija estuviera saliendo con Don Perfecto.

—Se comportará —dijo Connor, lanzándole una mirada de advertencia a Julian.

—Supongo que no hay ningún problema —concedió Greg—. Puede que vaya con vosotros más tarde.

—Claro, papá —dijo Daisy con falso entusiasmo—. Eso sería genial.

Olivia le entregó una caja de cerillas.

—Quedaos cerca del fuego, ¿de acuerdo?

Encender un fuego fue más difícil de lo que parecía en Supervivientes. Tuvieron que emplear hasta la última cerilla hasta conseguir que prendiera el montón de ramitas, y aún así crearon más humo que fuego. En un intento por evitar la espesa humareda, Julian se sentó cómodamente junto a Daisy.

—¿Cuál es tu historia? —le preguntó ella.

Julian pensó en inventarse algo para impresionarla. Pero estaba cansado de contar mentiras y tener que mantenerlas después.

—Mi madre es actriz, cantante, bailarina… en paro —dijo, y decidió no contarle nada de su padre. Odiaba la compasión que recibía de las personas cuando oían lo ocurrido—. Tuve algunos problemas con la justicia en mayo —confesó, y descubrió que la verdad podía ser un potente afrodisíaco. Incluso le pareció sentir el pecho de Daisy presionado contra su brazo cuando se inclinó hacia él.

—¿Qué pasó? ¿Robaste un coche? ¿Traficaste con drogas?

Era lo que pensaba la gente cuando miraba a Julian Gastineaux. Un chico alto y negro con rastas y amante del peligro. ¿Qué otra cosa podía ser aparte de un criminal?

—Violé a una chica —dijo—. A tres, en realidad.

Daisy intentó no parecer muy descarada al apartarse de él, pero Julian percibió cómo disminuía la cálida tensión que existía entre ellos.

—Estás mintiendo —dijo, abrazándose las rodillas flexionadas.

Maldición… No sólo sabía que estaba mintiendo; también sabía que se arrepentía de haber mentido. Había sido una estupidez hacerse pasar por un violador.

—Me pillaron haciendo puenting en una autopista elevada —admitió.

—Cielos… ¿Por qué lo hacías? —le preguntó, horrorizada.

—¿Y por qué no?

—Bueno… Podrías romperte todos los huesos del cuerpo. Quedarte paralítico o en coma para toda tu vida. O matarte.

—Todos tenemos que morir algún día.

—Sí, pero no hay por qué adelantar la muerte haciendo puenting —replicó ella, estremeciéndose.

—Fue impresionante —insistió él, levantando la vista hacia el cielo—. Lo volvería a hacer sin pensarlo. Siempre me ha gustado volar.

—Entonces te gustará esto —dijo ella. Se metió la mano en el bolsillo y sacó la funda de unas gafas. En su interior había una piedra de hachís, gruesa y deforme. La encendió con el extremo de una ramita de la hoguera y aspiró con fuerza—. Es la manera que tengo yo de volar —volvió a inhalar y se la pasó a Julian.

—Paso —dijo él—. Tengo que vigilar lo que hago. El juez de California se lo dejó muy claro a mi madre… O me iba de la ciudad para todo el verano o acababa en un centro de menores. Estando aquí conseguiré que limpien mi historial.

—Me parece bien. Pero nadie tiene por qué enterarse —dijo ella, volviendo a ofrecerle la piedra.

Julian se vio obligado a admitir la verdad de nuevo. Aunque con ello pareciera una especie de Boy Scout.

—No fumo.

—Vamos. Es hierba de la buena —insistió Daisy.

—No me gusta colocarme.

—Como quieras —dijo ella, añadiendo una ramita al fuego—. Una chica tiene que buscar la diversión donde pueda.

—¿Te diviertes aquí? —le preguntó él.

Daisy lo miró con los ojos entornados a través del humo.

—Hasta ahora, el verano ha sido… extraño. Se suponía que sería mucho más divertido. Quiero decir… piensa en ello. Es nuestro último verano como jóvenes normales. El año que viene nos habremos graduado y tendremos que pasarnos el verano trabajando y preparándonos para la universidad.

—La universidad... Ésa sí que es buena.

—¿No piensas ir a la universidad?

Julian se quedó tan perplejo por su pregunta que se echó a reír.

—¿Qué? —preguntó ella, olvidándose de la piedra encendida.

—Nadie me había preguntado eso antes —admitió él.

—Vas a acabar el instituto, ¿no?

—Sí.

—¿Y tus profesores y tutores no te han estado dando la lata desde noveno curso?

Julian volvió a reírse.

—Eso no pasa en mi instituto. Los estudiantes no van a la universidad. A los profesores les basta con que acaben la enseñanza secundaria, sin quedarse embarazadas por el camino o acabar entre rejas.

—¡Qué horror! Deberías cambiar de centro.

Julian se quedó aún más perplejo. Aquella chica no vivía en el mundo real.

—En el sitio del que vengo, la gente va a los colegios públicos que les corresponde por su distrito. Y al acabar los estudios, lo máximo a lo que pueden aspirar es a lavar coches y jugar a la lotería.

Fue el turno de Daisy de echarse a reír.

—Siempre he admirado a un chico con ambición.

—Sólo estoy siendo realista.

—No estoy diciendo que la universidad sea como alcanzar el nirvana o algo así, pero seguro que es mejor que lavar coches.

—La universidad cuesta dinero. Y aunque consigas una beca, algo a lo que yo jamás podría aspirar, aún se necesita mucha pasta para ello.

Daisy se encogió de hombros.

—Podrías ingresar en el ROTC. Hasta yo sé eso.

El ROTC. Julian había oído hablar de ello, vagamente. Un oficial del ejército había ido a su instituto a hablarles del Cuerpo de Adiestramiento de Oficiales de… algo así, pero Julian había aprovechado la oportunidad para saltarse la clase e irse a montar en moto.

—Los militares cubrirían todos los gastos de tu formación —siguió Daisy—. Y también podrías solicitar el ingreso en una academia militar, aunque es muy difícil. Tienes que lograr un resultado excelente en la Prueba de Aptitud Académica.

Julian había conseguido unas notas tan formidables en la Prueba de Aptitud Académica que el director del instituto estaba convencido de que había copiado, pero no sabía nada de academias militares ni nada por el estilo.

—Esas academias son gratuitas —siguió ella—. Incluso te pagan por estudiar allí.

—No me lo creo.

—Es verdad.

—Dime alguna.

—West Point, por ejemplo. Podrías ir a West Point.

—Tan fácil como llegar a la luna —había visto ese lugar en una película. Un montón de tíos marchando como soldaditos de juguete y gritándose unos a otros. ¿Eso era una universidad?—. ¿Estás diciendo que no cuesta nada sacarte un título en esas academias?

—No sólo no te cuesta nada, sino que te pagan por ello. En mi clase hay un chico cuyo padre es coronel de la fuerza aérea o algo así. Va a solicitar el ingreso en la Academía de la Fuerza Aérea.

La Fuerza Aérea… Volar. La idea lo cautivó al instante.

—Pero son unos estudios durísimos —dijo Daisy, cansándose de fumar y guardando la piedra—. Creo que además de instrucción militar tienes que estudiar para ser ingeniero, o científico. ¿Quién quiere hacer eso?

Julian pensó en su padre, y de repente sintió que lo echaba terriblemente de menos. La ciencia había consumido a Louis Gastineaux. Había sido su única pasión en la vida. Julian podía entenderlo, porque él también sentía pasión. No por la ciencia, pero sí por el peligro y la velocidad.

—¿Cuál es la trampa?

—No tienes que pagarles por los estudios, pero sí les debes algo. Cinco años de tu vida, como mínimo —observó a Julian con ojos compasivos—. Debe de ser extraño ir a un instituto donde nadie te ayuda a entrar en la universidad.

—Nunca he pensado mucho en ello —dijo él. No sabía qué era peor, si que a nadie le importase o que la posibilidad de ir a la universidad fuera tan remota que ni a él se le hubiera ocurrido.

—Bueno, que nadie vaya a ayudarte no significa que no puedas ayudarte a ti mismo.

—Claro —dijo él, arrojando otra rama seca al fuego—. Gracias por el consejo.

—Tienes un complejo de inferioridad.

—Y tú tienes la cabeza en las nubes.

Daisy soltó una fuerte carcajada. Julian se quedó quieto y en silencio, pensativo.

Tal vez aquel verano no fuera tan horrible, después de todo.

17

Para Olivia, cada mañana empezaba con una hora mágica. El canto de los pájaros llenaba el bosque de vida, y el sol bañaba el mundo con su resplandor dorado. Una tenue niebla se formaba en la superficie del lago, se desplazaba con la suave brisa matinal y se disipaba lentamente al encontrarse con los primeros rayos de sol.

Olivia salía a correr todos los días, igual que hacía en la ciudad. La diferencia era que en Nueva York lo hacía en una cinta andadora, mientras que en el campamento Kioga corría ocho kilómetros sin parar a través del bosque, siguiendo una senda que había abierto recientemente el personal de su tío.

En la cinta solía escuchar música en el iPod, pero en la naturaleza no necesitaba oír a Radiohead ni a Cake para combatir el aburrimiento. El canto de los pájaros, el susurro de la brisa y la ocasional berrea de un alce eran entretenimiento suficiente.

Al volver del bosque vio a Connor Davis rodeando un cobertizo con su camioneta, y a punto estuvo de tropezar con sus propios pies.

—Has madrugado mucho —comentó, intentando no jadear demasiado. Le dedicó una sonrisa amable, pero por dentro se encogía de vergüenza. Connor siempre la pillaba en las situaciones más embarazosas. Subida a un mástil, vestida en mono de trabajo o, como ahora, en un top, sin camiseta y con unos shorts naranjas. Para completar la imagen, estaba empapada de sudor, sin aliento y con el pelo descuidadamente recogido en una cola de caballo.

Pero él no parecía fijarse en el sudor ni el pelo sucio. Le estaba mirando las piernas, los pechos y el vientre al descubierto. Y sí… se fijó en el piercing del ombligo.

—Así que esto es lo que me he estado perdiendo cada mañana… —comentó él.

—Más o menos.

—Debería adelantar la hora de mi despertador.

Olivia no supo si le estaba tomando el pelo o coqueteando con ella. Intentando dar una imagen despreocupada, bebió un trago de agua de su botella y se secó la boca con el dorso de la mano.

—¿Cómo lo lleva tu hermano?

—Bastante bien.

En el lenguaje masculino que tanto odiaba Olivia, «bien» podía significar desde «aún le late el pulso» a «le ha tocado la lotería».

Quizá fuera aquel rasgo tan típicamente varonil la razón por la que Olivia lo encontraba irritante y sexy a la vez. Su camioneta era el ejemplo perfecto. Los papeles y facturas que llenaban la cabina debían de ser lo más parecido que Connor tenía a un archivador, y sin embargo su colección de CDs estaba perfectamente organizada, de tal modo que podía encontrar su álbum favorito de Rush sin apartar los ojos de la carretera.

Al echar un vistazo en la caja de carga, se sorprendió al no ver las típicas herramientas y utensilios, sino un cargamento de casitas para pájaros de todos los tamaños y formas posibles. Todas parecían únicas y hechas a mano, con muchos más detalles de los que necesitaba un ave normal y corriente. Una de ellas tenía una noria en el costado, otra tenía un toldo a rayas. Algunas constaban de volutas victorianas, y otras eran réplicas perfectas de tiendas indias.

—¿Las has hecho tú? —le preguntó a Connor.

—Sí, en mi tiempo libre —sacudió la cabeza—. Las he comprado en la tienda del pueblo —agarró cuatro de una vez y las llevó al cobertizo.

—¿Puedo preguntarte por qué has comprado tantas casas de pájaros? —preguntó ella, siguiéndolo con un par de casas.

—Puede que le sirvan a Dare para decorar algo —respondió él, colocando las casitas en fila.

—Deben de gustarte mucho los pájaros —siguió ayudándolo, pero no volvió a preguntarle. Connor parecía estar ignorándola.

Olivia empezó a enfriarse y Connor le ofreció inmediatamente su chaqueta. Así que no la estaba ignorando, después de todo…

—Ni hablar —protestó ella—. Estoy sudando.

—No importa —repuso él—. Mete los brazos por las mangas.

Olivia se abrigó con la chaqueta y sintió el calor de Connor que impregnaba el tejido. ¿Por qué tenía que oler tan bien?

—¿Cómo te sientes al estar de vuelta en el campamento Kioga? —le preguntó, intentando llenar un incómodo silencio.

—No se diferencia tanto de mi caravana.

—¿Cuánto tiempo llevas viviendo ahí? ¿Has pasado todo el invierno en esa caravana? —al momento se arrepintió de haberlo preguntado. Parecía que lo estuviera criticando—. Lo siento. Ya sabes lo curiosa que soy…

—He pasado inviernos peores —dijo él, sin ofrecer más detalles.

O lo había ofendido o lo había irritado. Olivia tendría que aprender a callarse sus preguntas personales. Siempre tenía cuidado de no sacar el tema de su padre, pero al mismo tiempo le resultaba extraño no preguntarle por él. Terry Davis había sido un elemento crucial en la vida de Connor, y Olivia tenía que reconocer que era una cobarde. Tenía miedo de oír su historia, de que le dijera que su padre había muerto por la bebida. Y no quería ver triste a Connor, porque sabía que sería incapaz de ofrecerle consuelo.

—Bueno —dijo en el tono más animado posible—. Espero que Julian y tú hayáis pasado una buena noche.

—Yo sólo espero que no se meta en problemas durante el verano —dijo él, cerrando la puerta del cobertizo—. Confío en poder evitarlo.

—Ya lo hiciste antes —le recordó ella—. El último verano que… —dejó la frase sin terminar—. Te dio muchos problemas cuando era un crío, pero tú conseguiste enderezarlo.

—Ahora puede ser mucho peor, pero lo haré lo mejor que pueda.

Uno de los rasgos propios de Connor era su empeño en atender lo mejor posible a la gente que tuviera a su cargo. Era lógico, después de que su carácter hubiera sido forjado por un padre alcohólico y una madre indiferente. A veces Olivia se preguntaba en qué tipo de persona se habría convertido si sus padres lo hubieran mimado y consentido en vez de haber dejado que se hiciera a sí mismo. Entonces pensó en otras personas a las que conocía, gente que había recibido toda clase de mimos, cuidados y facilidades. Casi todos ellos habían desaprovechado las oportunidades que se les ofrecían en bandeja, y se habían convertido en personas egoístas y pagadas de sí mismas que llenaban las páginas de la prensa amarilla.

—¿Cómo es la relación entre tú y Julian?

—Apenas nos conocemos. No le gusta recibir órdenes de mí.

—¿Y a ti qué te parece?

—No quiere estar aquí, y se está comportando como un maldito crío.

Olivia agachó la cabeza para ocultar una sonrisa.

—¿Qué? —preguntó él, percibiendo su regocijo.

—Está muy bien ser sincero. Me preocupaba que fueras demasiado... correcto.

—En absoluto. Tenía once años cuando Julian nació, y fue lo mejor que me había pasado nunca. Durante seis meses tuve un hermano. Luego se fue a vivir con su padre y todo se acabó. Nadie me avisó y nadie me lo consultó. Un día volví del colegio y él ya no estaba. Estuve días, incluso semanas, sin hablarle a mi madre —bajó la mirada a sus manos, curtidas y callosas por el trabajo duro, y flexionó los dedos—. Nunca se lo había contado a nadie.

Fue entonces cuando Olivia descubrió la profunda herida que él intentaba ocultar.

—Podría hablar con Julian. Si no te importa, claro…

—¿Por qué habría de importarme?

—Me gusta hablar con él —la noche anterior había estado charlando con Julian cuando él y Daisy volvieron del lago—. ¿Sabías que sacó una puntuación de mil quinientos cincuenta en la Prueba de Aptitud Académica? Ochocientos en Matemáticas y setecientos cincuenta en Lengua.

—Seiscientos ya es una nota perfecta, ¿verdad? —dijo él, obviamente impresionado.

—Sí.

—Pero se saltó la mitad de sus clases —señaló Connor.

—Creo que el instituto lo está defraudando —dijo ella. Era curioso hablar con él de su hermano menor, como dos adultos.

De repente su relación le pareció mucho más complicada. Al encontrárselo por primera vez después de tantos años, el único propósito de Olivia había sido alardear de su nueva personalidad y hacer que se lamentara por haberla echado de su vida. Esa actitud le parecía ahora infantil y absurda, pero en cualquier caso no había durado. Su corazón no podía defenderse de Connor Davis, y la relación entre ambos se hacía más y más profunda a cada momento que pasaba con él.

Fueron juntos a la cocina y ella se puso a preparar el café. Sentía la mirada de Connor, pero fingió no darse cuenta.

—¿Te acuerdas del año que asaltamos la cocina por la noche y encontramos aquellos recipientes inmensos de mantequilla de cacahuete?

—Falk St. John aún debe de estar quitándose la mantequilla del pelo —agarró el trofeo de tenis que Olivia había llevado del baúl de su padre—. ¿Qué es esto?

Olivia se mordió el labio. Había dejado el deslustrado trofeo a la vista de todos, esperando que alguien le preguntara por ello. O mejor dicho, esperando que Connor le preguntara por ello.

—Un viejo trofeo de mi padre. Quiero pulirlo y sacarle brillo.

Connor encontró la foto y el gemelo que estaban en su interior. El gemelo no le llamó la atención, pero puso una expresión extraña al observar la foto.

—Por esta foto te pregunté aquel día por Jenny Majesky —dijo ella.

—Se parece a ella, más joven —corroboró él—. Seguramente es su madre.

—Lo es. La misma foto está en la pastelería, pero recortada para que no aparezca el joven que está a su lado. ¿Lo reconoces? Es mi padre —añadió, sin darle tiempo a responder—. En 1977. Me muero por saber qué historia hay detrás de esa imagen.

—Pregúntale a tu padre por esa mujer —sugirió Connor.

—No.

—¿Por qué no? Tu padre y tú estáis muy unidos. Seguro que no le importa.

Tenía razón, pero Olivia no podía hacerlo. La vida personal de un padre era un asunto delicado. A veces le había preguntado a su padre si estaba saliendo con alguien o si pensaba volver a casarse algún día. Él siempre la miraba con una triste sonrisa y negaba con la cabeza. Según él, nunca había tenido mucha suerte en el amor, y Olivia empezaba a pensar que era un rasgo inherente a la familia.

—Me sentiría muy incómoda haciéndolo —le confesó a Connor—. Y no me digas que le enseñe la foto a Jenny, porque también sería muy incómodo para mí.

—Conozco a alguien a quien podemos preguntárselo.

18

Connor confiaba en estar haciendo lo correcto al ayudar a Olivia. Pero en cualquier caso ya era tarde para echarse atrás. Unos días después fueron juntos a Avalon, con Julian en el asiento trasero. Les pidió que lo dcjaran en la biblioteca, aunque no ofreció ninguna explicación y se limitó a bajar del vehículo con su mochila.

—Te recogeré dentro de una hora —dijo Connor antes de volverse hacia Olivia, que mantenía un nervioso silencio a su lado—. Supongo que no podrá meterse en muchos problemas ahí dentro.

—La biblioteca no parece un lugar muy peligroso, desde luego. Seguramente quiera conectarse a Internet. ¿Te ha hablado de sus amistades?

—La verdad es que no. ¿Crees que debería preguntárselo?

—No —se apresuró a responder ella—. Si empiezas a curiosear, se cerrará en banda.

Connor la observó un momento. No entendía el interés que le había tomado Olivia a Julian, y le parecía algo irreal estar sentado junto a ella de nuevo. En los últimos días había pensado mucho en el pasado, en lo unidos que habían estado y en todo lo que habían compartido. Y en el daño que se habían hecho el uno al otro...

Ahora tenían que enfrentarse a otros dilemas, como si volver a empezar una relación.

No, se dijo a sí mismo, intentando no recordar la sensación de tenerla en sus brazos, con su mejilla apretada contra su pecho, escuchando los latidos de su corazón. Creía que apenas la recordaba, pero cada momento que pasaba con ella le traía los viejos recuerdos del campamento Kioga, cuando todo parecía tan fácil y posible.

—¿Practica algún deporte? —le preguntó Olivia.

—Creo que está en el equipo de salto de trampolín.

—Es lógico, viendo cuánto le gustan las alturas. Es un chico muy interesante, y me alegra que esté aquí —sonrió, aunque aún parecía un poco nerviosa.

—¿Te alegra?

—Claro. Me gustan los chicos. Sobre todo los adolescentes con traumas y problemas existenciales —suspiró y miró por la ventanilla—. Tal vez porque me recuerdan a mí misma cuando era joven. Esa abrumadora sensación cuando te encuentras en una encrucijada y sientes que nadie te entiende...

—Y sin embargo aquí estás.

—Aquí estoy.

—¿Qué fue de tu propósito de dedicarte a la enseñanza? —preguntó él.

Olivia se encogió de hombros.

—Cambié mucho en los cuatro años de universidad. Al principio quería ser profesora de instituto, para compensar mi mala experiencia como estudiante y convertirme en alguien popular donde tan sola y desgraciada me había sentido —sonrió suavemente—. Pero mientras estudiaba en la universidad dejé de necesitarlo. Ya no me hacía falta empezar de nuevo.

Connor le miró los labios mientras hablaba. Al pronunciar la palabra «nuevo», su boca parecía estar preparada para besarlo.

—Y tú querías ser entrenador —le recordó ella.

—Tienes buena memoria —los deportes de equipo habían sido el único lugar donde se sentía seguro y aceptado, y ser entrenador le permitiría pertenecer a ese mundo para siempre. Pero no estaba dispuesto a explicarle a Olivia las razones por las que había renunciado a su sueño.

Se dirigieron hacia el asilo de Indian Wells, unos cuantos kilómetros al norte del pueblo, donde vivía su padre. Terry Davis no estaba enfermo ni era tan mayor, pero parecía gustarle vivir allí, le gustaban las mujeres entrometidas que controlaban el lugar y, como alcohólico en fase de desintoxicación, le gustaban las reuniones del programa de doce pasos que se celebraban todos los días.

—¿Te parece bien que vayamos a ver a mi padre? —le preguntó Connor a Olivia, quien había vuelto a quedarse callada.

—Claro que sí. Cuando me dijiste que seguía por aquí me llevé una sorpresa. Nunca hablabas de él.

—Nunca me preguntaste por él.

—Lo sé. Lo siento. Quiero decir, me alegro de que… —se había ruborizado—. No te he preguntado por tu padre porque temía que le hubiera pasado algo malo, y no quería hacerte daño por recordarlo —hizo una pausa—. Soy una cobarde. Nunca se me ha dado bien enfrentarme a la tristeza de los demás.

Tal vez aquello hubiese influido en sus tres rupturas emocionales, pensó Connor. No quería saber los detalles escabrosos, pero no creía que fuera posible afianzar una relación sin enfrentarse a los problemas de una pareja.

—Para tu información, mi padre está muy bien —le dijo mientras entraba en el aparcamiento. Ojalá la recuperación de su padre no hubiera tardado tanto, pero ya no tenía sentido lamentarse, por mucho que los problemas de su padre hubieran marcado su infancia. Su padre se estaba recuperando y su madre lo ignoraba. Las cosas podían ser mucho peores, desde luego—. Se mantiene ocupado y le gustaría tener nietos, pero me temo que ahí lo estoy decepcionando. Hasta ahora, al menos.

Ups, demasiada información…

—A ver si lo adivino —dijo ella, saliendo del coche y observando las casas unifamiliares, cada una provista de un pequeño patio—. La casa de tu padre es la que tiene las casitas de pájaros. Ahora lo entiendo… Seguro que él las hace para la tienda y tú las compras.

—Hazme un favor y deja ese tema.

—Claro —dijo ella. Su mirada se dulcificó y a Connor se le aceleró el corazón. Olivia solía mirarlo con aquella expresión años atrás.

Su padre los recibió en la puerta.

—Hola, hijo. Me alegró de verte —le tendió la mano a Olivia—. Terry Davis, señorita.

—Olivia Bellamy.

—Señorita Bellamy, ¿cómo está usted? —la saludó con una reverencia que, como siempre, incomodó bastante a Connor. Su padre opinaba que la gente adinerada y de buena posición eran mejores que ellos, y no había quien pudiera hacerlo cambiar de opinión.

Connor temía que Olivia se sintiera agobiada en el pequeño y austero apartamento, pero su sonrisa fue cálida y natural cuando saludó a su padre.

—Espero que no hayamos interrumpido nada.

—En absoluto —los condujo a la cocina, donde apagó la radio y se puso a despejar la mesa de cartas y cupones recortados—. Me alegra tener compañía.

La expresión de Olivia se tornó pensativa, e incluso aliviada. Connor no podía culparla. El Terry Davis que ella y los demás conocían había sido un borracho inútil y fracasado. Sólo Connor había conservado la esperanza, a pesar de las continuas decepciones y amarguras. Ya fuera por una lealtad ridícula, por desesperación o por un amor filial inquebrantable, nunca había dejado de confiar en la recuperación de su padre. Lo había creído con una certeza tan firme que cuando tuvo que elegir entre su padre y Lolly eligió a su padre sin dudarlo, una noche de verano nueve años atrás. Una noche que quedaría grabada para siempre en su memoria.

—Me alegro de volver a verlo —dijo Olivia cortésmente—. Seguramente no me recuerda. Todo el mundo me llamaba Lolly.

—Claro que la recuerdo —le aseguró Terry—. Usted es aquella chica bonita y regordeta con la que siempre andaba Connor.

Connor ahogó un gemido. Bebido o sobrio, su padre nunca acertaba con sus palabras.

—Papá…

—No sé si era bonita, pero desde luego era regordeta —lo interrumpió Olivia sin dejar de sonreír.

—Parece que ha perdido unos cuantos kilos.

—¡Papá!

—¿Le apetece un agua mineral? —le preguntó Terry a Olivia.

—Sí, por favor —respondió ella. No parecía sentirse ofendida en absoluto. Aceptó una botella de Saratoga Springs y se sentó junto a la mesa redonda.

—Así que aquí está de nuevo, convertida en toda una mujer —dijo Terry—. ¿Cuántos años han pasado… diez?

—Nueve.

—Cielos. Connor estaba loco por usted. ¿Sigue soltera?

—Papá, por amor de Dios…

—Está bien, está bien —dijo Terry, haciéndolo callar con un gesto—. Ya veo que no te gusta oír hablar de tu novia.

—No pasa nada —le aseguró Olivia—. No me importa oír que Connor estaba loco por mí, aunque no es así como yo lo recuerdo.

¿Por qué demonios la había llevado a ver a su padre?, se preguntó Connor.

Terry se echó a reír.

—Tuvo otras novias después de usted, pero no duró mucho con ninguna de ellas.

—Tampoco duró conmigo —le recordó ella.

—Sí, pero eso fue porque…

—Escucha, papá —lo interrumpió Connor—. Olivia ha encontrado una fotografía antigua, y queríamos saber si te resulta familiar.

Olivia le entregó la foto amarillenta.

—Se sacó en agosto de 1977. El hombre que aparece es mi padre.

La expresión de Terry cambió al ver la foto. Su rostro se contrajo en una mueca de tensión y le devolvió rápidamente la foto a Olivia.

—Es una foto de Mariska Majesky. La hija de Helen y Leo. Desapareció hace veinte o treinta años.

—¿Quiere decir que falleció?

—Quiero decir que desapareció. Un día se esfumó y desde entonces nadie la volvió a ver. Siempre fue una mujer muy inquieta. Tenía la costumbre de marcharse por una temporada, pero siempre volvía a ver a su hija… hasta esa última vez.

—Tenía una hija —dijo Connor. Miró a Olivia y ambos pensaron lo mismo. Jenny.

—¿Estaba casada? —preguntó Olivia con voz temblorosa—. ¿O… comprometida?

—Creo que debería hablar con su padre, señorita —dijo Terry.

Al salir del pequeño y claustrofóbico apartamento, Olivia se sentía como si todas sus fuerzas se hubieran consumido. Connor debió de notarlo, porque le puso una mano en la espalda para sujetarla. Olivia no entendió aquel gesto de caballerosidad, pero tenía que reconocer que Connor se preocupaba más por ella que ningún otro hombre.

—Sigo pensando que tiene que haber un millón de explicaciones —le dijo ella—. Pero no son más que excusas.

—Podríamos sacar una conclusión equivocada —le advirtió él—. Tal vez no haya ningún misterio en la identidad del padre de Jenny,

—Tu padre lo sabe —insistió ella—. Tú has visto su cara. Lo sabe y no nos lo ha querido decir —Olivia había esperado que fuera algún hombre del pueblo, cualquier menos Philip Bellamy, pero la incomodidad de Terry Davis y su insistencia en que hablara con su padre estaban confirmando sus sospechas. Dejó de caminar y sostuvo la fotografía delante de Connor—. Mírala bien. ¿No reconoces la barbilla de mi padre? —señaló el hoyuelo como el de Cary Grant—. Jenny lo tiene, pero su madre no.

—No es un rasgo tan exclusivo —repuso Connor con una sonrisa.

—Es un rasgo hereditario, como los ojos azules. Según las leyes de la genética, una persona con un hoyuelo en la barbilla lo ha heredado de al menos uno de sus padres.

—No podrás estar segura hasta que le preguntes a tu padre por ella —dijo Connor.

Olivia no podía olvidar la manera en que Terry Davis había evitado mirarla a los ojos. Miró a su alrededor en el aparcamiento. El mundo no había cambiado nada en los últimos minutos, pero su interior era un torbellino de emociones.

—No necesito preguntárselo. Lo sé. Dejando a un lado la genética, es obvio que estaba con esa... Mariska cuando estaba comprometido con mi madre. Dios, quizá estaba con ella después de casarse. Y Jenny Majesky es…

Dio un traspié y Connor la ayudó a subir a la camioneta.

—Tengo una hermana… —una hermana. Una hermana. La palabra reverberó en su mente con un eco de incredulidad.

—No son más que especulaciones.

—Los dos sabemos que es verdad.

—¿Y qué? ¿Tan horrible sería tener una hermanastra?

—Claro que no. Lo horrible sería que no nos hayamos conocido nunca —pensó en cómo habría sido su vida si hubiera tenido una hermana durante los años más difíciles y solitarios de su infancia. Alguien con quien compartir sus secretos, sus traumas e inseguridades—. ¿Qué voy a hacer ahora? ¿Es posible que Jenny no sepa quién es su padre? No puedo ir a verla y preguntárselo directamente.

—Llama a tu padre y pregúntaselo a él —sugirió Connor.

—No puedo hacerlo por teléfono. Tengo que hablar con él en persona y ver su cara.

—Tienes razón —afirmó Connor, conduciendo la camioneta hacia la carretera del río—. ¿A qué hora quieres salir?

—¿Cómo dices?

—Mañana —dijo él—. Para la ciudad. Creo que deberíamos salir a las siete. ¿Puedes estar lista a esa hora?

—¿De qué estás hablando?

—De llevarte a ver a tu padre.

Olivia no podía creer lo que estaba oyendo.

—¿Por qué ibas a hacer algo así?

—Porque soy un buen tipo. En el fondo siempre lo he sido.

—Espera un momento… ¿Vas a llevarme a la ciudad?

—Mañana a primera hora. El secreto lleva oculto tanto tiempo que puede esperar una noche más.

—¿Vamos a dejarlo todo e irnos a la ciudad? ¿Así de simple?

—Es lo bueno de ser un trabajador autónomo —dijo él, moviendo las muñecas sobre el volante—. Podemos dejarlo todo si queremos, sin tener que dar explicaciones.

—Pero no tienes por qué llevarme. Puedo ir en tren.

—Esta vez no.

Olivia se sintió repentinamente más animada, aunque no sabía por qué Connor estaba siendo tan amable. Casi temía confiar en su generosidad.

—Son tres horas de camino.

—¿Crees que no tendremos nada de que hablar durante tres horas? —sonrió, sin apartar la vista de la carretera—. A mí me parece que tenemos mucho de que hablar, Lolly.

TRADICIONES DEL CAMPAMENTO KIOGA

El campamento Kioga recibe a jóvenes con edades comprendidas entre los ocho y los dieciséis años, siguiendo una sólida tradición de constancia y permanencia. Los mejores campistas tienen la posibilidad de servir como monitores cuando acaban el instituto y cuentan con un certificado de socorrismo y primeros auxilios.

19

Verano de 1997

Al acabar el instituto, Lolly no estaba segura de querer volver al campamento Kioga como monitora. Pero al ser una Bellamy no tenía elección. Todos en su familia habían trabajado como monitores, y Lolly no podía romper la tradición.

Y quizá no fuera tan horrible. Desde que cumplió doce años había aprendido a odiar un poco menos el campamento. El motivo tenía un nombre propio: Connor Davis. La inesperada amistad que surgió entre ellos había arraigado en los dos veranos siguientes, a pesar de que Connor podía ser muy grosero y se burlaba de su carácter remilgado.

Cuando estaba con él, caminando por el bosque, remando en canoa o sirviendo el desayuno, no tenía que ser de una manera especial. Connor no esperaba de ella que sacase buenas notas o que ganara un premio de piano, ni esperaba que tuviera muchos amigos o se comportase como la payasa de la clase. Con él sólo era ella misma. Lolly.

Los veranos siguientes no fueron una excepción. Seguían lanzándose insultos entre ellos, pero las burlas nacían de un respeto mutuo y una amistad cada vez más sólida.

No había ninguna razón aparente para que fueran amigos. Connor era un amante del deporte que vivía en Buffalo con una madre desprendida y un padrastro, y cuyo padre biológico le rompía el corazón año tras año. Ella era una chica desgraciada con una presión insoportable sobre sus hombros. Pero a pesar de todo, una extraña amistad había brotado entre ellos desde el primer día que se conocieron.

Cada verano, volvían a encontrarse y retomaban la relación donde la habían dejado, como si nunca se hubieran separado. Juntos se dedicaban a saquear la cocina a medianoche, a gastarles bromas a los demás campistas y monitores y a combinar el cerebro de Olivia y la habilidad de Connor para cualquier prueba o competición.

Finalmente, empezaron a contarse sus respectivos secretos. Connor le confesó la vergüenza que sentía por su padre y su amor no correspondido por Evelyn Waller. Lolly admitió que su asignatura favorita del colegio era arte textil y que estaba obsesionada con su ídolo, Martha Stewart. Connor la retaba a ser mejor, más valiente y más segura de lo que era, y la apoyaba cuando estaba deprimida. La trataba como si fuera un chico, y a Olivia le gustaba que así fuera, ya que era un modo de estar cerca de él sin la tensión normal entre los jóvenes de distinto sexo.

Cada Día del Trabajo, Connor regresaba a Buffalo y ella a Nueva York, y no volvían a saber nada el uno del otro hasta el verano siguiente. A veces ella pensaba en escribirle una carta, pero no tenía nada especial que contarle. «Querido Connor. Mi vida es una porquería». ¿Quién quería leer algo así?

Entonces, sin ningún motivo ni explicación, su amistad acabó. El verano siguiente a noveno grado Lolly llegó al campamento con la ilusión de reencontrarse con Connor, pero él no apareció. Lolly tuvo que reunir un valor inmenso para preguntarle a su padre por él, y la única respuesta del señor Davis fue que Connor había encontrado un trabajo en Buffalo para aquel verano y que no iría al campamento.

Al acabar décimo grado, su madre pensó que era hora de que empezara a ver mundo y la envió a visitar las capitales de Europa. Y al año siguiente, su padre se la llevó a hacer un crucero por el Mediterráneo para todo el verano.

El plan parecía fantástico, y debería haberlo sido. Pero la presión hacía imposible disfrutar de la experiencia. Sus padres lo esperaban todo de ella: notas perfectas, premios, menciones honoríficas... Según su madre, sólo querían que estudiase en una universidad prestigiosa, aunque Lolly no entendía por qué. Pamela Lightsey había estudiado en Yale y se había casado con un alumno de Yale, y lo único que había conseguido era un montón de dinero y un divorcio.

Ahora que había acabado el instituto y había sido aceptada en la Universidad de Columbia, confiaba en haber cubierto con creces las expectativas de sus padres. Aquel verano tenía que trabajar en el campamento como monitora. Acarició la idea de no ir, sabiendo que sus abuelos lo entenderían. Pero una llamada de su abuela bastó para despejar todas sus dudas.

—Connor Davis trabajará en el campamento este verano... Pensé que te gustaría saberlo.

—Este año va a ser completamente distinto —declaró Dare Yales, la prima más cercana de Lolly.

—No me digas, Sherlock —se burló Frankie, la hermana mayor de Dare—. Tenemos que estar a cargo de todo.

—Espero que ser monitora sea tan divertido como nos parecía cuando éramos niñas —dijo Lolly, saliendo al porche de su cabaña para sacudirse el barro de las botas.

Sus primas y ella estaban a cargo del grupo más joven de campistas, los llamados Fledglings. Las niñas habían llegado el día anterior y habían sobrevivido a la primera noche con unas pocas lágrimas y ningún ataque de histeria. A Lolly le encantaba cómo reían y chillaban de diversión. Incluso le gustaba vendarles las heridas y consolarlas cuando tenían miedo por la noche, como la pequeña Ramona Fisher, quien se había encogido en su litera como un soldado al raso bajo el fuego enemigo.

Dare salió al porche junto a Lolly y observó el lago con unos prismáticos.

—Me encanta esta vista —dijo, aunque Lolly sabía que no se refería al lago. Los monitores y los chicos Fledgling estaban en la zona de baño, formando los grupos para los cursos de natación.

Las tres primas se pasaron los prismáticos entre ellas. Los monitores llevaban pantalones cortos, camisetas ceñidas y silbatos alrededor del cuello, y bromeaban con los niños pequeños para que éstos no se sintieran intimidados.

A pesar de la distancia, y sin la ayuda de los prismáticos, Lolly sintió una punzada de emoción. El chico alto y moreno era Connor Davis.

Aún no lo había visto de cerca. La llegada de los campistas había sido tan caótica como siempre y había exigido todo el tiempo y atención de los monitores. Cuando le llegó el turno de usar los prismáticos fingió que observaba a todos los chicos por igual, lo cual estaba muy lejos de la verdad. Connor Davis había crecido en estatura y corpulencia, aunque seguía siendo muy delgado, ya tenía la piel bronceada y parecía sentirse en su ambiente con los niños pequeños. Lolly reprimió un suspiro, preguntándose qué había cambiado entre ellos y qué pasaría ahora. ¿Quedaría algún resto de su amistad o serían unos perfectos desconocidos? Ella había cambiado, evidentemente. Tenía casi dieciocho años, había visto muchos lugares del mundo, dominaba el francés y había superado cinco exámenes preuniversitarios.

Pero en el fondo seguía siendo la misma. La chica rolliza e insegura que prefería trabajar en el comité de decoración en vez de ir a bailar con los chicos. Durante sus años en el instituto, había transformado el gimnasio del centro en una escena del salvaje oeste, en una fantasía submarina o en un decorado de ciencia-ficción. Se había acostumbrado a ocultar su soledad y desgracia, y siempre procuraba mostrar una fachada alegre y resuelta. La gente creía que era muy feliz decorando el gimnasio y la veían como una buena amiga y magnífica estudiante, lista pero carente de atractivo.

Lolly intentaba aceptarse como tal. Intentaba ser feliz, o al menos no ser desgraciada. A veces lo conseguía y se olvidaba de sí misma por un tiempo, pero entonces ocurría algo que le recordaba su patética realidad.

Como aquel día. Tenía que ponerse el traje de baño, seguramente la prenda menos favorecedora jamás inventada, pues iban a dedicar toda la mañana a las prácticas de socorrismo. Para los abuelos de Lolly siempre había sido un motivo de orgullo que todos los campistas aprendieran las técnicas de salvamento, aunque para las más gordas fuera un auténtico suplicio enfundarse en los bañadores de Lycra.

Mientras sus primas suspiraban por las piernas de los monitores, Lolly se metió en el cuarto de baño para cambiarse rápidamente. Era ridículo sentir vergüenza con sus primas, pero sus kilos de más la convertían en una persona muy celosa de su intimidad.

«Connor. Voy a ver a Connor Davis». Intentó reprimir un arrebato de emoción, pero no lo consiguió. Tenía que tomárselo con calma. Tal vez Connor no fuera tan guapo como lo recordaba. Tal vez se había hinchado a base de esteroides o tenía la cara llena de granos. O tal vez se había convertido en un obseso del deporte. Se puso una camiseta gris sobre el bañador y se dijo que sólo había un defecto en la amistad que habían compartido verano tras verano. Y que ese defecto era tan secreto que a veces se olvidaba de que existía.

Pero siempre ocurría algo que se lo recordaba. Y era que, por mucho que intentara negarlo, estaba desesperadamente enamorada de Connor Davis.

¿Cómo no iba a estarlo? Connor era fuerte, ingenioso y encantador, y nunca mentía ni jugaba sucio. Era el amigo perfecto, y la suya había sido la perfecta amistad de verano… salvando aquel pequeño problema del enamoramiento.

Si tuviera que elegir un momento en concreto, el instante en que supo que su corazón pertenecía a Connor, sería sin duda la noche en que le hizo el agujero en la oreja. Por aquel entonces no lo había sabido, pero aquél fue su último verano juntos y había algo simbólico en el acto de marcarlo de manera permanente. Sospechaba que las razones de Connor para llevar un pendiente tenían que ver con el odio que le profesaba a su padrastro. Lo habría hecho él mismo, pero ella lo había ayudado para evitar daños mayores. En la enfermería del campamento, con una lanceta esterilizada y un martillo de reflejos, le había agujerado el lóbulo de la oreja intentando no desmayarse, y se le habían saltado las lágrimas al ver su expresión de dolor contenido.

Connor había lucido el aro de plata durante todo el verano, y cada vez que Lolly lo miraba sentía una punzada de placer. Sabía que cualquier otra chica sería su primer amor, pero en cierto modo sentía que poseía una parte de él.

Le gustaba tanto que la mano le temblaba cuando escribía sobre él en su diario, y el paso del tiempo no había menguado la intensidad de sus sentimientos. Incluso ahora estaba temblando, mientras se preparaba para bajar al muelle.

De camino a la puerta agarró su cazadora y se la ató por las mangas alrededor de la cintura para cubrirse el trasero. No engañaría a nadie, naturalmente. Y mucho menos a sí misma.

Bajaron a la cabaña Saratoga y reunieron a las niñas del grupo Fledgling.

—¿No tenemos que marchar en fila? —preguntó una de las campistas, llamada Flossie.

—Puede —dijo Dare, revolviéndole su pelo rubio—. ¿Qué dices tú, Lolly?

Lolly observó al grupo de niñas, todas risueñas y locas de entusiasmo. Las hizo colocarse en fila de dos en dos y comprobó que faltaba alguien, como era de esperar.

—Voy a buscarla —dijo, y entró en la cabaña.

El olor familiar a champú, chicle y moho la envolvió al cruzar la puerta. Sabía muy bien dónde buscar a las chicas con problemas de adaptación, pues conocía todos los lugares posibles para esconderse. Encontró a la campista extraviada en la cama inferior de una litera, acurrucada y de cara a un enorme calendario colgado en la pared. El primer día del campamento había sido tachado con una X, pero el resto de casillas se extendía en una interminable serie en blanco.

—¿Ramona? —la llamó—. Nos vamos al lago.

—Me duele la barriga —murmuró la niña con un dramático gemido.

—A mí también me duele la barriga cuando tengo

miedo, ¿sabes? —confesó Lolly—. Pero el dolor desaparece cuando dejas de estar asustada.

—A mí no me va a dejar de doler —dijo Ramona—. Porque me da miedo el campamento y tengo que estar aquí todo el verano.

—Oh, claro que va a dejarte de doler —le aseguró Lolly—. Hay cientos de maneras de vencer el miedo. Créeme. Las conozco todas porque hay muchas cosas que me asustan.

—Me da miedo nadar.

—Y a mí, y sin embargo lo hago. Y cuanto más nado, menos miedo tengo. He decidido que cuando vaya a la universidad en primavera, voy a entrar en el equipo de natación.

—¿Por qué?

—Porque es muy duro y me da miedo.

—¿Y entonces por qué quieres hacerlo?

—Buena pregunta. Dicen quc tienes que afrontar tus miedos para crecer como persona —le dedicó una sonrisa de complicidad—. Eres la primera persona a la que se lo digo.

—No entiendo por qué quieres hacerlo si es tan duro.

Lolly le ofreció la mano.

—Vamos a ponerte tu bañador y a bajar al lago a ver si podemos averiguarlo.

La pequeña volvió a sollozar y se rindió.

—¿Te bañarás conmigo? —le preguntó a Lolly, aceptando su mano.

—Pues claro —afirmó Lolly, maldiciendo por dentro. Mientras los demás monitores estuvieran en el muelle, secos y coqueteando entre ellos, ella estaría en el agua con aquella cría.

Ramona y ella fueron las últimas en unirse al grupo de campistas, monitores y socorristas. El muelle estaba provisto de tacos de salida, y la zona de baños estaba marcada con boyas cada veinticinco metros. En el extremo se elevaba la torre de saltos, con su plataforma más alta a diez metros sobre el agua. Lolly observó a la multitud sin soltar la mano de Ramona. Los monitores tocaban los silbatos y gritaban a los niños que se alinearan en los tacos de salida. Y allí, supervisando a un grupo de chicos especialmente revoltosos, estaba Connor Davis, como recién salido de un sueño.

Por culpa del alboroto general, sólo pudieron saludarse con la mano sobre un enjambre de críos. Pero aun así, Lolly sintió como se derretía al recibir su mirada. Era el hombre más atractivo que había visto nunca, y sin embargo se caracterizaba por una humildad natural. No parecía ser consciente del poderoso efecto que provocaba en las chicas, como estaba sucediendo en aquel momento. Las monitoras ya estaban revoloteando a su alrededor como aves de rapiña con pintalabios, codiciando sus anchos hombros, su pelo negro y largo, sus brillantes ojos azules y su arrebatadora sonrisa. Era evidente que algunas de ellas ya estaban tramando la forma de seducirlo.

Connor consiguió abrirse camino entre los bulliciosos campistas y se acercó a Lolly. Las chicas se dieron codazos entre ellas y lo señalaron con el dedo, pero él sólo pareció tener ojos para Lolly.

—Hola —la saludó. Su voz era mucho más profunda de lo que ella recordaba, pero seguía siendo exquisitamente melódica.

—Hola —respondió. Era consciente de estar sonriendo como una tonta, pero no le importó.

—Esperaba verte aquí este verano —dijo él con su honestidad habitual.

—Es una lástima que no tuviera tu e-mail. Te habría mandado un correo.

—No tengo e-mail. He oído que hay Internet en la biblioteca, pero no voy mucho por allí.

Lolly se reprendió mentalmente a sí misma. Siempre metía la pata de la misma manera, dando por sentado que todo el mundo tenía ordenadores y teléfonos móviles.

En ese momento sonó un silbato, y el socorrista jefe les gritó a todos que se pusieran en fila a lo largo del muelle. Ramona Fisher agarró con fuerza la mano de Lolly.

Connor volvió a sonreír. Aún no parecía darse cuenta de que todas las monitoras estaban fijándose en él. ¿De verdad era tan despistado, o acaso no le importaba?

—Hablaremos después —le dijo a Lolly.

—Sí. Después —vio que aún tenía el agujero en la oreja. Dios… Eso tenía que significar algo, ¿verdad?

—Eh, tú, ayúdame —gritó alguien.

—Julian —murmuró Connor, y echó a correr mientras gritaba el nombre en voz alta. El niño llamado Julian había trepado a un árbol junto al lago y estaba arrastrándose por una rama que colgaba sobre el agua. Era un chico muy bien parecido, fibroso y dotado de una gran agilidad y malicia. Balanceándose en el extremo de la rama, empezó a aporrearse el pecho cual Tarzán en miniatura y soltó un alarido espeluznante antes de saltar al agua como una rana.

Lolly también tuvo que ponerse en acción, ayudando a las niñas a formar los grupos. Ramona seguía temblando en el muelle, mirando las aguas cristalinas del lago con una expresión de angustia y terror.

—No puedo —susurró.

—Te vas a sorprender a ti misma con lo que eres capaz de hacer —le dijo Lolly.

—No voy a saltar.

—Si no lo haces hoy, mañana te resultará más difícil.

—No me importa.

—Escucha, ¿qué te parece si me meto yo primero en el agua y luego saltas y nadas hacia mí? ¿Crees que puedes hacerlo?

Ramona se encogió de hombros. Al menos no era un rechazo tajante.

Genial, pensó Lolly mientras se desataba la cazadora de la cintura y se quitaba la camiseta. Iba a ser la primera monitora en el agua. Pero la expresión de agradecimiento de Ramona hizo que se olvidara de sus inseguridades, y saltó al agua para demostrarle lo fácil que era zambullirse.

—Vamos, Ramona —la animó desde el agua—. Salta y nada hacia mí. Piensa en lo orgullosa que vas a estar de ti misma.

—¿Me prometes que me sujetarás?

—Te lo prometo.

Ramona cerró los ojos con fuerza, encogió el rostro y saltó del muelle. Salpicó bastante a pesar de ser tan pequeña y ligera, pero emergió rápidamente y empezó a chapotear como un perrito.

—¡Lo he conseguido! ¡Lolly! ¡Lo he hecho!

«Y yo también», pensó Lolly al ver a Connor en el muelle. Las chicas seguían comiéndoselo con los ojos, y en esa ocasión pareció ignorar por completo a Lolly. Muy bien. No necesitaba ni quería su atención.

—Vamos a nadar hacia la escalera —le ordenó a Ramona.

—Está muy lejos. Me ahogaré.

—Estaré a tu lado todo el tiempo —le prometió Lolly.

La escalera de madera al final del muelle había conocido tiempos mejores, y sus travesaños estaban viscosos y deteriorados. Ramona salió del lago y empezó a brincar de triunfo. Tras ella, Lolly resbaló y a punto estuvo de caer de bruces sobre el muelle.

—Cuidado —dijo alguien, riéndose por lo bajo. Lolly reconoció la voz de Jazzy Simmons, una de las monitoras—. ¿Has tenido buen viaje, Lolly?

Lolly la ignoró e intentó incorporarse, sintiendo como le ardía la cara de vergüenza. Y aún le ardió más cuando una mano grande y fuerte le agarró la suya para ayudarla a levantarse y se encontró frente a Connor Davis.

—¿Estás bien? —le preguntó él.

—Sí, muy bien —no podía mirarlo a la cara. Esperó a que se alejara y miró a Ramona, quien tiritaba de frío envuelta en una toalla—. ¿Lo ves? No es el fin del mundo.

20

Extraoficialmente, la sala del personal del campamento Kioga era conocida como la choza de las fiestas. Los monitores y trabajadores se reunían en la enorme sala después del trabajo para pasar el rato y escuchar música. Mientras Connor se acercaba a la choza, sintió las notas de un bajo resonando en las paredes y las vigas y supo que la fiesta estaba en su apogeo.

Al entrar tuvo que adaptar su vista a la escasa iluminación que proporcionaban las luces del equipo estéreo y un par de velas en una mesa, entre varias bolsas de patatas y cuencos de salsa. Los cuerpos se ondulaban y agitaban en el centro de la sala, como un público enardecido en un concierto. Otros bebían cerveza de contrabando e intentaban mantener una conversación a pesar del volumen de la música. Connor recorrió el lugar con la mirada en busca de Lolly, pero no pudo localizarla.

¿Estaría furiosa con él? No tenía motivos para ello, pero con las mujeres nunca se podía estar seguro de nada. Al ayudarla a levantarse del muelle había recibido una respuesta brusca y seca.

Una rubia de largas piernas y cazadora desabrochada hasta el ombligo se acercó a él con una botella de cerveza.

—Vaya día… —dijo en voz baja y sensual, pasándose la lengua por los labios—. No sabía que los críos dieran tanto trabajo —se llevó la botella a los labios y tomó un largo trago. Empezó a sonar la canción *Do It With A Stranger* a todo volumen, haciendo vibrar las paredes—. ¿Quieres un poco? —le preguntó, inclinándose hacia él para gritarle al oído.

—No, gracias.

—La gente me llama Jazzy, por cierto —dijo con una sonrisa.

—Yo soy Connor.

—Lo sé —le hizo un guiño—. ¿Tienes novia, Connor?

En ese momento entraron Lolly y sus dos primas, y las tres empezaron a saludar a los presentes en la fiesta.

—No.

—Estupendo. Va a ser un verano fantástico. Soy de Los Ángeles.

—Yo soy de Buffalo.

Ella se echó a reír como si hubiera dicho algo gracioso y fingió que estaba un poco mareada para inclinarse más sobre él. Olía a cerveza y a champú de frutas, y sus pechos parecían artificiosamente firmes. Connor deslizó un brazo alrededor de ella y la ayudó a sentarse en un banco. Ella pareció tomárselo como una muestra de interés y le echó los brazos al cuello.

—Voy a por algo de beber —le gritó él al oído—. Encantado de haberte conocido, Jazzy.

Miró a su alrededor. Una parte de él quería salir de allí, pero otra parte deseaba quedarse y disfrutar de la fiesta y la compañía femenina. Pero no con Jazzy de Los Ángeles, ni con la otra chica, Mandy o Mindy, que se le insinuó de camino a la mesa de los refrigerios.

No tenía nada en contra de una aventura. De hecho, los pechos artificiales de Jazzy le habían provocado una durísima erección. Pero no quería empezar el verano liándose con una chica al azar. Antes necesitaba examinar el terreno.

Dos chicas más se le echaron encima. Una con grandes pechos apretados en un top tank y su amiga de risa tonta cuyo padre era dueño de una conocida marca de ropa.

Entonces vio su salvación personificada en Lolly Bellamy. Estaba un poco alejada de la multitud, observando a los demás con una expresión aburrida. Connor se abrió camino hacia ella, mientras los demás bailaban al ritmo frenético de Metalopolis.

—Hola —la saludó en tono natural y despreocupado.

—Hola —respondió ella con una sonrisa fugaz.

—Dijimos que hablaríamos más tarde —le recordó él.

—¿Qué has dicho? —preguntó ella, poniéndose una mano alrededor del oído.

Connor le hizo un gesto para que lo siguiera a un rincón apartado, lejos de los altavoces y ella le sonrió entonces con una expresión cálida y sincera. A Connor siempre le había gustado su rostro. Tenía una piel muy suave y unos ojos preciosos detrás de las gafas.

—Me llevé una sorpresa cuando me enteré de que estarías aquí este verano —dijo ella.

—No tenía pensado volver —explicó él. Ahora era un hombre adulto, como Mel se encargaba de recordarle. Lo bastante mayor para irse de casa y salir de la vida de su padrastro. A Connor no le hacía ninguna gracia vivir con su madre, pero era la única manera de ahorrar hasta el último centavo para la universidad. Porque era obvio que nadie iba a ayudarlo a pagar sus estudios.

—¿Y qué te hizo cambiar de opinión? —le preguntó Lolly.

Connor vaciló, pensando cuánto podía contarle.

—Tenía pensado buscar un trabajo después de graduarme e irme a vivir por mi cuenta.

—Y sin embargo has vuelto al campamento.

—No pude evitarlo —podría decirle muchas más cosas, pero era imposible mantener una conversación con tanto ruido. Quizá fuera mejor así. Lolly no necesitaba saber el verdadero motivo por el que había vuelto al campamento. El otro hijo de su madre, Julian, había venido de Luisiana a pasar el verano y su madre necesitaba que Connor lo cuidara. En otras palabras, que lo apartara de su vista y de los puños de Mel.

Connor sólo había visto a su hermano cuando era un bebé, e incluso entonces su madre había rechazado a Julian. Ahora, con ocho años, era un manojo de nervios y pura energía. Según el informe del colegio habría que someterlo a unas pruebas especiales para determinar cuáles eran las necesidades específicas de Julian, pero nada se había hecho hasta ahora. Su coeficiente intelectual era altísimo, pero desaprovechado.

El informe también mencionaba una larguísima serie de infracciones y problemas graves de conducta. No se trataba de travesuras ocasionales o falta de respeto a los profesores, sino de los actos más extravagantes y peligrosos que ponían en riesgo su vida.

La madre de Connor insistía en que el chico la volvería loca y que no podía hacerse cargo de él. La solución llegó de su padre, quien aún trabajaba en el campamento Kioga. Los Bellamy le ofrecieron un trabajo a Connor para el verano e invitaron a Julian al campamento. Connor se preguntó si le habrían contado algo a Lolly, pero no era probable. Charles y Jane Bellamy eran muy discretos en ese tipo de asuntos.

—¿Qué has estado haciendo? —le preguntó Lolly—. ¿Por qué no has vuelto hasta ahora?

—Mi padrastro me dijo que ya era lo bastante mayor para traer dinero a casa... Si es que se puede llamar «casa» al camping de caravanas donde vivimos.

Intentó adivinar lo que ocultaba la expresión de Lolly. ¿Asco? ¿Arrogancia? ¿Qué pensaría alguien como ella al oír cómo vivía la gente como él?

—Suena increíble —dijo ella finalmente.

—¿Ah, sí?

—Bueno, míralo de este modo. Puedes irte cuando quieras, sin más. Si mis padres hubieran podido hacer eso cuando se separaron, el divorcio no habría sido tan traumático.

—¿Fue traumático?

—Peor. Y todo por culpa de las cosas más insignificantes, como un cuadro o una lámpara.

—¿No se pelearon por tu custodia?

—Yo fui lo único por lo que no se pelearon. Los dos sabían que mi madre jamás habría renunciado a mi custodia.

Connor no podía imaginarse unos padres posesivos de los que fuera imposible escapar.

—¿Y tú? —le preguntó—. ¿Qué has estado haciendo todo este tiempo?

—En los dos últimos veranos estuve viajando.

—¿Adónde?

—Al extranjero.

—¿Puedes especificar un poco más? No era tan malo en Geografía.

Ella esbozó una triste sonrisa.

—Vamos a ver... El verano de mi segundo año de bachillerato lo pasé con mi madre y mi abuela Gwen en Londres, París y Praga. El verano siguiente mi padre me llevó a Alejandría, Atenas y Estambul.

—Impresionante —dijo él—. Estambul y Egipto... ¿Viste las pirámides?

—Claro. Y fue tal y como imaginaba. No, mejor aún. Fue todo como un sueño.

—Tienes suerte, Lolly. Mucha suerte.

—Sí, soy muy afortunada, desde luego —dijo ella en tono amargo.

—¿No lo pasaste bien?

—Es imposible no pasarlo bien en París, pero… me sentía sola y sometida a una presión insoportable, igual que me había sentido desde el divorcio. Dios, parezco una niña, quejándome por todo.

—No te preocupes. No me compadeceré de ti.

—Estupendo, porque yo tampoco tendré compasión contigo.

—Lo sé. Nunca la tuviste —era otro rasgo que le gustaba de ella.

—¿Qué planes tienes ahora? —le preguntó Lolly.

—Aún no lo he decidido —le gustaría viajar, estudiar o trabajar en algo que lo entusiasmara, pero sus perspectivas eran mucho menos alentadoras—. ¿Y tú? Seguro que tienes un plan desde el colegio.

—¿Qué te hace suponer eso?

—Te gusta planificarlo todo. O al menos es lo que siempre me ha parecido.

—Bueno, ahora que he sobrevivido al instituto, estoy preparada para sorprender al mundo con una decisión realmente atrevida —dijo con exagerado dramatismo.

—¿Cuál?

—Ir la universidad.

—Tienes razón. Estoy impresionado —la universidad era, naturalmente, el paso más lógico para la gente como los Bellamy y casi todos los que iban al campamento. Los niños ricos tenían que aprender a ser adultos ricos y así perpetuar la especie.

—Creo que me gustaría ser profesora de instituto —dijo ella—. Profesora de Arte —a pesar de la oscuridad, Connor pudo ver como le sonreía tímidamente—. Eres la primera persona a la que se lo digo.

—¿Es algún secreto?

—No, pero no es la clase de cosas que entusiasmarían a mi madre. A ella le gustaría verme en alguna embajada o algo así.

—Es tu vida. Te corresponde a ti decidir.

—Más o menos. No me gusta defraudar a mi madre. Ni siquiera se lo he contado a mi psicólogo.

—¿Aún vas al psicólogo? —preguntó Connor, riendo.

—Siempre. Me gusta hablar, como ya sabes, y el doctor Schneider es como un amigo que cobra por horas.

—Yo puedo serlo gratis —le dijo él.

Ella volvió a sonreír.

—Gracias. Significa mucho para mí, Connor. Nunca he tenido muchos amigos.

A pesar de todo el tiempo que había transcurrido, Connor sentía que aún podía hablar con ella. Cuando eran más jóvenes, Lolly le resultaba mandona e irritante, pero no tardó en descubrir que su pedantería no era más que una fachada que ocultaba un corazón bondadoso y un gran sentido del humor.

También le gustaban sus silencios. Nunca había sentido la necesidad de llenar los huecos en sus conversaciones con comentarios estúpidos. Con Lolly podía relajarse, sin sentir la acuciante necesidad de besarla o meterle mano. Le gustaba su sinceridad y le gustaba ser sincero con ella. No había muchas personas en su vida a las que pudiera contarle determinadas cosas.

—Tenía otro motivo para volver al campamento este verano —confesó.

—¿Cuál?

—Mi hermano pequeño.

Lolly ahogó un gemido de asombro.

—No sabía que tuvieras un hermano.

—Tiene ocho años y está en los Fledglings. Julian Gastineaux.

La expresión de Lolly fue casi cómica.

—Lo he visto hoy… saltando al lago desde un árbol.

—Ése es —afirmó Connor. Julian siempre estaba trepando y escalando a los lugares más altos posibles.

No era extraño que volviera loca a su madre, aunque Connor sospechaba que nada de lo que Julian hiciese iba a servirle de nada. El propio Connor había intentado ser el hijo perfecto para ganarse el amor de su madre, hasta que finalmente tuvo que aceptar que todos sus esfuerzos eran y serían inútiles.

—Nunca lo hubiera imaginado —admitió Lolly—. No os parecéis en nada. ¿Sois… hermanastros?

—Por parte de madre. Su padre es afroamericano, y el mío… —un borracho— el mío no lo es.

Lolly le dio un manotazo en el brazo.

—No puedo creer que nunca me lo hayas contado.

—Tenía once años cuando nació Julian. Para mí no era más que un niño pequeño, sin nada raro, hasta que apareció su padre biológico y descubrí que mi hermano era medio afroamericano.

—¿Qué ocurrió? —le preguntó Lolly—. ¿Por qué vuestra madre no os crió juntos?

—Nadie me lo explicó en su momento. Cuando Julian tenía unos seis meses de edad, mi madre empezó a salir con Mel, quien la convenció de que no podía hacerse cargo de otro hijo y que el niño estaría mejor con su padre.

Connor se dio cuenta de que el recuerdo aún podía afectarlo dolorosamente. Cuando Gastineaux fue a por Julian, el pequeño ya se había ganado el corazón de Connor con sus encantadores gorgoritos y balbuceos. Al perder a su hermano pequeño Connor había sentido que le arrebataban una parte de su ser, y durante mucho tiempo le había guardado un profundo rencor a su madre.

—Así que ahora Julian vive en Nueva Orleans, con su padre. Louis Gastineaux es un profesor universitario y un científico. Este verano se fue a descansar al extranjero y Julian vino a quedarse con mi madre y conmigo. Mi madre no estaba dispuesta a cuidar de él, de modo que llamó a mi padre y le dijo que nos recibiera a los dos. No puedo ni imaginarme lo que pensaría mi padre… recibiendo a su hijo y al otro hijo de su ex —la relación de Connor con su padre era especialmente difícil porque Terry Davis haría lo que fuera por tener a su hijo con él. Cuando estaba sobrio era el mejor hombre del mundo, y Connor preferiría que fuese un idiota para poder odiarlo—. Mi madre y él no se hablan, pero mi padre nunca haría que Julian se sintiera como un extraño aquí.

—Debe de ser un tipo muy tolerante —observó Lolly.

Muy diplomático, pensó Connor. De hecho, había congeniado casi inmediatamente con Julian. Era lógico, pues los tenían algo en común. Ambos se empeñaban en destruirse a sí mismos; Terry con la bebida, y Julian saltando al vacío desde los lugares más altos.

—Tengo que darles las gracias a tus abuelos por haberme ofrecido un trabajo y haber invitado a Julian al campamento —se preguntó si Julian valoraría la oportunidad que se le había brindado, y si un verano en el lago Willow cambiaría sus perspectivas vitales igual que le había pasado a Connor.

Los Bellamy no tenían ni idea de lo que habían significado para él los veranos en el campamento Kioga. Vivir con una docena de chicos en una cabaña que olía a perros muertos tal vez no fuera muy sugerente, pero para Connor suponía un cambio radical en su vida. Durante diez semanas podía disfrutar del sol, las bromas, los deportes, las comidas, las historias de fantasmas en la oscuridad, las canciones alrededor de la hoguera… Los veranos de su infancia habían sido como un sueño.

Y como todos los sueños, tenían que acabar.

Calvin, el monitor jefe, se acercó a ellos.

—Necesito un voluntario para apagar las luces —le tendió a Lolly una linterna—. Tú misma.

Lolly hizo una mueca, pero agarró la linterna y se dirigió hacia la puerta. Apenas se había marchado cuando Connor vio a Jazzy acercándose a él, apuntándolo con sus labios carnosos y sus pechos de silicona.

—Yo también voy —dijo, y se escabulló a tiempo de evitar a Jazzy. A pesar de la música ensordecedora, llegó a sus oídos el comentario de una voz femenina.

—Qué mal gusto tienen algunos…

Idiotas, pensó él mientras corría detrás de Lolly.

—¡Eh, espera! —la llamó, casi sin aliento.

Ella pareció sorprenderse al verlo, con los ojos iluminados por la luz de las estrellas.

—No tienes que abandonar la fiesta por mí.

—Habrá muchas fiestas durante el verano. Si quieres quedarte, yo me encargaré de hacer la ronda.

—No, tranquilo. De todos modos hay mucho ruido ahí dentro. Y hace mucho calor.

—Lo mismo me parece a mí —corroboró a él, y echaron a andar por un sendero entre las sombras. Se detuvieron un momento para contemplar extasiados la Vía Láctea en el cielo nocturno, y fue entonces cuando Connor volvió a sentir, por fin, la vieja amistad que lo unía a Lolly.

—¿De verdad? —le preguntó ella—. ¿No te estabas divirtiendo, ligando con una chica distinta cada cinco minutos?

—Yo no estaba…

—Era difícil no darse cuenta —lo interrumpió ella, riendo.

Connor agradeció que la oscuridad ocultase el rubor de sus mejillas.

—Mucha gente lo estaba haciendo —dijo para intentar defenderse.

—Yo no.

—Bueno, eres más lista que los demás. No entiendo por qué todo el mundo tiene tanta prisa por hacer las cosas.

—Porque no quieren dejar escapar a las mejores presas… Hay por lo menos tres chicas que se han fijado en ti, y nadie quiere quedarse con una fracasada.

—¿Te consideras a ti misma una fracasada?

—¿Has visto a alguien intentando ligar conmigo?

No, pensó Connor. Él se habría encargado de ahuyentar a quien lo intentara.

—Es muy triste que sólo importe el aspecto físico, ¿no te parece? —le preguntó ella.

—La gente dice que mi madre se parece a Sharon Stone, y lo único que consigue con su aspecto es atraer a la peor calaña posible y que la traten como a una perra.

—Qué bruto eres, Connor —exclamó ella, haciéndolo sonreír a pesar de sí mismo. Le gustaba estar con Lolly, aunque el resto de monitores no lo entendiera.

Las luces se habían apagado en el campamento, y a través de las ventanas y mosquiteras podían oír los susurros del grupo de los Fledgling. Lolly se quedó bajo la ventana de la cabaña Saratoga y Connor fue a la cabaña Ticonderoga para echarles un vistazo a los chicos. Sólo debían entrar en las cabañas si había algún problema, y cuando Connor volvió junto a Lolly, ella se llevó un dedo a los labios.

—Hay una chica llamada Ramona a la que le estoy echando un ojo —le susurró, antes de alejarse de la cabaña.

Lolly no parecía tener prisa por volver a la fiesta, y Connor no lo sugirió. Era muy agradable pasear bajo las estrellas, oyendo el aleteo de una lechuza y las canoas meciéndose en el lago. De lejos llegaban los ecos apagados de la fiesta.

La luna se había elevado en el cielo e iluminaba todo el campamento con su pálido resplandor plateado. El lejano rugido de las cataratas resonaba como la multitud enardecida en un estadio de fútbol. A través de los árboles brillaban las luces de las cabañas del personal, y Connor pensó en su padre, bebiendo cerveza y escuchando viejas canciones en la radio. Terry Davis llevaba veinte años viviendo allí en solitario, descomponiéndose poco a poco mientras la vida pasaba ante sus ojos.

Apartó aquel pensamiento y siguió el vuelo de una lechuza con la mirada. Entonces vio un destello fugaz que llamó su atención. Parecía la luz de una linterna.

—Mira hacia la pasarela de las cataratas —le dijo a Lolly—. ¿Ves algo?

—No, sólo hay sombras. Pero… sí, creo que tienes razón. Hay alguien allí arriba —encendió la linterna y subió por el sendero, tan intrépida y decidida como una mujer policía—. Vamos a comprobarlo.

El sendero subía por el desfiladero en una pronunciada pendiente. La cascada caía sobre las rocas, levantando una fina cortina de agua que hacía crecer el musgo en todas las superficies que salpicaba.

A medida que subían por el serpenteante y rocoso camino, los animales nocturnos se agitaban en la maleza. Connor oyó cómo Lolly tropezaba.

—¿Estás bien?

—Sí, pero llevo unas chancletas. No creía que fuera a caminar mucho esta noche.

—No tienes por qué venir.

—¿Crees que voy a perdérmelo? —preguntó ella con una carcajada familiar.

Connor sabía que diría eso. Lolly Bellamy podía ser enervante, pero nunca se rendía.

—Agárrate a mí si pierdes el equilibrio.

—Claro… Lo que tú quieres es que alguien te agarre el trasero.

—Sí, ésa es la idea —de nuevo volvían a bromear y a provocarse mutuamente, igual que cuando tenían doce años. Era una sensación muy reconfortante.

Connor distinguió dos siluetas en el puente. Una de ellas parecía estar por fuera de la valla de seguridad, y un mal presentimiento le atenazó la garganta.

—Maldito mocoso —masculló.

—¿Qué? —preguntó Lolly.

—¡Julian! —gritó Connor, echando a correr. Justo en ese momento un grito exultante desgarró la noche.

—¡Jeroooonimooo!

Lolly enfocó el puente con la linterna y vieron horrorizados cómo una pequeña figura saltaba de la barandilla de granito y desaparecía en la oscuridad. Lolly emitió un sonido de espanto, a medias entre un gemido y un chillido.

El haz de la linterna iluminó una pequeña figura que huía por el puente. No era Julian, sino un chico al que Connor no reconoció. Entonces la luz empezó a temblar cuando Lolly la dirigió hacia abajo, recorriendo frenéticamente la espesura del bosque.

—Julian —dijo Connor con voz ahogada. El pánico le retumbaba en los oídos con tanta fuerza que tardó unos segundos en darse cuenta de que Lolly le estaba hablando.

—Creo que está bien —oyó que le decía mientras lo agarraba del brazo.

Unos gritos de entusiasmo se elevaron del bosque. Lolly agarró la mano de Connor y dirigió el haz de luz hacia una larga cuerda atada al puente. Los latidos de Connor se calmaron, pero la sangre le hervía salvajemente en las venas.

—Hijo de… —repetía una y otra vez mientras cubría la última parte del sendero—. Voy a matar a ese hijo de…

Un momento después había llegado al puente y había atrapado al cómplice, un chico llamado George de Texas que balbuceaba como un cobarde, alegando que no tenía nada que ver y que Julian lo había obligado a acompañarlo.

—Cállate —ladró Connor, y el joven George cerró la boca sin rechistar.

Lolly enfocó un punto de la valla y luego dirigió la luz hacia abajo, hasta la pequeña y oscilante figura que colgaba al extremo de una cuerda.

Media hora después, bajaban con Julian y su cómplice por la montaña. Connor le lanzaba toda clase de insultos mientras intentaba quitarle el intrincado sistema de nudos y arneses con que Julian se había atado a la cuerda de salto.

—No deberías llamarme esas cosas —le echó en cara Julian—. Según la regla número once del campamento Kioga, bajo ninguna circunstancia se permite el empleo de un lenguaje vulgar u obsceno por parte de los campistas o el personal.

—¿Ah, sí? ¿Y qué regla prohíbe saltar de un puente atado a una cuerda? —espetó Connor.

—¿Se puede saber en qué estabas pensando? —preguntó Lolly.

Julian la miró con una sonrisa infantil, y a la luz de la luna pareció tan inocente y angelical como un monaguillo.

—Señorita —dijo, con voz temblorosa y honesta—. Quería saber lo que se siente al volar.

—Eso no era volar —replicó Lolly—. Era una caída libre.

Transcurrió otra media horas hasta que hubieron acostado a los chicos, advirtiéndoles que se enfrentarían a un severo castigo disciplinario, y tal vez a la expulsión. Genial, pensó Connor, sabiendo que si su hermano se marchaba él también tendría que irse. El verano habría acabado para él antes de empezar.

—Lo siento —le dijo a Lolly mientras salían de la

cabaña de los chicos—. Deberías haberte quedado en la fiesta.

—Oh, vamos. No todas las noches se puede a ver a alguien saltando del puente Meerskill. No me lo habría perdido por nada del mundo.

—¿Qué demonios voy a hacer?

—Podrías convencerlo para que trabajase de especialista.

Los monitores debían informar de las infracciones al director. Connor intentó ver el rostro de Lolly, pero estaba demasiado oscuro para examinar su expresión.

—Tienes que admitir que el chico sabía lo que hacía.

Era cierto. Julian y George se habían provisto de arneses, cuerdas, mosquetones y eslingas. A partir del diagrama que encontraron en un libro, habían preparado un equipo de seguridad completo y fiable. El hermano menor de Connor era una extraña combinación de niño prodigio, especialista e idiota.

—Según cuenta su padre, empezó a saltar cuando aún no había aprendido a andar —le dijo a Lolly—. Siempre ha estado obsesionado con las alturas.

—Mañana lo haremos saltar al lago desde la plataforma. Si tanto le gusta saltar al vacío, más vale que lo haga en un lugar seguro. También hay cursos de tirolina y escalada. A veces hay que seguir los impulsos, aunque sean un poco extraños.

Connor se sintió tan aliviado que estuvo a punto de besarla. Lo último que quería en el mundo era volver a perder a su hermano.

—Me aseguraré de que no la vuelva a fastidiar — señaló el comedor—. ¿Te atreves a asaltar la cocina?

—Siempre.

La cocina se cerraba todas las noches para no atraer a los mapaches y osos, pero la llave se guardaba sobre dintel y Connor y Lolly sólo tardaron unos segundos en entrar. Con sus toneladas de especias, panes y latas de conserva, la enorme cocina parecía nadar en la abundancia.

Connor agarró una hogaza de pan de la panadería Sky River, el mismo que servían cuando él era campista. Una de las cosas que más le gustaban del campamento Kioga era que todo seguía igual, año tras año.

Lolly abrió un tarro de mantequilla de cacahuete y Connor untó el pan, le añadió mermelada y se sirvió un gran vaso de leche. Le ofreció la jarra a Lolly, pero ella negó con la cabeza.

—Tienes una familia muy interesante, Connor —dijo, lamiendo una gota de miel de su sándwich—. Me parece fantástico que vayas a pasar el verano con Julian.

Al oírla decir eso, Connor se sintió mejor respecto a Julian. Era un crío alocado, pero Connor también se alegraba de tenerlo allí.

—Es tarde —dijo, después de que acabaran los sándwiches y borraran las huellas. Apagaron las luces y volvieron a salir, cerrando con llave tras ellos—. Te acompaño a tu cabaña.

—Conozco el camino —dijo ella.

—Deberías saber que cuando un hombre se ofrece a acompañar a una mujer, lo que quiere es darle un beso de buenas noches.

—Muy gracioso —dijo ella con una carcajada. La misma risa que tanto irritaba a Connor cuando eran niños—. Tú no quieres darme un beso de buenas noches.

—Tienes razón —afirmó él. Se detuvo en mitad del sendero y la rodeó con sus brazos—. Quiero besarte ahora.

21

—¿Qué te pones cuando tienes que preguntarle a tu padre por su hija ilegítima? —le preguntó Olivia a Barkis. El perro había entrado en su habitación mientras ella se estaba secando las uñas de los pies, después de habérselas pintado de rosa—. Lilly Pulitzer —se respondió a sí misma, abriendo el armario. El vestido de verano con estampados aguamarinas era el más adecuado para el largo trayecto en coche y para no desentonar en la ciudad.

Se puso unas sandalias y unos pendientes y agarró un bolso Longchamps. Era muy agradable arreglarse un poco, aunque sólo fueran las seis y media de la mañana. Las semanas de duro trabajo en el campamento la habían dejado con un aspecto muy descuidado y desaliñado. Ahora, con las uñas pintadas y el pelo arreglado, se sentía una persona nueva.

Lo último que esperaba, sin embargo, era que Connor Davis también se vistiera para la ocasión. Apenas pudo reconocerlo cuando fue a recogerla. Llevaba unos pantalones negros que parecían hechos a medida y una camisa blanca arremangada, y en el asiento trasero había dejado una chaqueta y una corbata. Había dejado su gorra en casa y se había echado gomina en el pelo, y sus ojos parecían más azules que nunca en su rostro bronceado y recién afeitado.

—Tienes muy buen aspecto —dijo ella, impresionada.

—Tú también —respondió él—. Pareces una chica de *Sexo en Nueva York*.

Los cumplidos masculinos siempre la hacían sospechar. ¿Acaso los hombres veían esa serie? Freddy sí la veía, desde luego.

Julian apareció con unos pantalones holgados, sin camiseta y con los ojos medio cerrados, como si su hermano mayor lo hubiera despertado a empellones.

—Buenos días —le murmuró a Olivia.

—Has madrugado mucho —le dijo ella con una sonrisa.

—No por voluntad propia.

—Quería asegurarme de que estabas en pie para cuando llegue mi padre —dijo Connor, y se volvió hacia Olivia—. Va a venir para hacer algunas tareas de mantenimiento.

—Viene para vigilarme —protestó Julian.

—No te ofendas, pero tu comportamiento reciente exige una vigilancia de cerca.

—Me dijiste que la única regla era no fastidiarlo —miró a Connor y después a Olivia—. ¿He fastidiado algo?

—Has sido una grandísima ayuda —dijo ella—. Y te estoy muy agradecida.

—Volveremos por la noche —dijo Connor—. O a lo mejor más tarde.

—Intentaré no echarte mucho de menos.

—Sólo te digo que…

—Ya lo sé —lo interrumpió Julian con una breve sonrisa.

Olivia le ató la correa a Barkis.

—¿Puedes encargarte de él? Tiene que comer a la hora del almuerzo y de la cena.

—Claro —dijo Julian, agarrando la correa—. Esto... ¿funciona el fax de la oficina?

—Creo que sí, ahora que tenemos teléfono. ¿Tienes que enviar algo por fax?

—Unos papeles —respondió Julian, evitando la mirada de Connor.

Olivia reprimió una sonrisa. Había estado hablando con Julian sobre algunas opciones para su futuro, y el chico se había mostrado sorprendentemente abierto a las sugerencias. Él mismo había tenido la idea de ingresar en la academia de la Fuerza Aérea, y Olivia lo había animado a buscar toda la información posible. La posibilidad de pilotar un reactor era demasiado irresistible para alguien como Julian.

—Puedes enviar todos los faxes que quieras —dijo mientras subía al coche. Dejó el jersey sobre el respaldo y se puso las gafas de sol—. Lista —le dijo a Connor.

—Oye, me alegro de que te lleves bien con Julian, pero es mi responsabilidad. No tienes por qué intentar... rehabilitarlo, o lo que sea que estés haciendo.

—Yo diría que me estoy entrometiendo —repuso ella simplemente—. Le he estado diciendo que puede ir a la universidad si se lo propone en serio.

—No tiene el dinero ni las notas suficientes para estudiar en la universidad —dijo Connor secamente. Olivia sabía que él también había soñado una vez con ir a la universidad, pero no sabía por qué no lo había hecho, ni sabía cómo preguntárselo.

—¿No recibe una pensión o algo así por el accidente de su padre?

—No conozco los detalles, pero parece ser que no hubo negligencia en el accidente. La parte de la indemnización que le correspondía a Julian se esfumó entre abogados y parientes, sobre todo cuando su madre sacó tajada de la misma. Pero aunque tuviera dinero, no creo que la universidad fuese una buena idea. No tiene la actitud ni la voluntad apropiadas para ello.

—No desesperes —le dijo Olivia—. Sólo tiene diecisiete años —le gustaba Julian, con su carita de ángel, su prodigioso cerebro y su obsesión por las alturas y el peligro—. Y tampoco descartes una beca para una academia militar.

—Para eso hace falta mucha motivación.

—Tal vez la tenga —insistió ella, observándolo atentamente. Dios, era guapísimo, con su perfil recio y varonil y sus penetrantes ojos azules fijos en la carretera—. No crees que deba entrar en el ejército, ¿verdad?

—No creo que entienda lo que significa el verdadero riesgo.

—¿Acaso el ejército podría ser más arriesgado de lo que hace ahora?

—En eso tienes razón —concedió Connor, frunciendo el ceño.

—¿Estás enfadado porque haya hablado con él de su futuro?

—Claro que no. Simplemente, me parece una posibilidad muy remota.

Era lógico que se lo pareciera. Para alguien que se hubiera criado como Connor, la mera posibilidad de tener un lugar decente para vivir ya parecía remota.

Pero a Olivia le parecía que había algo más.

—Te preocupas mucho por tu hermano, ¿verdad?

—A veces creo que soy el único que se preocupa por él.

—Es muy afortunado al tenerte —dijo ella—. ¿Crees que saldrá adelante?

—Eso dependerá de lo que quiera hacer con su vida.

Era precisamente a lo que Olivia intentaba ayudar al chico, pero parecía que sus esfuerzos no eran muy bien recibidos. Era una entrometida nata, y ahora iba de camino a la ciudad a seguir entrometiéndose en las vidas ajenas. Por muy surrealista que pareciera, iba a preguntarle a su padre si había tenido una hija bastarda cuando estaba en la universidad. La idea le revolvió el estómago e intentó concentrarse en las aldeas, granjas, colinas y gasolineras que conformaban el paisaje.

—Te has quedado muy callada —dijo él al cabo de un largo rato—. No estés tan nerviosa.

—¿Crees que me resulta fácil preguntarle a mi padre si tiene otra hija?

—Tal vez no sepa nada sobre Jenny Majesky.

A Olivia le entraron ganas de vomitar. Era repugnante imaginarse la vida secreta que había llevado su padre. A medida que iba encajando las piezas... la foto, el pendiente, la información de Terry Davis... todo en lo que siempre había creído se desmoronaba como un castillo de naipes.

—Tengo miedo —confesó—. Si mis sospechas son ciertas y Jenny es mi hermana, entonces ha estado ausente de mi vida cuando podría haber sido parte de ella.

—Es mejor no saberlo —le dijo él en voz baja—. Para mí, crecer sabiendo que tenía un hermano pequeño fue muy... doloroso.

Olivia intentó imaginarse a Connor de niño con un hermano pequeño, y al momento siguiente como hijo único. Tal vez tuviera razón. Tal vez saber la verdad fuera demasiado doloroso.

Al llegar a Nueva York, Connor sorteó con paciencia y habilidad el tráfico que atestaba las calles. En otras circunstancias, Olivia le habría dado una rápida vuelta por el barrio de su padre. Le habría enseñado el el kiosco de prensa, los jardines...

Sintió como le escocía la garganta y como se le formaba un nudo en el estómago cuando Connor aparcó frente al edificio de su padre.

—Tengo que pedirte un favor inmenso.

Él sonrió y sacudió la cabeza.

—Por favor...

—No voy a entrar contigo, Lolly. No debo hacerlo, y lo sabes.

Tenía razón, naturalmente. No podía pedirle que la acompañara. La situación sería demasiado embarazosa.

—Eres más fuerte de lo que crees —añadió él.

Olivia se sintió invadida por una ola de alivio y ternura. Era maravilloso tener a alguien que creyera en ella y en sus posibilidades, sin que ello supusiera cumplir con unas expectativas altísimas.

—Llámame cuando hayas acabado. Estaré en el centro.

—¿En el centro? —intentó imaginárselo recorriendo Greenwich Village o los muelles de Chelsea—. ¿Tienes pensado ver algo en particular? ¿O estás abierto a sugerencias?

—No me gusta hacer turismo. Tengo una cita en Greenwich and Rector.

—Oh, ¿Se trata de algo...? Dios, otra vez. Soy una cotilla sin remedio.

—Es una cita con mi corredor de Bolsa.

Ella debió de parecer perpleja, porque Connor se echó a reír.

—Hasta los contratistas rurales tenemos acciones.

—Yo no estaba insinuando que...

—Claro que sí. No pasa nada. Vamos. Espero que tengas una visita agradable.

—Gracias —murmuró ella, agarrando el bolso.

Él se giró para mirarla, y una vez más Olivia se quedó embobada con sus ojos azules, su pelo negro y su camisa abierta por el cuello. Hubo un momento de tensión, y Olivia podría haber jurado que quería besarla. Había muchas cosas por decir, pero no era el momento. Se desabrochó el cinturón y, siguiendo un impulso, se inclinó hacia él para besarlo en la mejilla.

Fue un error, porque nada más sentir su piel cálida y aspirar la fragancia de su loción, deseó mucho más que un simple beso.

—Que tengas suerte —le dijo, y salió rápidamente del coche. Si él le dijo algo, no lo oyó.

Se quedó un momento en la acera, viendo como se alejaba hacia el centro. A la cita con su corredor de Bolsa. La inquietó pensar que apenas sabía nada de su vida privada, como sus negocios bursátiles. ¿Qué más cosas le quedaban por descubrir de él? ¿Tendría novia? No, imposible. No podría mirarla como la miraba si tuviera a una mujer especial en su vida.

—Señorita Bellamy —la saludó el conserje al entrar en el edificio.

Su padre se había mudado a aquel apartamento después del divorcio. De niña, Olivia sólo había pasado allí alguna que otra noche, después de asistir a un partido de los Yankees o a una función en la ópera, o la víspera de un viaje juntos. Todos daban por hecho que su casa estaba en el lujoso apartamento de su madre en la Quinta Avenida. Era allí donde tenía todas sus cosas, incluyendo su piano, sus amados libros y su adorable gatito llamado Degas. Aun así, su padre se esforzaba por hacerle un hueco en su vida. En su moderno apartamento tenía un pequeño dormitorio para ella, con un escritorio, una litera y una alfombra blanca.

Subió por las escaleras y se encontró a su padre en la puerta, después de que el conserje lo hubiera avisado de su llegada. El día era bastante caluroso, pero su padre llevaba una chaqueta ligera que lo hacía parecer mayor. Olivia nunca lo había visto con una chaqueta de punto, y no le gustaba pensar en su padre como un hombre viejo. Siempre lo había visto como a su «papá», y hasta ahora no se había preguntado por sus motivaciones, sus necesidades y sus deseos. Era un próspero abogado, un hijo obediente y un buen padre, pero ¿qué más? Sabía que siempre había querido escribir, pero nunca habían hablado de ello. Ahora se lamentaba de no haber hablado más con él.

—Hola, papá —lo saludó, poniéndose de puntillas para besarlo en la mejilla.

—¿Cómo está mi campista feliz?

—Increíblemente feliz —dijo ella—. Reformar el campamento es mucho más entretenido que ir de campista.

—¿Qué te apetece tomar? ¿Limonada? ¿Seltzer?

—Voy a refrescarme un poco y luego me serviré yo misma —fue al cuarto de baño y después a la cocina, sacó una botella de agua mineral de la nevera y fue al salón.

Su padre se recostó en su sillón favorito.

—Parece que el campamento te está sentando muy bien. Estás radiante.

Tres horas en un coche con Connor Davis harían brillar a cualquier chica, pensó ella. Tomó un sorbo de agua y puso a su padre al corriente de las últimas semanas.

—Es increíble, papá. El campamento despierta tantos y tantos recuerdos... Tal vez sea por la falta de aparatos modernos. Tenemos que entretenernos a la vieja usanza.

—¿Cómo está Greg?

—Al principio no estaba muy bien —respondió ella, y vio como su padre fruncía el ceño con decepción. Greg era diez años más joven que Philip, pero los dos hermanos estaban muy unidos—. Pero cada día está un poco mejor —añadió rápidamente—. Y también sus hijos. Creo que gran parte de su problema era que había perdido el contacto con Daisy y Max. Cuando llegaron al campamento apenas se hablaban entre ellos, y ahora están siempre juntos. Remando, pescando, leyendo... Todo va a salir bien, papá.

—¿Y tú? —le preguntó él—. ¿Cómo estás?

Olivia dejó la botella en la mesa.

—Es curioso. He superado por completo lo de Rand.

Ha sido como arrancarse una costra. Al principio duele tanto que no puedes pensar en nada más. Pero si te aplicas la pomada apropiada el dolor desaparece enseguida, e incluso sientes un alivio placentero.

—Entonces parece que tu mejor pomada ha sido reformar el campamento —dijo su padre—. O eso, o quizá Rand no fuera el hombre para ti.

—Entonces, ¿por qué yo creía que sí lo era?

—El anhelo puede ser una fuerza muy poderosa y convincente.

Olivia tuvo que preguntarse si sólo habría resultado herida en su orgullo, y se inquietó al pensar que pudiera ser tan superficial.

—¿Has ido a ver a tus abuelos? —le preguntó su padre.

—No creo que tenga tiempo para verlos hoy. He pensado en llamarlos. Y a mamá también —añadió con cautela. Estaba evitando la razón que la había llevado allí. De modo que respiró hondo… y volvió a encogerse de miedo—. No sé si te lo he contado. El contratista que hemos contratado es Connor Davis.

Su padre volvió a fruncir el ceño y se rascó la barbilla.

—Connor… El chico de Terry Davis.

—Ya no es un chico.

—¿Te crees que no me acuerdo?

—¿Te acuerdas? —le preguntó ella, sorprendida.

—¿Qué clase de padre sería si no me acordara del primer chico que le rompió el corazón a mi única hija? Estuve a punto de matarlo yo mismo.

—¿En serio? —las palabras «mi única hija» se arremolinaban en su cabeza—. Bueno, superé aquel desamor, igual que superé los demás —no era cierto. Nunca había superado del todo la ruptura con Connor Davis. Una parte de ella, una parte crucial, había quedado atrás, y sólo ahora empezaba a darse cuenta.

Era el momento para cambiar de tema.

—A propósito de ser hija única... Tengo que preguntarte una cosa. Es algo muy personal.

—Lo que sea. Mi vida es un libro abierto.

Parecía decirlo en serio. Olivia nunca había visto a su padre como una persona falsa y mentirosa, y sin embargo estaba envuelto en secretos y engaños.

—Es algo sobre los días que pasaste en el campamento.

—Tendrás que especificar un poco más —dijo él con una sonrisa—. Pasé muchos días allí.

Olivia volvió a respirar hondo y esperó un momento antes de seguir.

—Háblame del verano de 1977.

La expresión de su padre se tornó pensativa.

—Vamos a ver... Supongo que aquel año era monitor. ¿Por qué lo preguntas?

—Encontré una foto tuya fechada en agosto de 1977, y sentí curiosidad —sacó un sobre del bolso y se lo tendió.

Su padre se puso las gafas con mano temblorosa y agarró la foto.

—Vaya. Casi lo había olvidado...

Algo, tal vez la suavidad de su voz o la humedad de sus ojos, le dijo a Olivia que estaba mintiendo.

—¿Qué habías olvidado? —lo acució.

—Haber ganado ese trofeo. Tendría que volver a jugar al tenis.

—Hay una copia de esa foto en la pastelería Sky River. Pero tú has sido recortado de la misma.

—No... no lo sabía.

—¿Qué relación tenías con Mariska Majesky? —le preguntó Olivia, mirándolo fijamente a los ojos.

Su padre le dio la vuelta a la foto, donde estaba escrita la fecha.

—Terry Davis me dijo que erais inseparables.

—¿Le has enseñado esta foto a Terry Davis?

—Sí, se la he enseñado. Ahora vive en Indian Wells...

Es muy bonita —dijo. No quería alejarse del tema—. ¿Erais… pareja?

Su padre suspiró y se echó hacia atrás en el sillón.

—Supongo que podría decirse que lo éramos.

—¿Estabas con ella en el verano de 1977? Aquel año te casaste con mamá…

Él se puso pálido y apartó la mirada.

—Oh, Dios mío… Papá —había querido que lo negara. Que se defendiera. Que le diera una explicación creíble.

—Olivia, de eso hace mucho tiempo. Todo ocurrió antes de que tú nacieras. No entiendo qué importancia puede tener ahora.

Ella sacó otra foto del sobre. La había encontrado en la biblioteca municipal de Avalon, mientras buscaba en los archivos del *Avalon Troubadour*. En el pie de foto se leía: *La pastelería Sky River celebra su 50 aniversario*, y en ella aparecían las propietarias del local, la señora Helen Majesky y su nieta, Jennifer Majesky. El parecido de Jenny con la foto antigua de su madre era impresionante.

Olivia observó el rostro de su padre. Había perdido todo su color y el sudor le empapaba la frente. La foto lo había conmocionado, pero Olivia estaba segura de que hasta ese momento no sabía nada.

—Su nombre es Jennifer Anastasia Majesky —dijo Olivia en tono tranquilo y sosegado—. Nació el 23 de marzo de 1978 —le había resultado muy sencillo obtener la fecha. Connor se lo había preguntado al jefe de policía, Rourke McKnight, un viejo amigo suyo—. ¿Ves el collar que lleva puesto? En la foto no se distingue, pero su colgante es igual a éste —le tendió a su padre el gemelo de plata y se obligó a permanecer en silencio mientras su padre lo asimilaba.

—¿Estás segura? —preguntó él, bajando las manos.

«¿Estás segura de que es mi hija?», era lo que le estaba preguntando.

—No. Para estar segura… necesito que tú lo confirmes.

Su padre sacó un pañuelo del bolsillo y se secó el sudor del rostro.

—¿Y Mariska? —preguntó—. ¿Ha vuelto a Avalon?

—No. Según Rourke McKnight, el jefe de policía, se marchó cuando Jenny tenía tres o cuatro años y nunca más regresó.

—Dios mío… Mariska —susurró su padre. Apoyó los codos en las rodillas y bajó la cabeza hasta sus manos. Parecía repentinamente empequeñecido, como si la revelación hubiera destruido una parte vital de sí mismo.

KOLACHES DE LA PASTELERÍA SKY RIVER

MEDIA TAZA DE MANTEQUILLA.
TRES ONZAS DE QUESO PARA UNTAR.
UNA TAZA Y UN CUARTO DE HARINA.
UN TARRO PEQUEÑO DE MERMELADA DE ALBARICOQUE, FRESA O MANZANA.
AZÚCAR GLASÉ.

SE BATE LA MANTEQUILLA Y EL QUESO HASTA OBTENER UNA MEZCLA ESPONJOSA. SE AÑADE LA HARINA Y SE ENROLLA LA MASA. CON UN CUCHILLO AFILADO SE CORTAN CUADRADOS DE DOS CENTÍMETROS DE LADO Y SE COLOCAN EN UNA BANDEJA ANTIADHERENTE CON UNA LIGERA CAPA DE MANTEQUILLA. SE AÑADE UNA CUCHARADA PEQUEÑA DE MERMELADA EN CADA PIEZA Y SE PLIEGAN POR LOS EXTREMOS OPUESTOS, PELLIZCANDO SUAVEMENTE LOS BORDES. SE CUECEN A 190º DURANTE 15 MINUTOS. AL ENFRIARSE SE ROCÍAN CON AZÚCAR GLASÉ. ESTAS CANTIDADES DAN PARA DOS DOCENAS DE GALLETAS.

22

Septiembre de 1977

El campamento Kioga había cerrado sus puertas hasta el año próximo. Philip Bellamy fue de los últimos monitores en marcharse. Sus padres lo habían llevado a la estación del pueblo, y para la hora de cenar estaría en New Haven.

Matthew Alger también estaba en el andén, sentado en un banco con su novia, una estudiante de Barnard que había trabajado en la cocina del campamento.

—Hola, Alger. Hola, Shelley —los saludó—. ¿Volvéis a la ciudad?

—Yo sí —respondió Shelley—. Pero Matt va a quedarse en Avalon para sus prácticas en empresariales.

Alger sacudió la cabeza, agitando sus rubias greñas de Bee-Gees.

—Sólo he venido a despedirme de mi chica —dijo, rodeando a Shelley con un brazo.

Philip sintió una punzada de envidia al verlos. Él había tenido que despedirse en secreto de Mariska la noche anterior. Quería gritar su amor por ella a los cuatro vientos, pero no podría hacerlo hasta que solucionara su situación y rompiera con Pamela. Había pensado una y otra vez en el plan. Se matricularía en los cursos de otoño. Le diría a Pamela que su compromiso estaba roto. Volvería a Avalon. Se declararía a Mariska… Muy simple. Pero nada fácil.

Su vida estaba a punto de cambiar radicalmente. Se suponía que tenía que estudiar Derecho, pero lo que él deseaba hacer era dedicarse a escribir. Había escrito dos relatos cortos a lo largo del verano y estaba pensando en enviarlos a la revista literaria de Yale.

Vio su reflejo en el cristal del anuncio de una película, *Annie Hall*. Llevaba una camisa y una corbata, porque aquella noche tenía una cena oficial en el campus y no tendría tiempo de cambiarse cuando llegara a su destino.

Se metió la mano en el bolsillo de los pantalones y manoseó las monedas con impaciencia. Sus dedos encontraron el gemelo de plata y se consoló al saber que Mariska tenía el otro. Se paseó de un lado a otro del andén y comprobó la hora en su reloj, como si su inquietud pudiera hacer que el tren llegase antes. Otras personas fueron llegando a la estación: turistas que volvían a la ciudad después del Día del Trabajo, gente con niños y maletas, con quemaduras y manchas rosadas de calamina en las picaduras de mosquitos.

Entre la creciente multitud, vio a una mujer esbelta y morena corriendo hacia él. El corazón le dio un vuelco.

—¿Mariska?

—Philip —dijo ella con voz jadeante. Estaba muy pálida y demacrada, pero seguía siendo arrebatadoramente hermosa y atrajo todas las miradas en la estación. Era demasiado arriesgado abrazarla allí.

—No sabía que fueras a venir a la estación —dijo él, manteniendo las manos a los costados.

—No podía seguir callándomelo por más tiempo. Tengo que decirte una cosa.

La expresión de su rostro le provocó un escalofrío a Philip, y supo lo que iba a decirle antes de que hablara.

—Mariska...

—Vamos a sentarnos —dijo ella, señalando un banco al final del andén, junto a los expendedores de periódicos. El *New York Times* mencionaba en su portada el lanzamiento del segundo transbordador espacial, mientras que el *Avalon Troubadour* anunciaba el final de la temporada número cuarenta y cinco en el campamento Kioga.

—¿Qué ocurre? —le preguntó Philip, sintiéndose como si se hubiera tragado un cubo de hielo.

Ella se sentó con las rodillas juntas apuntando hacia él.

—Creo que es hora de que afrontemos los hechos.

La punzada de hielo que le traspasaba el corazón se expandió en gélida agonía por todo su cuerpo. El sol de la mañana calentaba el andén, pero un frío mortal invadía a Philip por dentro.

—Nena, hemos pasado todo el verano afrontando los hechos, y el hecho es que estamos enamorados.

El rostro de Mariska era una máscara de tranquilidad y compostura. El rostro de una extraña.

—Supongo que sí, por un tiempo. Lo hemos pasado bien, Philip, pero hemos dejado que las cosas se nos vayan de las manos.

—Qué tontería —espetó él.

Ella hizo una mueca y miró a su alrededor como si temiera que alguien pudiese oírlos.

—No es una tontería —insistió en voz baja—. Lo que es una tontería es fingir que todo va a seguir igual y que lo nuestro va a funcionar.

—¿Qué estás diciendo? Pues claro que va a funcionar. Tenemos un plan.

—Es un plan absurdo y fue una estupidez por mi parte seguirlo. No estamos hechos el uno para el otro, Philip. Nunca lo hemos estado. Sólo ha sido algo temporal.

Sus palabras lo golpearon como un puño de hierro.

—No te creo —intentó agarrarle la mano, pero ella la apartó—. Sucedió algo entre nosotros. Anoche estábamos... —no supo cómo describirlo sin parecer grosero.

—Anoche estaba mintiendo —dijo ella, mirándolo fríamente a los ojos—. A ti y a mí misma.

—No. Estás mintiendo ahora. Estás asustada porque tengo que marcharme. Pero, nena, no tienes nada que temer. Te hice una promesa y voy a cumplirla. Por supuesto que voy a volver.

—Por eso te pido que respetes mis deseos y te vayas. Ya no quiero ser tu novia, Philip. Me lo he pasado muy bien contigo este verano, pero todo ha ido demasiado lejos.

—Estamos enamorados.

—Eso fue algo que los dos dijimos —explicó ella. Parecía extrañamente madura para su edad—. Pero los dos estábamos equivocados. Lo nuestro no podía durar, y es el momento de acabarlo. Tengo otros planes para mi vida. Quiero viajar, ver sitios nuevos, conocer gente…

—Y lo vas a hacer, nena. Conmigo. Te dije que te llevaría a donde quisieras —odiaba su tono angustioso y desesperado, pero no podía evitarlo.

—No me estás escuchando —dijo Mariska—. No quiero ver el mundo contigo. Eres un buen chico, Philip, y lo hemos pasado muy bien este verano. Pero se ha acabado. Debería haber tenido el valor de decírtelo antes. El verano se ha acabado y nosotros también. Tienes que volver a tu vida y yo a la mía.

—No tengo ninguna vida sin ti —dijo él, cada vez más frenético.

—No te pongas tan dramático —dijo ella, apretando el bolso contra su vientre—. Tienes tus estudios, tus amigos y el futuro que quieras. Y tienes a tu novia, Pamela.

—Ya te lo he dicho… Pamela y yo hemos acabado —sentía náuseas en el estómago—. Ya sé. Estás enfadada porque hemos tenido que escondernos durante todo el verano.

—No estoy enfadada. Tú y yo pertenecemos a dos mundos diferentes, y tenemos que aceptarlo —soltó una áspera carcajada—. ¿Te imaginas a nuestras familias juntas? Unos inmigrantes polacos con los Bellamy… Por amor de Dios.

—Pero ¿qué estás diciendo, Mariska? —de repente lo asaltó una revelación—. Todo esto lo has ensayado, ¿verdad? No son tus palabras. Alguien más te las ha hecho memorizar.

—Son mis palabras, y te estoy diciendo lo que debería haberte dicho hace mucho. Durante todo el verano me convencí a mí misma de que quería estar contigo a pesar de todo, pero en el fondo sabía que no podría funcionar. Se acabó. Ya no puedo ni quiero seguir fingiendo.

A Philip le costaba reconocer a Mariska en aquella

chica. Se había convertido en una persona totalmente desconocida.

Ella se levantó, protegiéndose con el bolso como si fuera un escudo.

—Siento si te estoy haciendo daño, pero te prometo que el dolor desaparecerá pronto. Adiós, Philip.

—No te vayas —no pudo evitarlo y la agarró por el brazo—. No dejaré que te vayas. Ni ahora ni nunca.

—Ya basta —dijo ella, haciendo un gesto cortante con la mano—. Estoy rompiendo contigo, ¿de acuerdo? Pasa en todas las relaciones menos en una. La relación única y especial.

—Ésta es la relación única y especial —dijo él, perdiendo los nervios.

—Los dos sabemos que no lo es —replicó ella con una mirada inexpresiva—. No quiero ponértelo difícil, Philip. De verdad que no. Pero si no me quitas tus manos de encima, gritaré pidiendo auxilio —lo dijo con una voz tan gélida y amenazadora que Philip retiró las manos al instante.

—Volveré a por ti.

—No estaré aquí —dijo ella. Se dio la vuelta bruscamente y se alejó por el andén.

Él echó a correr detrás de ella y volvió a agarrarla.

—Mariska... No puedes dejarme así.

Ella se detuvo, se sacudió su agarre y lo miró con los ojos entornados.

—Esperaba no tener que ser demasiado dura. Pero estás acabando con mi paciencia. Hemos acabado, punto. Si intentas seguirme te denunciaré por acoso. Si intentas contactar conmigo no responderé a tus llamadas ni leeré tus cartas. Nada, Philip. Lo juro por Dios —volvió a girarse y se alejó con una extraña y rígida dignidad por los escalones de cemento.

Philip dio unos pasos tras ella, como si lo impulsara una fuerza invisible, pero las palabras que resonaban en su cabeza lo hicieron detenerse. «Hemos acabado, punto». No podía llamarla, porque un nudo de desolación y angustia le oprimía la garganta. Se quedó inmóvil, trastornado y aturdido, viendo como ella se hacía más y más pequeña en la distancia, sin correr, pero sin mirar atrás. Descendió por los escalones hacia el túnel que pasaba por debajo de Main Street y desapareció sin dejar rastro.

El pitido del tren le hizo dar un respingo. La locomotora se aproximaba con el resoplido del vapor y el chirrido metálico de los frenos. Philip agarró su bolsa y esperó a que el tren se detuviera. En el otro extremo del andén, Matthew Alger estaba besando a su chica. La gente recogía sus bolsas y maletas y se movía hacia el borde del andén. Philip dudó un instante, preparado para salir corriendo detrás de Mariska. Tenía que decirle que se estaba equivocando y convencerla de que podían estar juntos.

Una pareja de aspecto distinguido y elegante salió del vestíbulo de la estación y se unió al resto de pasajeros. Los Lightsey. En el momento más inoportuno…

Gwen Lightsey lo vio al momento.

—Hola, Philip. Tu madre me dijo que volvías hoy a la ciudad.

—Hola, señora —respondió él. Inclinó ligeramente la cabeza y estrechó la mano de Samuel Lightsey. Los buenos modales borbotaban en la superficie como las aguas sulfurosas de una fuente termal—. ¿Cómo está usted, señor?

—Estupendamente, Philip.

Los frenos del tren ahogaron la conversación por unos momentos. Philip esperó en el andén a que la señorita Lightsey subiera a bordo, seguida de su marido con el equipaje.

—Ven con nosotros, querido —le dijo ella a través de una ventana medio abierta—. Hay un asiento para ti.

Las palabras de Mariska volvieron a resonar en su

cabeza. «Se ha acabado... Tengo otros planes para mi vida».

El silbato del revisor recorrió el andén.

—Vamos, Philip —lo acució el señor Lightsey—. ¿Has olvidado algo, hijo?

«Unos inmigrantes polacos con los Bellamy, por amor de Dios».

El silbato volvió a sonar. Philip se agarró a la barra de seguridad y se obligó a subir al tren y dirigirse al asiento. Dejó la bolsa en el portaequipajes superior y se sentó frente a los Lightsey.

Los padres de Pamela eran las últimas personas a las que deseaba ver. En realidad, no quería ver a nadie. Sólo quería ocultarse en un lugar oscuro y lamerse las heridas.

En vez de eso se encontraba frente a frente con los mejores amigos de sus padres, el señor y la señora Lightsey, quienes tenían buenas razones para creer que muy pronto las dos familias estarían unidas por lazos conyugales.

Afortunadamente, no parecieron notar nada extraño en la actitud de su futuro yerno. Al parecer, un corazón roto y la más profunda agonía no tenían por qué manifestarse en el comportamiento de cara al exterior. Oyó a alguien hablar de Yale y de sus planes de futuro. Y entonces se dio cuenta de que era él mismo quien estaba hablando. La señora Lightsey, quien insistía en que la llamara Gwen, le sonrió mientras su elegante figura se mecía con el suave traqueteo del tren. Llevaba un bonito reloj de oro, un anillo de diamante y un collar de perlas.

Philip se recostó en el asiento y adoptó una expresión de falso interés mientras fingía escuchar a los Lightsey.

—No podríamos estar más contentos por la situación —declaró ella.

—Sí, señora —no sabía qué más decir.

—Pamela se va a llevar una gran alegría al verte —concluyó la señora Lightsey.

Philip sonrió, porque tampoco sabía qué otra cosa podía hacer.

—Sí, señora —repitió.

Me dormí y soñé que la vida era hermosa.
Me desperté y descubrí que la vida era deber.

Ellen Sturgis Hooper. Poetisa estadounidense.

23

—Fue la última vez que vi a Mariska —explicó el padre de Olivia con voz cansada y cargada de consternación—. Nunca más volví a saber de ella.

—Increíble —murmuró Olivia, intentando imaginarse a su padre, joven y desesperado al perder a la chica que amaba—. Si tanto la querías, ¿por qué no intentaste contactar con ella? ¿Por qué te subiste al tren?

Su padre se frotó las sienes, como si le doliera la cabeza.

—Supongo que la conmoción me impidió reaccionar. Y había algo en ella que me convenció de que estaba hablando en serio. Naturalmente, cuando volví a la universidad la llamé una y otra vez, le escribí un montón de cartas, le envié un telegrama, incluso fui a Avalon un fin de semana. Finalmente su madre me dijo que Mariska se había marchado y que desistiera de intentar localizarla.

—¿De modo que la madre de Mariska estaba al corriente de todo?

—Tal vez. No lo sé. Y supongo que nunca sabré si Mariska sabía que estaba embarazada o si sólo estaba rompiendo conmigo —sacudió tristemente la cabeza—. Debería haberme creído las cosas que no dijo. Su lenguaje corporal, sus nervios, sus uñas mordidas…

A Olivia le daba vueltas la cabeza. Su padre no estaba entrando en detalles, pero era evidente que había estado enamorado de Mariska Majesky.

—Entonces, ¿te quedaste con mamá sólo para compensar tu pérdida?

—No fue exactamente así —dijo él, mirando el cielo por la ventana—. No estoy orgulloso de lo que hice, y ser joven no justifica que fuera un estúpido.

—¿Qué le dijiste a mamá cuando volviste a verla?

—Le dije que deberíamos romper nuestro compromiso. Que no estaba seguro de seguir queriéndola.

—¿Que no estabas seguro, dices? —explotó Olivia—. Tuviste todo el verano para pensar en ello. ¡Deberías haberlo sabido cuando hablaste con ella!

—Lo sabía —admitió él.

Olivia miró la foto y hizo una mueca de dolor. Lo que más daño le hacía no era que su padre hubiese estado con otra mientras estaba comprometido con su madre. Lo que más le dolía era lo feliz que su padre había sido con Mariska. Olivia nunca lo había visto tan feliz como parecía en aquella foto.

—Dime qué estás pensando, cariño —le pidió él.

—Es mejor que no lo sepas.

—Por favor —insistió su padre—. Ya son demasiados secretos.

—Muy bien —aceptó ella—. Si quieres saberlo, te diré que cuando miro esta foto siento envidia. Me habría gustado que hubieses sido igual de feliz con mamá.

—Estás sacando demasiadas conclusiones a partir de una simple foto —observó su padre—. Cuando se es joven todo parece fácil y maravilloso, con la vida entera por delante —puso su mano sobre la de Olivia—. Durante mucho tiempo tu madre y yo intentamos que funcionara.

Olivia retiró la mano. A pesar del calor veraniego, los dedos de su padre estaban fríos.

—¿Qué hizo mamá cuando le dijiste que querías romper el compromiso? ¿Te obligó a casarte con ella? No lo entiendo, papá. Hay algo que me estás ocultando.

Su padre volvió a mirar por la ventana.

—Tu madre no se mostró… dispuesta a romper el compromiso. Insistió en que siguiéramos actuando como una pareja en la universidad. Sólo por unos días, me dijo. Pero luego las cosas cambiaron y todo fue mejor entre nosotros. Recordé por qué había empezado a salir con ella al principio. Tu madre era, y lo sigue siendo, muy hermosa e inteligente.

—Y estaba disponible —añadió Olivia.

—En aquellos días me resultaba insoportable la idea de estar solo.

—Es mejor estar solo que estar con la persona equivocada.

—Eres más lista de lo que yo fui —dijo él, mirándola a los ojos—. Escucha. Siento que tus relaciones no hayan funcionado y que hayas sufrido, pero me siento muy orgulloso de ti. Fuiste muy valiente al acabar lo que no tenía futuro y esperar algo real y permanente.

A pesar de su enfado, Olivia recordó las alentadoras palabras de su padre el día que ella rompió con Rand. «Hay una clase de amor que puede salvarte la vida. Es como el aire que respiras, y cuando se acaba no hay dolor que pueda compararse, Livvy».

Y ahora, finalmente, sabía que su padre había hablado por experiencia. Él había amado una vez de esa manera, sólo que el objeto de su amor había sido una mujer desconocida. Mariska Majesky.

—Quería que tu madre fuera feliz —dijo él—. Quería merecerla. Era lo que más deseaba en el mundo. A veces, si deseas algo con todas tus fuerzas, puedes hacer que se cumpla.

—Dios. ¿Es que no habías aprendido nada? —preguntó ella—. ¿Y mamá tampoco? Os casasteis en diciembre de 1977. ¿Por qué tanta prisa? Los dos erais jóvenes, teníais que acabar los estudios… —se interrumpió al ver como su padre miraba hacia el techo—. Tienes que decírmelo, papá. Ya son demasiadas cosas las que sé.

Él dudó por unos segundos y respiró hondo. Parecía haber envejecido de repente.

—También es la historia de tu madre.

—Y la mía, maldita sea —exclamó Olivia—. Merezco saberlo —no entendía por qué su padre estaba protegiendo a su madre.

—Tu madre nunca supo lo que debía saber.

—No me obligues a llamarla. No le hagas esto…

Su padre volvió a tomar aire.

—Había… un bebé.

La confesión dejó anonadada a Olivia.

—¿Qué?

—Tu madre y yo estábamos intentando arreglarlo. Creíamos que lo nuestro podría funcionar. Ella estaba… embarazada cuando nos casamos. Nadie supo por qué adelantamos la fecha de la boda. Sería un nacimiento prematuro, pero estábamos muy contentos —juntó las puntas de los dedos y miró al espacio que quedaba entre sus manos—. Entonces, dos semanas después de la boda, Pamela tuvo un aborto. Fue un golpe muy duro para ambos.

Olivia se lo podía imaginar. Su matrimonio se había levantado sobre la más inestable de las bases: un joven desgraciado y con sentimiento de culpa y una mujer ambiciosa y decidida á formar la pareja ideal. Seguramente habían depositado todas sus esperanzas en el bebé, y al perderlo no habían podido hacer otra cosa que intentar mantener las ruinas de su matrimonio.

—¿Sabes, papá? No creo mucho en el karma o el destino, pero deberías haber interpretado aquel aborto como una señal.

—¿Una señal de qué? ¿De qué nunca debimos casarnos, o de que debíamos intentarlo con más ahínco? —dejó escapar un suspiro—. Querías saber lo que pasó y te lo he contado. Ojalá el matrimonio hubiera salido mejor, pero no me arrepiento en absoluto, porque gracias a ello te tuve a ti.

Olivia sintió una punzada de emoción a pesar de su enojo, y se obligó a recordar por qué estaba allí.

—Y gracias a tu aventura con Mariska tuviste a Jenny Majesky.

Una expresión de tristeza y pesar ensombreció el rostro de su padre.

—¿Qué vas a hacer al respecto?

—Lo primero, darte las gracias por habérmelo contado.

—¿Por qué no habría de contártelo?

—Eres hija única. Mi única heredera. Una hermana lo cambia todo.

Olivia soltó una breve carcajada. Sentía demasiadas emociones enfrentadas. Resentimiento porque sus padres le hubieran ocultado la verdad. Envidia porque su padre hubiera sido más feliz con otra mujer. Y miedo porque la existencia de otra hija estaba sacudiendo los cimientos de la suya propia. Pero no por las razones que su padre creía.

—Te aseguro que mi herencia es lo último que se me pasa por la cabeza. Y aún no has respondido a mi pregunta.

—Tengo mucho que hacer —dijo él—. Tengo que ir a Avalon y comprobar que efectivamente soy su padre biológico. Y tengo que averiguar dónde está Mariska. ¿Y si a Jenny la crió otro hombre de quién está convencida que es su padre?

—Por lo que he podido averiguar hasta ahora, parece que la criaron sus abuelos.

—Tal vez, pero es posible que crea que es la hija de otro hombre. ¿Qué pasaría si me presento de repente?

Quiero hacer lo correcto, pero no quiero hacer más daño del que ya he hecho.

Olivia asintió.

—¿Por qué siento la necesidad de tomar un trago?

Su padre se levantó y fue hacia el bar.

—Deben de ser las cinco en punto en alguna parte.

24

—Mi padre me tiene harta —le murmuró Daisy a Julian.

Los dos se habían pasado la mañana esparciendo guijarros sobre el sendero que conducía al muelle. De esa manera los invitados al aniversario tendrían un camino nuevo por donde caminar.

Daisy se preguntó si alguien se daría cuenta de que Julian había descargado al menos una docena de carretillas llenas de piedras para que ella las esparciera con el rastrillo. Habían trabajado muy rápido, pues querían acabar antes del almuerzo.

—Tal vez te sorprenda —dijo Julian. Arrojó la pala y los guantes en la carretilla y tomó un largo trago de agua.

Tenía la camiseta empapada de sudor y los shorts caídos, con los bolsillos llenos de Dios sabía qué cosas. Los chicos tenían muy buen aspecto cuando estaban polvorientos y sudorosos, pero las chicas no. Olivia se sentía sucia e irritada.

—Por Dios, ya tengo diecisiete años —dijo—. ¿Cuándo podré dejar de pedir permiso para todo? —

entonces vio el rostro de Julian mientras cerraba la botella y se encogió de vergüenza—. Lo siento, Julian —no sabía qué más decir.

—¿Por qué lo sientes? —le preguntó él, mirándola con los ojos entornados.

Tenía unos ojos preciosos, de un color verde oliva que contrastaba hermosamente con su piel morena.

—Por quejarme de mi padre. Olivia me contó lo que le había pasado a tu padre y... Lo siento mucho, de verdad.

Él asintió, pero su expresión era inescrutable.

—Tranquila. Si mi viejo estuviera por aquí, yo también me quejaría de él.

Ella se quitó los guantes y los arrojó a la carretilla.

—Eres demasiado bueno para ser cierto, ¿lo sabías?

Julian se echó a reír.

—Nadie me había dicho nunca algo así. Ni nada parecido.

—Eso es que nadie te ha visto nunca como yo —replicó ella, frotándose las manos contra los vaqueros. Sintió un impulso casi irresistible de tocar a Julian, pero no lo hizo. Le gustaba ser su amiga y no quería estropearlo todo por culpa de un rollo—. Si alguna vez quieres hablar o lo que sea... se me da bien escuchar.

—Eso es cierto —corroboró él—. Se te da bien escuchar.

—¿Te sorprende?

Él volvió a reírse.

—Bueno... mírate.

Daisy sabía a lo que se refería. Cuando los chicos la miraban sólo veían a una rubia de grandes pechos a la que le gustaba divertirse. Muy pocos se molestaban en mirar más allá. Dejó el rastrillo y el resto de herramientas en la carretilla y Julian la empujó por el nuevo sendero. La gravilla emitió un agradable crujido bajo sus pies.

—¿Estás seguro de que quieres hacer esto? —le

preguntó ella mientras lo guardaban todo en el cobertizo.

—Desde luego.

Ella lo observó con interés. En otras circunstancias quizá se habría permitido enamorarse de él, pero no ahora, cuando su familia se estaba desmoronando. En aquellos momentos, no se gustaba ni a sí misma.

—Muy bien. Vamos a preguntárselo a mi padre.

Encontraron a su padre y a Max plantando flores entre dos cabañas.

—Papá —lo llamó ella—. El señor Davis va a llevarnos a Kingston a… ¿Qué estás haciendo?

Greg se enderezó, se quitó la gorra de béisbol y se secó el sudor de la frente.

—Estamos plantando un jardín conmemorativo.

Daisy miró a su padre y luego a Max, quien imitó a su padre quitándose la gorra y secándose la frente.

—¿Conmemorativo de qué?

—De Bullwinkle —respondió Max—. Y de Yogui y todos sus amigos.

—Las cabezas de animales —aclaró su padre.

—¿Habéis enterrado las cabezas que estaban en el vestíbulo?

—Sí, y estamos plantando photinias y salvia —dijo Max.

—Las cabezas le daban miedo —explicó su padre.

—A mí también me daban miedo —dijo Julian, chocando los cinco con Max.

—Le daban miedo a todo el mundo —corroboró Daisy. Nunca le habían gustado los ojos vidriosos y muertos, los colmillos afilados, la piel apolillada de un alce o un lince disecados—. Pero, ¿por qué no las habéis tirado a los contenedores de basura?

—Les hemos dado un entierro digno —dijo su padre—. Como muestra de respeto.

Un rasgo especial de su padre era que nunca dejaba de sorprenderla.

—Está bien… ¿Podemos ir a Kingston?

—¿Qué hay en Kingston?

Daisy estaba harta de que la sometiera al tercer grado.

—Papá…

—Señor —intervino Julian—. El señor Davis, el padre de Connor, se ha ofrecido a llevarnos a Kingston porque allí hay una oficina de reclutamiento de la fuerza aérea. Estoy pensando en alistarme en la academia militar.

Daisy casi soltó una carcajada al ver la expresión boquiabierta de su padre. Estaba tan acostumbrado a ver a sus amigos gandules e indolentes que no sabía cómo comportarse con un chico que mostrara un mínimo de iniciativa.

—Bueno… —dijo—. Supongo que es un propósito encomiable.

—Fue Daisy quien me dio la idea —admitió Julian—. Nunca había pensado en ir a la universidad, pero quizá haya un modo de hacerlo.

—Buen trabajo, Daisy —la alabó su padre—. ¿Y qué hay de tus propios planes para la universidad?

—Sabía que iba a salir el tema —murmuró ella.

—¿Y?

—Y por si lo has olvidado, un requisito indispensable para graduarse en el instituto al que me has mandado es entrar en la universidad.

—¿Indispensable?

—Bueno, casi.

—Estupendo. En ese caso tal vez no me queje demasiado por los gastos de matrícula.

Cuando fue a recoger a Olivia aquella tarde, Connor vio que ella y su padre lo estaban esperando en el vestíbulo del edificio. De lejos parecían los típicos residentes WASP de Upper East Side, la clase más privilegiada de la sociedad estadounidense. Pero cuando se acercó pudo ver que los ricos no eran tan distintos a los demás, después de todo. Al igual que el resto del mundo cometían fallos, se hacían daño unos a otros y ocultaban secretos.

Philip era un hombre alto y delgado, conservaba todo su cabello y llevaba zapatos caros. Connor apenas lo recordaba mientras Olivia hacía las presentaciones. Sólo lo había visto una o dos veces de niño, cuando se celebraba el Día del Padre en el campamento.

—Te agradezco que hayas traído a Olivia a la ciudad —le dijo Philip.

—Ha sido un placer —respondió Connor. Se sentía incómodo y sin palabras. ¿Qué se le decía a un hombre que acababa de descubrir que tenía otra hija? ¿Enhorabuena? Bellamy no parecía estar precisamente entusiasmado.

—Olivia me ha dicho que estás haciendo un gran trabajo en el campamento. Mis padres estarán encantados.

—Eso espero.

—Deberíamos irnos, si queremos evitar los atascos —sugirió Olivia, y besó a su padre en la mejilla—. Estaremos en contacto, ¿de acuerdo?

—Claro, cariño. Gracias por venir. Te quiero.

—Yo también te quiero, papá.

Connor la ayudó a subir al coche y él se sentó al volante. Ver a Olivia en aquel mundo de conserjes y puertas de servicio le recordaba las diferencias entre ellos. Olivia se había convertido en la mujer que quería ser, resuelta y privilegiada, y él se preguntó por qué no parecía especialmente contenta. La charla con su padre debía de haber sido muy intensa, de acuerdo, pero no era tan horrible descubrir que un padre tenía un pasado.

Esperó hasta llegar a Jersey y dirigirse hacia el norte para romper el silencio.

—Háblame.

—Ahora no —respondió ella, mirando al frente.

—Deberías hablar —insistió él. Sabía de primera mano que callarse nunca servía de nada—. ¿Tu padre y tú siempre os despedís de esa manera?

—¿De qué manera?

—¿Siempre os decís que os queréis, o sólo es en ocasiones especiales como hoy?

—Es una costumbre. ¿Por qué lo preguntas?

—Por nada. Simplemente me pareció un bonito detalle. En mi familia no se habla así.

—¿Nunca le expresas tu amor a tus seres queridos?

Connor se echó a reír.

—Cariño, en mi familia no se entiende ese concepto.

—¿Te refieres a quererse o a decirlo?

—Nunca lo he dicho —confesó él, concentrándose en la carretera.

—¿Nunca has dicho «te quiero»?

Maldición, pensó él. ¿Por qué demonios había tenido que sacar el tema?

—¿Nunca has querido a alguien o simplemente no lo has dicho? —insistió ella.

—Supongo que ambas cosas.

—Eso es muy triste.

—A mí no me lo parece. Lo veo como algo normal.

—¿Te parece normal no querer a tu familia?

—Lo dices como si fuera una especie de sociópata —murmuró él. ¿Y cómo demonios habían acabado hablando de su propia familia?

—No era mi intención. Y además, no te creo. Para ser alguien que dice no querer a su familia, has hecho muchas cosas que demuestran lo contrario.

Él volvió a reírse y ninguno de los dos volvió a decir nada. Connor sintonizó la radio hasta encontrar una emisora de su agrado y se reprendió a sí mismo por haber permitido que la conversación se le escapara de las manos. Nunca hablaba con nadie de la manera que hablaba con Olivia Bellamy.

El silencio se prolongó durante veinte kilómetros, hasta que finalmente Olivia pareció lista para hablar de lo sucedido. Se giró de costado, puso una pierna en el asiento y apoyó el codo en el respaldo.

—Mi padre tuvo una aventura mientras estaba comprometido con mi madre, y tuvo una hija de la que nada sabía hasta hoy. Luego, en vez de romper con mi madre, la dejó embarazada y tuvo que casarse con ella, pero mi madre sufrió un aborto. Acabo de enterarme, así que perdóname si no estoy muy locuaz.

Connor intentó no distraerse por la pierna desnuda que había apoyado en el asiento y se obligó a concentrarse en lo que estaba diciendo sin mostrar ningún tipo de asombro o crítica. Siempre había creído que la gente como su madre cometía errores imperdonables porque carecían de educación y oportunidades. Pero Philip Bellamy era la prueba de que las peores equivocaciones traspasaban las barreras de la riqueza, la educación y las clases sociales. Incluso un genio como Louis Gastineaux podía jorobarlo todo.

—Lo siento —le dijo a Olivia. Ella no tenía la culpa de nada, y sin embargo era quien más estaba sufriendo—. Quiero que sepas que todo esto me importa, y si puedo ayudarte de alguna manera, soy todo oídos.

—Espero haber hecho lo correcto. Quiero decir, Mariska nunca se puso en contacto con mi padre ni le dijo una sola palabra sobre Jenny. Puede que tuviera una razón.

—Lo hecho hecho está. Ahora el problema es de tu padre, no tuyo... Y si me lo permites, vamos a hacer una parada en Phoenicia —dijo, desviándose de la carretera principal.

Con sus tiendas de antigüedades y curiosidades, el pequeño y pintoresco pueblo atraía a muchos turistas y coleccionistas.

—Sé que estás intentando distraerme para que me sienta mejor —dijo Olivia.

—Demándame, si quieres —dijo él mientras aparcaba. Salió del coche y lo rodeó para abrirle la puerta.

—Gracias, pero no va a servir de nada.

—Claro que sí, si haces un pequeño esfuerzo.

Ella agarró su bolso y esbozó una sonrisa forzada.

—¿Por qué lo haces?

—Dijiste que querías unos adornos para el comedor y unas sillas nuevas para la recepción —le colocó la mano en el trasero y la llevó hacia un viejo granero rojo reconvertido en un mercado de artesanía.

—No dije que las necesitara para hoy, pero… —se calló al ver los puestos de coleccionistas y artesanos que compartían el inmenso local—. Es increíble —dijo, examinando una colección de lámparas antiguas—. Es exactamente lo que necesito. Dios… ¿cómo se puede ser tan patética? Acabo de descubrir que mi padre tiene otra hija y basta una lámpara de hierro forjado para hacerme sentir mejor.

—No seas tan dura contigo misma. Tu padre cometió muchos errores, pero sigue siendo tu padre y vendrá al campamento la semana que viene. Lamentándote no ayudarás a nadie.

Ella respiró hondo, como si se dispusiera a acometer una dolorosa tarea.

—De acuerdo.

Encontraron todo tipo de objetos, desde ruecas antiguas hasta gnomos para el jardín. Había un puesto enteramente dedicado a elementos arquitectónicos, y una escalera de caracol conducía a un desván con pósters antiguos de las Catskills.

Olivia compró varios de ellos, y aquello fue sólo el principio. Connor pudo ver por fin a la verdadera Olivia Bellamy, una auténtica profesional, fundadora de su propia empresa y agresiva mujer de negocios. Se presentó a sí misma como comerciante y en muy poco tiempo había adquirido varias lámparas, apliques y una mesa de troncos de pino, y había encargado muebles de mimbre y una hamaca para el porche del loft que les estaba preparando a sus abuelos. Incluso encontró el libro de registros de un hotel, con las tapas de cuero y cuya última entrada databa de 1929. La vendedora tomó nota de todo y se encargó de preparar el envío.

—Estás muy sexy cuando te comportas así —comentó Connor.

—Nada como un poco de terapia consumista cuando descubres la vida secreta de tu padre —dijo ella. Intentaba mostrarse animada, pero Connor percibió su fragilidad en el temblor de sus labios.

—Todo eso pertenece al pasado —dijo, intentando aliviarla de su dolor—. Tu familia y tú lo superaréis, ya lo verás.

—¿Por qué insistes en hacerme sentir mejor?

—Porque no puedes cambiar lo que has averiguado hoy. Y porque me gustas.

—Te gusto —repitió ella.

—Eso he dicho.

—¿Cómo?

—¿Qué?

—¿Cómo te gusto? ¿Como una persona por la que sientes lástima? ¿Como una compañera de trabajo durante el verano? ¿Como una ex novia por la que aún sientes algo?

—Casi. Como una ex novia por la que siento algo nuevo —muy bien. Ya lo había dicho. Seguramente no era el mejor momento, pero quería dejarlo claro cuanto antes.

—«Algo» es un concepto muy amplio —dijo ella con expresión desconfiada.

—Eso es lo que les gusta a los hombres... Poder interpretarlo o malinterpretarlo de muchas maneras.

—Entiendo. Así que, cuando me rompas el corazón, diré que creía que me habías dicho que me amabas y tú podrás negarlo, alegando que sólo habías dicho sentir «algo» por mí.

—Estás dando por hecho que voy a romperte el corazón.

—Y tú estás dando por hecho que no lo harás.

Connor se pasó una mano por el pelo e intentó armarse de paciencia.

—Cuando te he dicho que sentía algo por ti, quería decir exactamente lo que tú crees que significa.

Olivia miró rápidamente a su alrededor, como si temiera que alguien pudiera oírlos. Dos mujeres que estaban mirando las etiquetas de unas cajas de frutas habían juntado sus cabezas y cuchicheaban entre ellas. Otras tres mujeres estaban examinando unos manteles antiguos a unos puestos de distancia. Un hombre de edad avanzada se alejó apresuradamente, como si temiera que lo pusieran de testigo.

—Hablaremos de esto en otro momento —dijo Olivia, poniéndose colorada.

Pero a Connor le importaba un bledo quién estuviera escuchando.

—Hablaremos ahora. Son mis sentimientos. Yo elijo cuándo hablar de ellos.

—Tal vez podríamos discutirlo en el coche…

—Ahora —insistió él, irritándose por momentos. La preocupación de Olivia por lo que pensaran los demás era lo que se había interpuesto entre ellos la vez anterior—. Es muy simple. Cuando digo que siento algo por ti, quiero decir que estoy pensando en ti todo el tiempo. Me pregunto cómo sería volver a abrazarte. Cada vez que oigo una canción triste por la radio me parece que habla de nosotros. Basta con una bocanada de tu perfume para excitarme, y no puedo dejar de pensar en…

—Para —lo detuvo ella en voz baja y apremiante—. No puedo creer que me estés hablando así en público. Cállate de una vez.

—Oh, no, no, por favor —murmuró una de las mujeres que miraba los manteles—. Que no se calle.

Connor intentó no sonreír. Todo aquello empezaba a parecerle muy divertido.

Pero Olivia no parecía estar disfrutando mucho, a juzgar por el rubor de sus mejillas.

—¿Qué hace falta para hacerte callar? —le preguntó ella.

Él extendió los brazos con las palmas hacia fuera y se rindió a la necesidad.

—Dame algo que hacer con mi boca.

Entonces ella lo sorprendió, y posiblemente a sí misma también, al tomar la cabeza entre sus manos y besarlo en la boca. Sabía a gloria, pero Connor sintió que se retiraba demasiado pronto. Así que la rodeó firmemente con sus brazos y aumentó la intensidad del beso hasta vencer la resistencia inicial de Olivia. Se habría quedado así todo el día, besándola en aquel granero tenuemente iluminado, pero al cabo de un rato ella se apartó con fuerza y lo miró. Parecía haber olvidado dónde se encontraban y lo que pudiera pensar la gente.

—Supongo que ya has obtenido tu respuesta —dijo él, retomando la conversación como si ni la hubieran interrumpido.

—¿Qué respuesta?

—A lo que siento por ti.

25

A Olivia le daba vueltas la cabeza al salir detrás de Connor. No podía creer lo que había hecho. Lo había agarrado y lo había besado en un lugar público... ¿Cómo había sido capaz de algo así?

Se mantuvo en silencio todo el trayecto hasta Avalon. Aunque no confiaba en sí misma para hablar, sabía que ella también sentía algo por él. Pero no sabría cómo definir esos sentimientos, más allá de una irresistible atracción sexual.

Entraron en el pueblo y recorrieron sus calles vacías. La estación y la plaza estaban iluminadas con focos de manera artística y sofisticada, y los hostales atraían a su cálido y acogedor interior con letreros luminosos en las ventanas.

—Parece que este lugar se recoge temprano —observó Olivia.

—Eso parece.

—La verdad es que no debería importarme. Casi todas las noches me voy pronto a la cama —una costumbre que molestaba bastante a Rand, a quien le encantaba frecuentar los bares y locales nocturnos hasta bien entrada la noche, donde mantenía ruidosas y absurdas charlas con sus conocidos mientras hermosas camareras les servían una copa tras otra. Al día siguiente, no recordaba nada de esas conversaciones.

Pasaron por delante de la pastelería Sky River. Un pequeño foco iluminaba el letrero de la puerta, y a través del escaparate podía verse el parpadeo de una luz de seguridad entre las cafeteras y las vitrinas.

—No entiendo por qué hay una alarma antirrobo en una pastelería —dijo Olivia—. Y menos estando tan cerca de la joyería Palmquist. Si yo fuera una ladrona, iría por las joyas, no por las rosquillas.

—Se ve que nunca has probado un pastel de arce de Majesky.

—¿Son buenos?

—Mejor que un orgasmo —dijo él, mirándola.

Olivia se estremeció de emoción. Era indudable que Connor se estaba insinuando.

Las luces de Avalon desaparecieron tras ellos mientras subían por la montaña. Pasaron por delante de unas cuantas granjas con las luces encendidas, recorrieron un largo trecho a oscuras y llegaron al desvío que conducía a la caravana de Connor. Estaba señalado por luces reflectantes en el buzón.

—Hogar, dulce hogar —murmuró él.

—¿Lo echas de menos?

—No. Me gusta alojarme en el campamento. ¿Y tú? ¿Echas de menos la ciudad?

—Pensaba que echaría de menos mi apartamento, pero no es así —admitió ella, intentando saber por qué. ¿Era porque el verano transcurría muy rápidamente y pronto volvería a estar en casa? ¿O quizá porque había encontrado algo mejor?

La camioneta pasó lentamente junto al desvío.

—Nunca he visto tu casa —comentó ella.

«Por Dios, Olivia. ¿No podías ser más descarada?».

—¿Te gustaría verla?

—Nunca he visto una caravana por dentro.

—En ese caso, no tengo elección —dijo él, frenando en medio de la carretera y metiendo marcha atrás—. Es una cuestión de honor.

—Bien dicho —afirmó ella, sonriendo en la oscuridad.

El pulso se le aceleró cuando Connor giró el vehículo en el camino de grava, aunque intentó convencerse a sí misma de que sólo estaba satisfaciendo su curiosidad sobre la caravana Airstream.

Connor detuvo la camioneta y apagó el motor, y antes de que ella pudiera salir, él estaba abriéndole la puerta y tendiéndole la mano. Su tacto era delicioso. Fuerte y sólido. Con aquel hombre podía sentirse tranquila y segura, como si nada malo pudiera ocurrirle estando en su compañía.

Connor abrió la puerta y encendió la luz. Olivia pasó al interior y vio que todo estaba limpio y ordenado. En la cocina había una mesa, armarios, un hornillo de dos fuegos y una pequeña nevera. En el área de descanso había otra mesa y un banco acolchado frente a un televisor y un equipo estéreo en un estante. Un estrecho pasillo con más armarios conducía seguramente al dormitorio.

Olivia se quedó impresionada por la espartana pulcritud de la vivienda. Sintió como él la miraba y sonrió.

—Estaba intentando psicoanalizarte por la forma que tienes de organizarlo todo.

—¿Ah, sí? —se volvió y sacó algo de la nevera—. ¿Y cuál es tu diagnóstico? ¿Asesino en serie? ¿Un travestí?

—Nada de eso. Me licencié en Psicología y sé de lo que hablo.

—¿Entonces?

—Al principio pensé en un neurótico compulsivo, pero no es eso. ¿Ex militar, tal vez?

Él no dijo nada. No era probable que hubiese estado en el ejército, y Olivia se preguntó si su obsesión por el orden sería consecuencia de su caótica infancia. Tal vez, movido por un instinto de conservación, había sido un niño muy organizado y cuidadoso con sus pertenencias, igual que lo era con sus emociones.

Connor nunca le hablaba mucho de su vida pero Olivia no sólo sentía curiosidad. Quería conocerlo como adulto, no como el chiquillo o el adolescente del que había estado enamorada.

—Nunca lo he pensado —dijo él—. Si todo está en su sitio, no hay por qué pensar en nada.

Olivia sospechaba que había otra explicación. Tal vez fuera la única manera de superar el rechazo de su egoísta madre.

—Esa respuesta no dice mucho.

—Tampoco dice mucho que tengas un titulo en psicología. Éste es el propósito de una cita, Lolly. Conocerse el uno al otro.

—Espera un momento... ¿Una cita? ¿Quién ha dicho que esto sea una cita?

—Bueno, es lo que parece... —sacó dos copas de un armario.

—Nos hemos saltado los preámbulos, ¿no crees?

—¿Y quién los necesita? —descorchó una botella de Moscato y sirvió las copas.

Ella tomó un sorbo del vino y se fijó en cuatro fotos enmarcadas que se alineaban en un estante, sobre la mesa. En una de ellas se veía a Connor junto a su padre, los dos frente a una pared de piedra y rodeados de jardines y edificios de ladrillo. Terry Davis parecía muy delgado y demacrado, con la piel pálida y grandes manchas bajo los ojos. Connor lo abrazaba por los hombros y parecía muy joven, como el chico al que había conocido Olivia años atrás.

—¿Dónde es esa foto?

—En un centro de desintoxicación. El último donde estuvo ingresado.

—Me alegro mucho por ti y por tu padre —dijo ella—. Debes de estar muy orgulloso de él.

—Sí, lo estoy —por un momento pareció que él iba a decir algo más, pero entonces pareció cambiar de idea.

Olivia se prohibió hacer más preguntas, pues sabía lo mucho que había sufrido Connor con un padre alcohólico. No era el momento de seguir indagando. Connor consideraba que aquello era una especie de cita, y ella no quería estropearlo todo reabriendo viejas heridas. Pensó en lo diferentes que habían sido sus vidas y en cómo se habían separado. Siempre había creído que aquella brecha la había provocado Connor y el modo que había tenido de tratarla en su último verano juntos, pero no era así. Simplemente, sus caminos habían tomado direcciones distintas. Ella había entrado en la Universidad de Columbia, mientras que Connor se había visto obligado a cuidar de un hombre que supuestamente tenía que cuidarlo a él.

—¿Te gusta el Moscato? —le preguntó Connor.

—Está exquisito —tomó otro sorbo y miró la foto de una hermosa mujer a la que nunca había visto—. ¿Tu madre?

—La misma.

—Realmente se parece a Sharon Stone, como me habías dicho.

Connor no respondió.

La mujer de la foto tenía una expresión misteriosa e inescrutable. Olivia quería saber más sobre ella y sobre la familia destrozada de Connor, pero no sabía cómo preguntárselo, y además, no confiaba en sí misma para decir las palabras apropiadas.

Se reprendió mentalmente por ser una cobarde y señaló un largo rollo de papel que había en el estante.

—¿Son bocetos? —preguntó, intentando cambiar a un tema menos espinoso.

Él dudó un momento y asintió.

—Puedes verlos si quieres.

Ella desenrolló los planos con curiosidad y sujetó los bordes con el salero y el servilletero.

—Son planos de una casa —observó.

—En otoño empezaré a hacer los cimientos —dijo él—. Y espero haber acabado para dentro de un año.

Finalmente Olivia lo entendió. La caravana era sólo temporal. Connor iba a construirse su propia casa, en aquel mismo terreno. Los planos y bocetos mostraban una casa en la cima de la colina, rodeada por un porche con vistas al lago. La construcción de madera y piedra tenía un encanto antiguo que armonizaría a la perfección con el entorno.

—Es preciosa —dijo Olivia, examinando el plano de la cocina y el salón.

—Gracias.

—¿Qué es esto? —preguntó, señalando una parte del plano.

—Una terraza acristalada. Será la biblioteca.

Olivia distinguió las librerías y la forma irregular de un piano.

—Te sigue gustando la música, ¿verdad?

—¿A ti no?

—No tanto como debería —iba a explicarle que en su pequeño apartamento no había espacio para un piano, pero la verdadera razón era que su trabajo no le dejaba tiempo para la música. Sentía un extraño anhelo al ver la casa que Connor quería construir—. ¿Cuatro dormitorios?

—Nunca se sabe.

Ella se mordió el labio para no preguntarle lo que quería saber: por qué no había nadie especial en su vida con quien compartir aquel proyecto. Había muchas cosas que la sorprendían de Connor, pero lo más sorprendente de todo, incluso lo más escalofriante, era que aquellos planos reflejaban lo mismo que Olivia quería para ella. Tal vez sus sueños no fueran muy originales, pero era muy emocionante que Connor los hubiera plasmado inconscientemente en un papel.

—Te has buscado a un buen arquitecto —dijo tontamente.

—No, no he buscado a ningún arquitecto. Éstos son mis planos originales.

Olivia volvió a examinarlos. Estaban trazados con una precisión milimétrica, como si los hubiera realizado un arquitecto profesional con un don especial para el diseño.

—No pongas esa cara de asombro, Lolly —dijo él, riendo—. Hay un estudio de arquitectura en el pueblo que me permite usar sus instrumentos. ¿Tan increíble es que sea autodidacta?

Otra vez. Había vuelto a subestimarlo sin darse cuenta, al permitir que su expresión reflejara lo que pensaba de él. Connor había crecido como un niño pobre, producto de un hogar destrozado, hijo de un borracho y una madre indiferente. La vida no lo había tratado bien, y sin embargo se había hecho a sí mismo, había montado su propia empresa y tenía un talento innato que la mayoría de arquitectos se pasaban años luchando por adquirir.

Se sintió vagamente avergonzada. Aun sabiendo lo que sabía de él, había seguido viéndolo como un motero que vivía en una caravana. No se había molestado en mirar más allá de la superficie.

—Estoy intrigada, lo admito.

—Bien —respondió él—. Quítate la ropa.

—¿Qué? —preguntó ella, sintiendo como le ardían las mejillas.

Él se echó a reír.

—Sólo quiero comprobar una cosa.

—¿El qué?

—Si estar intrigada es suficiente.

—No tiene gracia.

—Pero estás intrigada.

—¿Y qué?

—Es un comienzo.

—¿Un comienzo para qué?

—Para esto —respondió él, y la besó de un modo suave y relajado, enteramente controlado.

La respuesta de Olivia fue todo lo contrario. En cuanto sus labios se tocaron fue como si una cerilla hubiera prendido un montón de leña seca. Incluso le pareció oír una bocanada de aire, como si sus cabellos estuvieran en llamas. Connor sabía a vino, y ella abrió los labios y le suplicó en silencio que avivara la pasión que ardía entre ambos.

Las manos de Connor le recorrieron los hombros, los brazos y la espalda. Ella se aferró a él con un deseo que nunca había sentido. Necesitaba desesperadamente sentir cada palmo de su piel contra la suya. Aquello era lo que había faltado en sus otras citas y en sus tres romances fallidos. La sensación de que un hombre podía hacerle olvidar todo lo demás y que sus besos y caricias podían transportarla a un lejano lugar de ensueño.

Connor la hizo caminar hacia atrás por el pasillo. La habitación estaba a oscuras, y las lamas de las ventanas dejaban entrar una brisa con olor a pino. Olivia se hundió de espaldas en la cama y mantuvo sus brazos alrededor de Connor.

—Dios —susurró él—. Eres irresistible, Lolly.

Olivia lo deseaba con todo su ser. Deseaba ser tan sexy como él creía que era. Cuando estaba con él no era Olivia, la desgraciada en amores. Estaba ardiendo con una pasión que emanaba de una fuente oculta. Sintió la mano de Connor en su pierna desnuda y descubrió que estaba a punto de tener un orgasmo. Él ni siquiera había empezado a... Sólo le había hecho falta una... Olivia empezó a moverse y a apretarse contra su mano, tierna y escrutadora, deseando que se diera prisa.

—Connor —consiguió pronunciar su nombre—. Por favor...

Entonces él se apartó, se incorporó y encendió un pequeño aplique en la pared.

—Yo... —murmuró en tono arrepentido—. Er... lo siento.

Oh, Dios. La había entendido mal. Y ella no podía ni moverse, pues seguía paralizada por el deseo y el embrujo sexual de Connor. Debía parecer una ramera, tendida boca arriba en la cama y con la falda por los muslos.

—¿Lo sientes?

—Me dejé llevar —dijo él—. Olvidé que... —sacudió la cabeza y esbozó una sonrisa avergonzada—. Esto no está bien. No quiero aprovecharme de ti. Lo siento —repitió mientras la agarraba de la mano y la ayudaba a levantarse.

A Olivia se le habían fundido los huesos y sus rodillas no podían sostenerla. Se derrumbó contra él, completamente aturdida por sus besos. ¿Cómo podía sentirlo Connor? Era ella la que se había dejado llevar, y quería gritar de frustración.

Él la sostuvo brevemente, con una mano sujetándole la cabeza contra su pecho. El corazón le latía desbocado, y Olivia deseó que volviera a besarla. El efecto de los primeros besos se estaba mitigando y quería volver a caer bajo su hechizo.

Mientras intentaba pensar en la manera de pedírselo, él la soltó y se dio la vuelta. «Espera», quiso decirle. «La cama está aquí. Yo estoy aquí...».

Pero no pudo decirle nada. En vez de eso se sentó en la cama, envuelta en una niebla que le impedía comprender por qué la había apartado. Tal vez Connor había olvidado a quién estaba besando realmente. Tal vez había olvidado que era Olivia Bellamy, la chica de la que todo el mundo se reía. Tal vez había algo en su sabor o en su aliento que recordó el pasado a Connor y lo acució a separarse. Y una parte de ella, una gran parte, aún seguía anclada en el pasado.

—Hey —susurró—. ¿Qué pasa?

—Lo siento, Olivia. No volverá a pasar.

Ella quiso preguntarle qué le había hecho cambiar de opinión, por qué había pasado de cero a ciento veinte y luego otra vez a cero en menos de un minuto. Entonces se dio cuenta de que no quería saberlo. Ya había oído todo tipo de explicaciones en sus tres relaciones pasadas. «Eres una chica maravillosa, Olivia, pero...». Y cuando los «peros» se les habían acabado, encontraban un sinfín de maneras a cada cual más original para llenar el silencio. Cuando se trataba de inventarse excusas, los hombres eran especialmente creativos.

26

El calor de agosto golpeó el campamento Kioga como un vendaval de fuego. Daisy, Max y su padre seguían sin pescar una sola pieza, pero al menos disfrutaban de una ligera brisa en el lago cuando salían en canoa. Habían mejorado bastante con los remos y la embarcación se deslizaba rápidamente sobre las aguas. Al volver, después de dos horas probando suerte con los anzuelos, Max enrollaba un cabo alrededor de una cornamusa y subía al muelle mientras su padre mantenía la canoa estable. A Daisy le dolían los hombros por el remo y por arrojar tantas veces la caña. No entendía por qué la gente consideraba la pesca como un deporte.

Frustrada y sudorosa, agarró su cantimplora.

—Voy a darme un baño, papá. ¿Quieres...? —se le quebró la voz al ver la expresión de su padre, y antes de darse la vuelta ya supo lo que vería al final del muelle.

—¡Mamá! —gritó Max, y salió disparado hacia los brazos de su madre.

Daisy miró preocupada a su padre.

—No pasa nada —dijo él—. Ve a saludar a tu madre.

Daisy se acercó lentamente a su madre, intentando contener las lágrimas. Max estaba aferrado a ella como una lapa y enterraba el rostro en su pecho. Su madre parecía totalmente fuera de lugar en la naturaleza. Llevaba unos pantalones plisados, una impecable camisa blanca y el rostro exquisitamente maquillado con el pelo peinado hacia atrás. La campista ejecutiva.

Pero ella también tenía los ojos llenos de lágrimas, y Daisy supo lo que estaba a punto de ocurrir.

—Has venido, mamá —dijo Max, sin darse cuenta de nada—. ¿Verdad que es bonito? Vamos, te lo enseñaré. Hemos estado trabajando y…

—Quiero verlo todo, Max —lo interrumpió su madre—. Pero déjame saludar también a Daisy.

Madre e hija se abrazaron, y Daisy odió sentirse tan incómoda. Cuando era pequeña siempre se derretía en los brazos de su madre, sintiéndose rodeada y protegida por una sensación de cariño y consuelo. Pero ahora era distinto. Todo era distinto. Incluso el pelo de su madre. Lo llevaba cortísimo. Meses antes se había cortado su melena y se la había donado a Locks of Love para apoyar a una amiga que tenía cáncer de mama. ¿Cómo podía ser tan buena amiga y al mismo tiempo una esposa tan desgraciada?

—Hola, nena —le dijo ella al retirarse—. Te he echado mucho de menos.

—Yo también a ti —respondió Daisy, aunque no era exactamente cierto. Lo que echaba de menos era la unión familiar. ¿Qué había sido de las risas, el cariño y la felicidad que compartían bajo el mismo techo? Parecían haberse quedado congelados en otra dimensión, con el ceño fruncido y un torrente de lágrimas que nunca llegaban a derramarse.

Su padre parecía asustado y cauteloso. Unos minutos antes había estado riendo y salpicando agua en la canoa, enseñándoles a sus hijos canciones de campamento.

—Sophie —dijo con voz débil.

—Vamos, mamá, déjame que te lo enseñe todo —insistió Max, actuando como si todo fuera perfecto. La agarró de la mano y se la llevó a recorrer el campamento y a explicarle todos los proyectos que habían hecho para el aniversario de sus abuelos.

La cena estuvo cargada de tensión, aunque todo el mundo se comportó como si la llegada de Sophie fuese un grato acontecimiento. Dare sirvió sandía y fiambre, pero Daisy apenas pudo probar bocado, ni tampoco tuvo ánimos para jugar con los demás a las cartas o al ping pong después de la cena. A Max tampoco parecía apetecerle. Daisy vio a su hermano de pie en la puerta del comedor, mirando hacia la terraza, donde sus padres estaban discutiendo en voz baja. Su madre se abrazaba a sí misma como si le doliera el estómago, y su padre tenía la cabeza gacha.

Daisy fue hacia Max y le puso la mano en el hombro. Él la miró con los ojos muy abiertos y asustados.

—Todo va a salir bien —le dijo ella, apretándole el hombro. Seguramente era mentira, pero no sabía qué más decir. Se aclaró la garganta y abrió la puerta de la terraza—. Vamos.

Sus padres intentaron sonreír cuando Max y Daisy se unieron a ellos, pero los cuatro sabían que era inútil. Su madre los rodeó con los brazos y los apretó con fuerza.

—Lo siento —les dijo—. Lo siento muchísimo. Sois lo que más quiero en el mundo, pero no puedo seguir así —se retiró y los miró a ambos—. Vuestro padre y yo lo hemos estado discutiendo durante mucho tiempo. Tenemos que separarnos.

Aquella noche, los padres de Daisy hicieron café y se sentaron en el pabellón principal a resolver el papeleo que su madre había llevado en un grueso sobre. No sólo estaba abandonando a su padre, sino que iba a vivir en el extranjero, ejerciendo el derecho internacional en La Haya.

—Es para lo que he estado preparándome toda mi vida —explicó—. No puedo dejar pasar esta oportunidad.

«Sí que puedes», quiso decirle Daisy. Las mujeres con familia dejaban pasar oportunidades todo el tiempo, o bien esperaban a que sus hijos ya no las necesitaran. Se mordió el labio para no espetárselo. Ya había demasiada tensión y dolor.

Max preguntó dónde estaba La Haya, y Daisy se lo llevó a la biblioteca para enseñárselo en un atlas. Luego se lo llevó a la cabaña y le estuvo leyendo *La isla del tesoro* hasta que entraron Olivia y Barkis. El perro saltó a la cama y se acurrucó contra Max, y Daisy siguió leyendo hasta que su hermano y Barkis se quedaron dormidos.

Daisy y Olivia salieron de la cabaña y se sentaron en los escalones. Las estrellas salpicaban el firmamento y las luciérnagas brillaban en los matorrales. Una brisa suave soplaba sobre el prado y el lago.

—Tenía más o menos la edad de Max cuando mis padres se separaron —dijo Olivia—. Para mí era el fin del mundo, y durante mucho tiempo estuve completamente perdida.

—¿Qué quieres decir?

—No sabía qué pensar ni qué sentir, y cometí varios errores, como rezar y desear con todas mis fuerzas que mis padres volvieran a estar juntos. Es un deseo normal en un chico, pero si dejas que te consuma, le cierras la puerta a todo lo demás y te condenas a ti misma a la decepción y la amargura. Fue lo que me ocurrió a mí. No quise ver que había cosas mejores después de la separación.

—¿Como qué? —preguntó Daisy, arrancando una brizna de hierba. Quería un cigarrillo, pero sabía que Olivia odiaba el tabaco.

—¿Sabes el ambiente que se respira en tu casa cuando tus padres están juntos e intentan por todos los medios llevarse bien, sólo para que tú no sufras?

Daisy asintió. Conocía aquella insoportable sensación, agobiante y opresiva, el miedo atroz a que un paso en falso pudiera desequilibrar la balanza y derrumbarlo todo.

—Siempre estaba caminando con pies de plomo, como si temiera romper algo —siguió Olivia—. Pero era inútil. Mi familia ya estaba rota. No había sido culpa mía, pero tuve que conformarme con los pedazos rotos, y durante un tiempo lo hice fatal.

—¿Cómo?

—Buscaba el consuelo en la comida y engordé muchísimo.

—¿Tú? Imposible.

—Desde los doce años hasta que entré en la universidad estaba como una vaca.

—No lo recuerdo. Siempre he pensado que eras muy hermosa. Como ahora.

—Eres un cielo —le dijo Olivia—. Pero de verdad tenía un problema de sobrepeso. No era bueno para mi salud, pero nadie me detuvo y no me puse mejor hasta darme cuenta de que me estaba castigando a mí misma. Intentaba protegerme del mundo exterior y no sentir nada, y sólo conseguía hacerme cada vez más daño.

Igual que ella con el tabaco y los porros, pensó Daisy.

—Al empezar la universidad, me puse en manos de un nutricionista y empecé a nadar —hizo una pausa—. No te estoy ayudando, ¿verdad?

—No lo sé —respondió Daisy, encogiéndose de hombros.

Olivia le pasó una mano por el pelo.

—Tú y Max estáis al comienzo de una nueva etapa en vuestra vida. Ojalá pudiera ahorraros el dolor y la confusión que estáis sintiendo, pero así son los divorcios. Lo que sí puedo prometerte es que el dolor pasará y te llevarás más de una agradable sorpresa. Tus padres se están dando una segunda oportunidad para ser felices, y eso no es malo —bajó la mano y le dio una palmadita en la rodilla—. Y no intentes culparte a ti misma, Daisy. Ni a ti ni a nadie. No tiene sentido. Esta noche te sientes peor que nunca, igual que Max. Pero ahora tienes ante ti una nueva oportunidad, una nueva manera de ver a tu familia y tu propia vida. Un nuevo camino a la felicidad. Tienes una madre y un padre que te quieren, y eso es más de lo que muchos chicos tendrán jamás. Y, créeme, es todo lo que necesitas.

27

Durante los días siguientes, Connor hacía de vez en cuando una pausa en el trabajo para tomar aire y recordarse a sí mismo que se encontraba bien y que había hecho lo correcto. La noche que había estado con Olivia en la caravana se había detenido antes de cruzar el punto de no retorno.

Pero había estado a punto de hacerlo. Y si hubiera seguido besándola diez segundos más habría estado perdido. Completamente perdido.

Naturalmente, le habría encantado tenerla en sus brazos toda la noche. Pero en el estado en que se encontraba Olivia aquella noche habría sido una mala idea. Y seguramente Olivia pensaba lo mismo, ahora que el calor del momento se había enfriado. Aquellos días se mostraba más sofisticada y experimentada. Sabía tan bien como él que no había que aprovecharse de la angustia emocional de nadie.

Se sumergió por completo en la reforma del refugio de invierno, que en su día había sido la residencia del fundador del campamento. Se levantaba en un claro del bosque y, según Olivia y Dare, aquélla era la reforma más importante del proyecto, ya que sus abuelos se alojarían allí. Había llegado un cargamento de tuberías y material eléctrico y la instalación comenzaría aquel mismo día. Pero justo cuando empezaba a confiar que no se pasaría el día pensando en Olivia, apareció ella por el sendero, con una gran caja en los brazos y Barkis trotando a sus pies.

Sólo de verla sintió como se le tensaba todo el cuerpo. Parecía tan limpia y fresca como una flor humedecida por el rocío de la mañana. Iba vestida con unos vaqueros y un top, pero... qué top. Gracias a Dios, el cinturón de herramientas de Connor le sirvió para ocultar su reacción corporal.

—Hola —la saludó, intentando parecer natural.

Su mirada debió de traicionarlo, porque ella se detuvo y apoyó la caja sobre la barandilla del porche.

—¿Qué ocurre?

—Nada —respondió él. Agarró la cinta métrica y buscó desesperadamente algo para medir. ¿El marco de la puerta? ¿La distancia entre él y Lolly? ¿La longitud de su erección?

—Me estás mirando —dijo ella.

—Oh, lo siento... Me gusta tu... hum... tu atuendo.

—Vaya, gracias.

Se inclinó para dejar la caja en el suelo y el minúsculo top se elevó unos cuantos centímetros. Y fue entonces cuando Connor lo vio. En su espalda, justo sobre la cintura de los vaqueros.

Tenía un tatuaje. Lolly Bellamy tenía un tatuaje. Y además del tipo favorito de Connor: una pequeña mariposa.

Ahora sí que estaba metido en un buen aprieto. Si hubiera sabido que llevaba un tatuaje la otra noche, no la habría dejado salir de la caravana. Seguramente la habría encadenado a la cama.

—¿Seguro que estás bien? —le preguntó ella al erguirse. Se enganchó los pulgares en los bolsillos traseros y sopló para apartarse un mechón de los ojos.

Connor se preguntó si las mujeres eran conscientes de como se realzaban sus pechos con aquella postura. Lolly tenía que saberlo. Seguro que lo estaba haciendo a propósito.

—Sí, muy bien —respondió. Entonces oyó el ruido de un motor a lo lejos. El equipo llegaría de un momento a otro—. Escucha, Lolly. Sobre lo de la otra noche…

—No tenemos por qué hablar de ello —lo interrumpió ella, levantando una mano.

Aquello sí que era inaudito. Normalmente las mujeres querían analizar hasta el último segundo de una cita, como si estuvieran investigando la escena de un crimen. Y, sin embargo, Olivia parecía dispuesta a olvidarse del asunto.

—De acuerdo —aceptó él—. Sólo quería asegurarme de que sabes por qué no lo… por qué yo no…

—Lo sé. Créeme, lo entiendo.

El ruido del motor aumentó a medida que el vehículo se acercaba al claro. Muy bien, pensó Connor. No insistiría más en el tema. Olivia siempre había sido muy lista e intuitiva, y además tenía un título en Psicología. Sin duda entendía por qué él la había echado de la caravana, incluso cuando ella estaba decidida a quedarse. Los dos sabían que habría sido un tremendo error. Olivia estaba muy afectada y vulnerable después de la revelación de su padre. Si él se hubiera aprovechado aquella noche, ella siempre asociaría la experiencia con el trauma, los secretos y las traiciones. No era la mejor manera de iniciar una relación con una mujer.

Y lo que Connor quería de Olivia Bellamy era una relación. Tal vez volver a enamorarse de ella… pero esa vez como un hombre que conocía bien su camino, no como un chico confuso y asustado.

Aquella idea fue suficiente para reprimir su erección. Justo a tiempo, ya que el capataz y los obreros estaban bajando del camión y descargando el material.

—Discúlpame —le dijo Connor a Olivia, y fue a hablar con ellos.

Pasó más tiempo del necesario repasando la lista con el capataz. Todos eran expertos profesionales y no necesitaban muchas indicaciones, pero Connor se quedó con uno de ellos para ayudarlo a montar una aserradora. En todo momento sintió la mirada de Olivia fija en él, y finalmente se quedó sin recursos para evitarla.

Mientras se limpiaba la grasa de las manos con un trapo, ella entornó la mirada y volvió a enganchar los pulgares en los bolsillos.

—Buen trabajo —le dijo—. Parece que tienes muchos talentos ocultos.

Él volvió a mirarla de arriba abajo. Olivia no estaba ocultando sus… talentos.

—¿Eso crees?

—Sí.

—Tengo muchos más —como, por ejemplo, hacerla gritar al llegar al orgasmo—. Soy afortunado al tenerlos —soltó el trapo y señaló la caja—. ¿Qué tienes ahí?

Olivia adoptó de inmediato una aptitud profesional y sacó una serie de bocetos.

—Ya tenemos los muebles de mimbre y la hamaca para el porche —dijo, abriendo la puerta con el pie—. Freddy va a traer las cosas que compramos en Phoenicia.

La cocina y el salón eran contiguos, con la gran chimenea en un extremo y el horno de leña en el otro. La luz entraba por los ventanales orientados hacia el lago y a través de las ventanas semicirculares que iluminaban el loft superior. En el cuarto de baño principal había una bañera con patas, actualmente cubierta de serrín y telarañas. El dormitorio adyacente estaba casi vacío, salvo por un viejo armazón de troncos. Un colchón y un somier nuevos estaban apoyados contra la pared.

—Quiero que todo quede perfecto para mis abuelos —dijo Olivia.

—La suite nupcial —comentó él.

—No me hagas pensar en eso —lo reprendió ella, azotándolo con su bloc.

—Oh, vamos. Llevan juntos cincuenta años. ¿Crees que una pareja podía aguantar tanto tiempo sin un poco de diversión?

—Estoy segura de que es mucho más que eso.

—¿Segura, dices? ¿Cómo sabes que hace falta algo más que química sexual para que un matrimonio se mantenga unido?

—No digas tonterías. Cualquier pareja puede crear un poco de química.

Sí, pensó él. Como aquella noche en la caravana. Debería haber tomado lo que ella le había ofrecido, en vez de seguir sus principios morales.

—Hace falta mucho más para mantener un matrimonio unido durante medio siglo —insistió ella.

—Te equivocas. Si cada noche son capaces de quemar las sábanas, tendrán todo lo que necesitan para el resto de su vida.

—Eso es una idiotez.

—Sí, soy un completo idiota —admitió él—. Pero no soy yo quien está convirtiendo este refugio en un palacio de lujuria para una pareja de ancianos.

—Vete al infierno, Connor —espetó ella. Siempre había sido muy fácil provocarla.

—Tranquila, Lolly. Arreglaremos este lugar como tú quieres.

—No sé cómo vas a arreglar esta puerta —dijo ella. La puerta del vestidor parecía haber recibido más de una patada.

—No hay problema. La quitaré y ya está. No es necesaria.

—¿Cómo que no?

—Imagina a tu abuela... quiero decir, a la novia... aquí, acicalándose y haciendo todo lo que hacen las mujeres —agarró a Olivia por los hombros y la llevó hacia el viejo espejo sobre el lavabo, instalado en una anticuada encimera de mármol—. Y entonces, el novio se impacienta porque ella está tardando demasiado...

—Espera un momento —lo interrumpió Lolly, mirándolo en el espejo—. ¿Por qué está tardando tanto? ¿Se está lavando los dientes?

—Ni idea. Sólo sé que está tardando demasiado. Como todas las mujeres... —esbozó una media sonrisa—. Entonces el novio empieza a quejarse y a protestar, lo cual no es la mejor manera de excitarse...

—Al fin dices algo con sentido —afirmó ella.

—O bien puede venir a por ella y llevársela a la cama —dijo él, y levantó a Olivia en sus brazos.

Ella ahogó un gemido de sorpresa y se abrazó a su cuello.

—¿Lo ves? Sin una puerta por medio, todo será más fácil —explicó Connor, pasándola por el hueco.

Se quedó de pie, con ella en brazos, junto a la estructura de la cama. Lo único que lo retenía era que no había ningún colchón sobre el armazón de troncos.

En aquel momento entró Freddy en la habitación. A esas alturas parecía resignado a pillarlos in fraganti, de modo que apenas les dedicó una mirada.

—Trabajando duro, por lo que veo. Nunca he conocido a nadie que trabaje tanto como vosotros —dijo, y pasó junto a ellos con el rostro completamente inexpresivo.

El hechizo se había roto y Connor dejó a Olivia en el suelo.

—Chico listo —murmuró ella.

28

La ola de calor siguió azotando implacablemente la región, arrancando destellos plateados en las carreteras y secando la hierba de los campos y los prados. Los bomberos de Avalon prohibieron hacer fuego al aire libre y lanzar fuegos artificiales, la ferretería del pueblo agotó sus existencias de ventiladores y de la ciudad llegaron hordas de turistas en busca del frescor de las montañas.

Olivia estaba con su padre en el porche de una pequeña casa en Maple Street. Su padre parecía más pálido y rígido que nunca, y Olivia no sabía si era por el cansancio del viaje o por la perspectiva de ver a Jenny Majesky por primera vez.

—No tienes por qué quedarte —le dijo él—. Puedo hacerlo yo solo, si no quieres estar aquí.

—Claro que quiero estar aquí —declaró Olivia. Ella no era la responsable de la situación, pero sí era quien había sacado la verdad a la luz. Su padre le había insistido en que no le correspondía a ella enmendar su error, pero Olivia sentía que formaba parte del asunto, y afianzó su convicción llamando con los nudillos a la puerta.

—Un momento —respondió una voz. La puerta se abrió y apareció Jenny.

Por un instante fugaz, los ojos marrones de la joven se encontraron con los de su padre. Ahora que Olivia los veía juntos, el parecido no podía ser más evidente. Jenny era la viva imagen de su madre, pero la manera en que inclinaba el rostro al mirarlo, el hoyuelo en la barbilla y la mano esbelta y elegante que tenía en el pomo no dejaban lugar a dudas.

—Soy Philip Bellamy —se presentó su padre—. Gracias por recibirnos.

—No hay de qué —respondió Jenny—. He de admitir que me quedé un poco extrañada al recibir su llamada telefónica. Si es por el pastel de bodas, le puedo asegurar que…

—No se trata de eso —la interrumpió él—. ¿Podemos pasar?

—Naturalmente —dijo ella, apartándose de la puerta—. ¿Cómo estás, Olivia?

—Muy bien, gracias —intentó decidir si las dos se parecían como hermanas, pero la idea era tan abrumadora que no pudo ver a Jenny más que como una mujer tranquila y confiada.

Un ventilador en la ventana refrescaba una sala atestada de chismes y muebles anticuados. En una silla de ruedas estaba sentada una anciana con un vestido ligero y zapatillas rosas. Su pelo había sido pulcramente arreglado y un toque de carmín coloreaba sus labios. Jenny les había explicado por teléfono que era su abuela, viuda desde hacía diez años. Había sufrido una apoplejía y no podía caminar ni hablar. A Olivia se le encogió el corazón al pensar en sus abuelos, paternos y maternos, tan llenos de vitalidad y felicidad. Intentó recordar a la señora Majesky, pero sólo se acordaba de la furgoneta blanca con el logo de la pastelería pintado a mano. Ojalá hubiera prestado más atención por aquel entonces. Era escalofriante pensar que, años atrás,

Jenny y ella podían haber estado frente a frente sin saber quiénes eran realmente.

—Abuela, éstos son Philip y su hija, Olivia Bellamy —los presentó Jenny—. Seguro que recuerdas a los Bellamy, del campamento Kioga.

La anciana esbozó algo parecido a una sonrisa y emitió un sonido inarticulado.

—Me alegro de verla, señora Majesky —dijo Philip.

Los ojos de la anciana parecieron brillar de comprensión, como si estuvieran atrapados tras un cristal insonorizado.

—Mi abuela quiere hacerle una visita cuando venga a Avalon la semana que viene —dijo Olivia, tomando la mano de la señora Majesky. Su piel estaba fría y reseca.

—Sugiero que salgamos al porche trasero —dijo Jenny—. Es el lugar más sombreado a esta hora del día. ¿Te gustaría acompañarnos, abuela?

La señora Majesky emitió otro sonido que Jenny interpretó como un no. Olivia miró a su padre y vio que sus hombros se aliviaban ligeramente. La situación ya era demasiado difícil como para tener que explicársela a Jenny delante de su abuela.

—Como quieras —dijo Jenny. Agarró un mando a distancia y subió el volumen del show de Oprah. A continuación, llevó a sus invitados a la cocina, amueblada con armarios acristalados y encimeras de Formica. Llenó tres vasos de té helado y los puso en una bandeja junto a un plato de galletas.

—Galletas de limón —dijo—. Las traje hoy de la pastelería de Kingston.

En la mesa de la cocina había un ordenador portátil y un montón de hojas.

—¿Hemos interrumpido su trabajo? —preguntó Philip.

—Oh, no es trabajo. Al menos, no un trabajo remunerado —agachó la cabeza con expresión avergonzada—. Estaba escribiendo un poco.

—¿Es escritora? —le preguntó Philip.

—Estoy escribiendo un… no sé cómo llamarlo —sus mejillas se cubrieron de un rubor encantador—. Es una serie de historias sobre mi infancia en la pastelería de mis abuelos. Y de recetas. Algunas son tan antiguas que están escritas en los cuadernos del colegio que mi abuela trajo de Polonia —les enseñó una colección de hojas amarillentas, cubiertas con una letra en lengua extranjera—. Mi abuela me ayudó a traducir muchas de ellas, pero después de su derrame cerebral… —apartó las hojas con cuidado—. Supongo que es uno de los muchos proyectos que nunca acabaré.

Por alguna razón incomprensible, Olivia se sintió invadida por la tristeza. Tal vez fuera por pensar en Jenny, una chica simpática e inocente, que había crecido sin un padre y que luego había perdido a su abuelo a una edad muy temprana. No era extraño que se dedicara a preservar los recuerdos y las recetas de su familia.

Entonces vio el rostro de su padre y se dio cuenta de que había otra razón para su melancolía. Su padre siempre había querido ser escritor, pero se había dedicado al Derecho porque era la clase de profesión útil y respetable que se esperaba de un Bellamy. Ahora que Olivia sabía la verdadera razón por la que se había casado con su madre, podía comprender también por qué había abandonado su sueño. Y, por horrible que fuera, sintió una punzada de rencor por la afición a la escritura que compartían su padre y Jenny.

Salieron a un porche donde soplaba una ligera brisa y se sentaron en sillones de mimbre alrededor de una mesita. El padre de Olivia tomó un sorbo de té y dejó nerviosamente el vaso.

—Gracias. Le pido disculpas por parecer tan misterioso por teléfono, pero no sabía cómo abordar el tema. No es fácil decirle esto, señorita Majesky… Jenny.

Jenny se agarró a los brazos del sillón y le prestó toda su atención. Ya debía de saber que aquella cita no tenía nada que ver con el pastel de bodas.

—¿Sí? —preguntó, inclinando la cabeza hacia un lado.

—No sé cuánto sabrás de esta situación —siguió él—. Tengo entendido que tu madre, Mariska, se marchó hace mucho tiempo.

Jenny asintió y frunció el ceño.

—Se fue cuando yo tenía cuatro años. Apenas la recuerdo.

—¿Y nunca se ha puesto en contacto contigo? ¿Nunca te llamó ni te escribió una carta?

Jenny negó con la cabeza. Una sombra de profunda tristeza oscurecía sus ojos.

—Supongo que habrá una razón para esas preguntas.

—Yo la conocía —dijo él—. Mariska y yo éramos... Fue mi novia en el verano de 1977. ¿Alguna vez te habló tu abuela de esto?

Una gota de sudor resbaló por la sien de Jenny. La tristeza se esfumó de sus ojos y éstos se entornaron en una expresión de sospecha.

—No. ¿Tendría que haberlo hecho?

—No lo sé —respondió Philip, apretando y abriendo las manos. Él también estaba sudando—. Hay algunas cosas que han salido a la luz y... Bueno, me preguntaba si... si alguien te ha hablado alguna vez de tu padre. De tu padre biológico.

La brisa dejó de soplar. O al menos eso fue lo que sintió Olivia. Todo pareció detenerse a su alrededor. El aire, el tiempo, el latido de sus corazones. Jenny se había puesto pálida, con la expresión de sospecha congelada en sus ojos. Y a pesar de que era una desconocida, Olivia sintió el impulso de tocarla, de tomar su mano o darle una palmadita en el hombro. Tenía una hermana, pensó. Tenía una hermana...

—Lamento profundamente aparecer de la nada y decir estas cosas —dijo Philip—. Pero no se me ocurría otra manera de hacerlo.

Jenny dejó su vaso en la mesa y observó atentamente a Philip, como si buscase las semejanzas entre ellos.

—¿Me estás diciendo que…? —dejó la pregunta sin terminar—. Esto es absurdo. No sé por qué me estás contando todo esto.

Philip le dio la foto en que aparecían él y Mariska.

—Esta foto se encontró hace poco entre mis viejas pertenencias del campamento. Se sacó a finales del verano de 1977. Durante aquel verano fuimos la pareja más feliz del mundo, o al menos eso creía yo. Quería mucho a tu madre y mi intención era casarme con ella.

Jenny examinó la foto y su rostro se contrajo en una mueca de dolor.

—Pero no lo hiciste —dijo—. No te casaste con ella.

—No. Al acabar el campamento, Mariska rompió conmigo. Me dijo que quería ver mundo y vivir su propia vida… sin mí. Intenté convencerla de que estaba equivocada, pero fue inútil. Nunca más volví a verla ni a hablar con ella. Le escribí docenas de cartas, y todas me eran devueltas sin abrir. Su madre, tu abuela, me dijo que no la llamase más, de modo que vine en tren a verla en persona —hizo una pausa, perdido en los recuerdos lejanos—. Se había marchado. Alguien en la joyería donde trabajaba me dijo que había abandonado el pueblo. Que se había ido a ver mundo o algo así —juntó los dedos y miró a Jenny, pero ella no lo miró—. Fue entonces cuando desistí de encontrarla. Finalmente acabé por aceptar su rechazo y aquel mismo invierno me casé con la madre de Olivia, Pamela Lightsey —gracias a Dios, no entró en los detalles del compromiso ni de la apresurada boda—. Pamela y yo nos divorciamos hace diecisiete años y desde entonces no he vuelto a casarme.

Nunca tuvieron una oportunidad, pensó Olivia. De niña había buscado desesperadamente una razón que explicara la ruptura de sus padres, sin saber que esa razón existía mucho antes de que ella naciera.

Jenny no dijo nada. Sostuvo la fotografía en su mano, acariciando con el pulgar la imagen de su madre.

—Cuando entré aquel día en la pastelería —le dijo Olivia—, vi que tenías la misma foto en la pared, pero estaba recortada.

—Seguramente lo hizo mi abuela.

Olivia se dio cuenta entonces de que la madre de Jenny ya estaba embarazada cuando se tomó la foto.

Jenny siguió mirando la foto. Levantó una mano distraídamente y se tocó el colgante de plata.

—También me fije en tu colgante —añadió Olivia—. ¿Recuerdas que te pregunté por él?

Jenny asintió.

—Era de mi madre. Mis abuelos me lo regalaron cuando cumplí dieciséis años.

Philip sacó el gemelo y lo dejó sobre la mesa.

—Eran un par de gemelos que yo tenía. Le di uno a Mariska y yo me quedé con el otro.

Un gemido ahogado escapó de la garganta de Jenny. Durante toda la conversación había mantenido una compostura impecable, pero ahora parecía estar a punto de perder el control. Los dedos le temblaban al agarrar el gemelo.

—Nunca imaginé que hubiera una historia detrás de todo esto. Pero ¿estás seguro de que no se trata de una coincidencia o…?

—Estoy casi seguro —respondió Philip—. Podemos hacer una prueba de ADN, si quieres, pero los resultados sólo confirmarán lo que ya sabemos. Me he tomado la libertad de contratar a un detective privado para verificar las fechas y otros detalles.

Jenny tragó saliva.

—¿Un detective privado? Pero eso... eso es atentar contra mi intimidad.

—Tienes razón, pero no sabía qué más hacer. El señor Rasmussen ha trabajado muchas veces para mi empresa y sólo investiga los archivos públicos, nada más. Lo siento, Jenny. No quería molestarte sólo por una sospecha. Dios... por lo que yo sabía, estabas convencida de que tu padre era otra persona.

Jenny dejó el gemelo en la mesa con un cuidado extremo.

—Se lo pregunté muchas veces a mis abuelos, pero ellos me juraron que mi madre nunca se lo dijo. Su nombre ni siquiera aparece en mi certificado de nacimiento —miró finalmente a Philip y su rostro se iluminó de esperanza—. ¿Ese hombre... el detective... ha averiguado algo de mi madre?

Sí, pensó Olivia. Por qué había abandonado a su hija.

Philip sacó la copia impresa de un correo electrónico.

—Posiblemente nada que no hayas oído. A finales de 1977, Mariska Majesky se marchó de Avalon y estuvo viajando de un lado para otro, aunque no contaba con ninguna fuente de ingresos. En marzo de 1978, estando en Boca Raton, dio a luz a una niña a la que puso el nombre de Jennifer Anastasia. En 1982, las dos volvieron a Avalon y se quedaron con sus padres. Mariska siguió viajando con frecuencia, aunque nunca se llevaba a su hija con ella —miró brevemente la hoja—. En 1983, volvió a marcharse de Avalon y ya nunca más regresó. No se sabe más de ella. Su pasaporte caducó en 1988 y no fue renovado —dejó el informe y miró a Jenny—. Si lo deseas, puedo hacer que Rasmussen siga investigando.

—No, gracias —murmuró ella, y leyó por sí misma el breve informe.

Todos se quedaron tan quietos y callados que Olivia

podía oír cómo se derretía el hielo en los olvidados vasos de té. Finalmente, Jenny carraspeó y miró a Philip y a Olivia con curiosidad y cautela.

—No sé qué decir.

—Ninguno de nosotros sabe qué decir —respondió Olivia—. Me alegra que te hayamos encontrado y que estuvieras dispuesta a escucharnos. Y espero que cuando pase la conmoción tú también te alegres.

—No tienes que decir nada ni sentirte de una determinada manera —dijo Philip.

—Mejor, porque no sé lo que siento.

Pero al menos estaba sintiendo algo, pensó Olivia. Sus ojos bonitos y sinceros estaban llenos de lágrimas.

—Estoy muy contenta de haberte conocido —susurró—. Siempre quise tener una hermana —volvió a examinar el rostro de Jenny. ¿Tenían la nariz igual? ¿Se parecían en algo?—. Espero que tengamos mucho tiempo para... ponernos al día —añadió—. Si tú quieres, claro.

—Eh... claro —respondió Jenny, como si acabara de despertarse de un sueño—. Nunca pensé que te conocería —le dijo a Philip—. Nunca pensé que sabría quién eras.

Philip le tocó la mano.

—Lo siento mucho.

A Olivia se le encogió el corazón. No podía ni imaginarse lo que Jenny debía de haber sufrido, abandonada por su madre y sin conocer a su padre.

—Después de pasarme toda la vida sumida en la duda, aprecio la honestidad —dijo Jenny, bajando la mirada a sus manos—. Siempre me pregunté quién eras. Cómo eras. Si alguna vez te conocería...

—Espero no decepcionarte.

Una lágrima resbaló por la mejilla de Jenny, quien se la apartó con el dorso de la mano. Olivia no sabía si estaba triste, alegre o simplemente abrumada. Ni siquiera sabía cómo se sentía ella misma. Estaba emocionada por haber descubierto que tenía una hermanastra, pero al mismo tiempo se sentía a la defensiva. Quería que su padre conociera a Jenny, y sin embargo la invadía un extraño ataque de celos.

—Esto nos llevará un tiempo —le dijo a Jenny—. Espero que quieras pasar algún tiempo con… papá y conmigo.

—Supongo que sí.

—¿Estás libre para cenar esta noche? —le preguntó su padre.

Jenny pareció sorprendida, pero asintió.

—Tendrá que ser después de las nueve. Mi abuela se acuesta temprano.

—Por mí estupendo —dijo él—. ¿Olivia?

Había que compartirlo todo pensó Olivia.

—Deberíais cenar los dos solos —dijo con una sonrisa—. Tal vez os acompañe en otra ocasión.

—Olivia…

—No pasa nada, papá. De verdad. Conozco el sitio ideal. El Apple Tree Inn, en la carretera 47 —se volvió hacia Jenny y volvió a sonreír—. ¿Has estado allí?

—Sólo una vez —confesó Jenny—. La gente de por aquí sólo va a ese sitio en ocasiones muy especiales.

—Bueno, si esto no es una ocasión especial, no sé lo que es —dijo su padre.

29

Para Olivia había pocas cosas más relajantes que un paseo en kayak al atardecer, especialmente en mitad de una ola de calor. Salió al ponerse el sol y contempló las ondas que provocaba el remo al hundirse en las tranquilas aguas del lago.

No podía creer que dentro de poco fuera a marcharse de allí. El verano había pasado muy rápido, lleno de emociones, objetivos y duro trabajo. Por fin podía entender por qué sus abuelos habían amado tanto el campamento Kioga.

La inquietó y sorprendió darse cuenta de que echaría de menos aquel lugar. Las serenas aguas del lago, el olor de la naturaleza, el sonido del viento entre los árboles y el canto de los pájaros cada mañana.

Pero tenía que volver al ajetreo y el bullicio de la ciudad. Los clientes no dejaban de atosigarla y mandarle mensajes. Querían saber cuándo volvería y si podría ayudarlos con sus casas, sus planes y sus vidas. Necesitaban desesperadamente los servicios de Transformations, la empresa de Olivia. Le resultaba muy sencillo darle un nuevo aspecto a las casas de los demás, más alegre y sugerente, pero en cuanto a ella misma…

Entre los mensajes recibidos aquel día había uno de Rand. La llamaba para decirle que pensaba mucho en ella, lo que seguramente era un eufemismo para expresar su deseo de tener sexo. Rand Whitney. Dios… ¿de verdad había sido el depositario de todas sus ilusiones y esperanzas tan sólo unos meses antes? Parecía haber transcurrido toda una vida. Olivia había sido demasiado ingenua, creyendo que si su vida parecía perfecta, con un marido, una casa, unos hijos y unas buenas amistades, entonces debía ser perfecta. Era la doctrina de su madre, y naturalmente Olivia se había regido siempre por ese principio. Debería haber sabido que, al igual que ocurría con las casas y propiedades que reformaba, bastaba con rascar un poco la superficie para desvelar la mentira.

El paseo en barca no estaba resultando tan relajante como había esperado. No hacía más que pensar en Jenny Majesky. Unos meses antes ni siquiera sabía que existía. Y ahora de repente tenía una hermana. Una hermana. Una hermana… La certeza resonaba en su interior con una mezcla de regocijo, miedo e inquietud.

Remó a lo largo de la orilla, donde los alces y abedules hundían sus ramas en el agua y donde las familias de patos joyuyos nadaban entre las aneas. Desde el lago, el campamento Kioga ofrecía la imagen propia del crepúsculo. Había algunas luces encendidas en el pabellón principal y el resto de dependencias, y un fuego ardía en la barbacoa de piedra de la orilla. El tío Greg iba a freír hamburguesas y perritos calientes aquella noche para satisfacer a Max, quien había descubierto que una de las ventajas del divorcio era que todo el mundo intentaba complacer a los más pequeños.

Empezó a oscurecer, pero no encendió la linterna. La luna no tardaría en aparecer, y aún había suficiente luz para encontrar el muelle en la isla Spruce. Era allí donde se había dirigido desde el principio. Connor seguía trabajando en la isla, y ella quería encontrarlo a solas.

Sí, estaba buscando a Connor. Si cerraba los ojos podía sentir sus besos y cómo la abrasaba un deseo salvaje, como le había pasado la noche en que prácticamente se había arrojado en sus brazos. Él la había detenido rápidamente, y ella, como una idiota, le había dado otra oportunidad en el refugio de invierno... y de nuevo había sido en vano.

No había nada que se pudiera comparar a un rechazo sexual. ¿Y qué mejor lugar para ajustar cuentas con él que aquella pequeña isla en mitad del lago?

Amarró la canoa y subió al pequeño muelle flotante.

—¿Hola? —gritó.

—Aquí.

El corazón le dio un vuelco y le latió a ritmo desbocado mientras seguía la dirección de su voz.

—Hola —lo saludó con un tono cuidadosamente inexpresivo.

—Hola —respondió él. Estaba abriendo una abrazadera a la luz de un farol, y se retiró para observar su trabajo—. No esperaba recibir visita.

—No has venido a cenar, y quería asegurarme de que todo va bien.

—¿Has remado hasta aquí sólo para eso?

—Claro.

—Mentirosa —se limpió las manos con un pañuelo—. ¿Qué estás haciendo aquí, Lolly?

Olivia no consiguió responderle. Además, estaba convencida de que él ya lo sabía. Pensó en contarle cómo había ido el encuentro con Jenny Majesky, pero aún no estaba preparada para hablar de eso. En parte había ido en busca de Connor porque no quería pensar en su padre y en Jenny cenando en el Apple Tree Inn.

Connor no insistió en la respuesta y se puso a guardar las herramientas. Al acabar, pulsó un interruptor y el cenador se iluminó con las sartas de bombillas dispuestas en las vigas.

Olivia se giró lentamente en círculo, y por un momento se olvidó de todas sus preocupaciones y frustraciones. Se olvidó de todo, incluso de lo enfadada que estaba con Connor. Sólo podía pensar que aquel hombre había trabajado durante muchas horas para recrear aquel lugar para sus abuelos.

—Es exactamente lo que yo quería…

—Me alegro de que te guste —dijo él. Tenía un aspecto irresistible bajo aquellas luces. Y bajo cualquier otra luz, en realidad.

—He sido muy afortunada al encontrarte —dijo ella, y en seguida se ruborizó—. Quiero decir… como contratista. Temía que no saliera bien, que no pudiéramos trabajar juntos porque… ya sabes —maldición. Estaba balbuceando como una tonta.

Connor abrió dos latas de cerveza, sin preguntarle si a ella le apetecía una.

—Salud —dijo.

A Olivia no le gustaba mucho la cerveza, pero había ocasiones como aquélla, en la noche más calurosa del año, en que era la bebida más apropiada. El líquido frío y picante le alivió la garganta.

Connor apagó las luces del techo y agarró el farol.

—Vamos a sentarnos ahí —dijo, iluminando el camino hacia la orilla—. Te encendería un fuego, pero hace demasiado calor.

Ella echó la cabeza hacia atrás y se tocó el cuello con la lata helada. Cerró los ojos y dejó escapar un suspiro.

—Hace tanto calor que no puedo ni pensar con claridad.

—Hay un remedio para eso —dijo él.

—Hmmm. ¿Bañarse desnudos? —preguntó, quitándose las chancletas y sentándose.

—En efecto. Una de las tradiciones más secretas del campamento Kioga.

—Salvo que todo el mundo la conocía —replicó ella, encogiéndose de vergüenza por los recuerdos indeseados—. Deja que te cuente mi día —Connor se merecía saber el peso invisible que estaba arrastrando—. Fui con mi padre a presentarle a Jenny. Fue una situación horriblemente incómoda y triste, y esta noche se la ha llevado a cenar al Apple Tree Inn para conocerse mejor. Yo misma me lo he buscado al provocarlo, pero tenía que hacerlo.

—Hey. Tú no tienes la culpa de nada. Absolutamente de nada.

Olivia sintió un terrible deseo de apoyarse contra él y buscar el refugio y el consuelo que tanto necesitaba. Con cada respiración se agudizaba el dolor emocional que la carcomía por dentro.

—Fue muy duro —dijo—. No me malinterpretes. Jenny se portó muy bien, pero se mostró excesivamente cauta. No nos rechazó, pero tampoco nos aceptó como a la familia que siempre había deseado tener. Y yo no paraba de pensar en todo lo que nos hemos perdido. Toda mi vida he tenido una hermana, y nunca lo he sabido. Me preguntaba una y otra vez cómo habría sido mi vida si nos hubiéramos tenido la una a la otra.

Connor deslizó su brazo alrededor de ella, y aquel simple gesto estuvo a punto de hacerla llorar.

—¿Qué puedo hacer? —preguntó él finalmente.

Ella tragó saliva un par de veces.

—Tal vez necesito una sesión de sexo salvaje y un hombro en el que llorar.

Connor la apretó contra él y ella pudo oír como le retumbaba el pecho al reír.

—Entonces has venido al lugar adecuado.

Pero Olivia no sabía si debería aceptar lo que él le ofrecía. Tenía a un buen amigo, Freddy, y a una prima a la que adoraba, Dare, en cuyos hombros podría llorar cuanto quisiera. Y para la sesión de sexo salvaje le haría falta un profesional.

Connor y ella habían probado a tener sexo con anterioridad, y había sido un completo desastre. La decepción había sido tan amarga y humillante que nunca había logrado olvidarla del todo, y había dejado que aquel horrible trauma la dominase durante los años siguientes.

—¿Y bien, Lolly? ¿Qué dices? —susurró él, con los labios casi pegados a los suyos. No la besó, pero estaba tan cerca que ella sintió que lo estaba haciendo.

Se estaba enamorando de él. Otra vez, a pesar de que debería haber aprendido la lección mucho tiempo atrás. Lo deseaba tanto que ni siquiera la posibilidad de que fuera una equivocación podía disuadirla.

Tal vez pudieran hacerlo mejor ahora que eran adultos. Dios sabía que no podían hacerlo peor…

CANCIÓN DEL CAMPAMENTO KIOGA

EL DÍA SE ACABA, SE OCULTA EL SOL.
EN EL LAGO Y EN LAS MONTAÑAS,
LA NOCHE NOS TRAE EL DESCANSO DEL SEÑOR

30

Verano de 1997

Cansados, pero felices, los campistas se congregaron en la explanada el último día del campamento. Algunos bajaban a la estación en el autobús, y otros iban a recogerlos sus padres en coche. Al cabo de diez semanas, hasta el niño más insoportable volvía a ser codiciado por sus familiares. Después de dar un último repaso a las cabañas, los chicos esperaban con sus mochilas, bronceados y con picaduras de mosquitos, y, como los abuelos de Lolly decían en su discurso de despedida en el desayuno, con unos recuerdos para toda la vida.

Lolly vio a Connor hablando con Julian. El chico saltaba sobre uno y otro pie, demostrando hasta el final que era el más enérgico e inquieto de todos los campistas. A Lolly le dio un vuelco el corazón como siempre que veía a Connor o pensaba en él. En contra de todas las expectativas, algo increíble había sucedido aquel verano. Connor se había convertido en su novio, en su primer novio, y ella estaba tan locamente enamorada de él que apenas podía comer, dormir o pensar en otra cosa.

Se acercó a ellos y le dio a Julian el banderín de los Fledglings.

—Asegúrate de agitarlo en el aire para que todo el mundo pueda verlo. De esa manera los padres pueden encontrar a sus hijos más fácilmente.

—Mi padre va a venir a buscarme. Va a venir desde Italia.

—Eso he oído. Es genial.

Julian se puso a agitar la bandera con aire engreído mientras observaba los coches y furgonetas que iban llegando.

—Buen trabajo —le dijo Connor a Olivia—. Eso lo mantendrá ocupado durante un minuto, al menos.

—No puedo creer que haya acabado el campamento sano y salvo —repuso ella.

El salto desde el puente sólo había sido el principio. Por suerte para Julian, tenía un hermano mayor que se preocupaba por él. En vez de luchar contra la obsesión del chico por la velocidad y las alturas, Connor había encontrado diversas maneras de canalizarla. Se había llevado a Julian y a otros campistas a explorar los precipicios y cuevas de Shawanguk Ridge, habían colgado una cuerda de un árbol junto al lago para lanzarse al agua y habían subido a la torre de vigilancia de un guardia forestal. El penúltimo día del campamento habían organizado una carrera en mountain bike, y Lolly nunca olvidaría los gritos de gozo de Julian al descender a toda velocidad por una ladera, ni la sonrisa de orgullo y afecto que iluminaba el rostro de Connor al mirarlo.

Una ola de amor la invadió y la empujó aún más hacia él.

—Es la primera vez en mi vida que lamento que acabe el campamento —le confesó.

—A mí nunca me gustaba que se acabara —dijo él.

En ese momento se acercó Ramona Fisher.

—¡Lolly! Le he dicho a mi madre que no me iría hasta decirte adiós.

Lolly abrió los brazos para recibir a la pequeña. Le había costado mucho tiempo y atención, pero había conseguido que Ramona venciera su nostalgia y disfrutara del verano. Había convencido a la niña de que era propio de las personas echar de menos a los seres queridos, pero que su ausencia no debía hundirla en la tristeza.

Miró fugazmente a Connor y se preguntó si ella podría seguir aquel mismo consejo cuando estuviera en la universidad. La idea de estar días, semanas, meses sin verlo le provocaba un escalofrío.

—Esto es para ti —dijo Ramona—. Para que te acuerdes de mí —le entregó una pulsera de la amistad, hecha de hilo y abalorios y con las iniciales RF y LB tejidas con mucho esfuerzo.

—Es preciosa, Ramona —dijo Lolly, extendiendo la mano para que la niña se la atara—. La llevaré siempre conmigo.

—Y voy a entrar en el equipo de natación en Nyack —declaró Ramona con orgullo mientras hacía el nudo con mucho cuidado.

—Serán muy afortunados por tenerte en el equipo —le aseguró Lolly.

Sonaron los silbatos y las bocinas y todos se pusieron a meter a los niños en los coches o en el autobús. Pero Lolly y Connor estaban unidos por un hilo invisible. A lo largo del verano el vínculo se había intensificado hasta tal punto que Connor se había convertido en todo su mundo. Ella le había confesado que había sido el primer chico en besarla.

—Me alegro —había dicho él—. Me gusta ser el primero para ti.

Aquella noche sería la primera vez para otra cosa, y ambos lo sabían. Lolly pensó en sus planes y sintió un tirón de aquel hilo invisible. Él también debió de sentirlo porque, a pesar de estar rodeado de niños y equipajes junto al autobús, se detuvo y se volvió para mirarla. Intercambiaron una sonrisa fugaz y volvieron a sus tareas.

—¡Papá! ¡Es papá! —gritó Julian, agitando el estandarte de los Fledglings como si fuera una bandera blanca en el campo de batalla—. ¡Connor, mi papá está aquí! —arrojó el banderín y echó a correr entre la multitud.

—El Profesor Chiflado —le dijo Connor a Lolly mientras iban a saludar a Louis Gastineaux.

Era un hombre fornido y jovial, con gruesas gafas, pantalón arrugado y abrochado muy por encima de la cintura y una camisa amarilla de manga corta. Julian estaba loco de alegría, saltando y tirando de la mano de su padre para enseñárselo todo.

—Vas a echar de menos a Julian, ¿verdad? —le preguntó Lolly a Connor.

—Lo echo de menos desde que tenía once años —admitió él.

—Tal vez volváis a encontraros aquí el año que viene.

—Tal vez —sonrió—. Suponiendo que tus abuelos… —se calló y dejó de sonreír.

—¿Qué ocurre? —preguntó ella, pero no necesitó oír su respuesta.

Terry Davis se acercaba en la camioneta de mantenimiento, y Julian corría a su encuentro.

—Discúlpame —dijo Connor, y fue hacia su padre.

Lolly los observó a distancia. Dos padres y dos hijos, cada uno con su propia desgracia a cuestas. Connor quería a su padre, pero la vergüenza que le inspiraba su alcoholismo los había afectado a ambos.

—¿Ése es el chico al que has estado viendo durante el verano? —preguntó una voz detrás de Lolly.

Oh, no.

—Hola, mamá —dijo, volviéndose lentamente y de mala gana—. ¿Cuándo has llegado?

—Hace una hora, pero no te has dado cuenta —su madre iba impecablemente peinada y maquillada, con un vestido de algodón, unas sandalias de tacón bajo, gafas de sol de diseño y un bolso de Chanel color beige. A su lado, Lolly se sintió sucia y desaliñada.

Le dio a su madre un breve abrazo.

—Ven a conocer a Connor.

Su madre se puso muy rígida.

—No creo que sea necesario.

—¿No quieres conocer a mi primer novio? —preguntó Lolly con incredulidad.

—No tiene sentido, cariño. Mañana nos iremos cada uno por nuestro lado.

—Sé lo que estás pensando —dijo Lolly, adoptando un tono remilgado—. No consideras apropiado que tu hija se relacione con gente como Connor Davis.

—No digas tonterías.

—Entonces ven a conocerlo. Es un chico maravilloso, mamá. Sé que te encantará y… —se calló al ver que su madre estaba mirando a Connor, con su pelo largo y aspecto rebelde. Estaba junto a su padre, vestido con un mono de trabajo y fumando un cigarrillo, y cerca de ellos estaban el Profesor Chiflado y un chico mulato. Al ver la expresión de su madre, Lolly desistió en su empeño. Su madre nunca aceptaría a Connor—. Tengo que irme —dijo—. Te prometo que ayudaré con los aperitivos esta noche. Han sobrado muchos huevos en la cocina, y vamos a hacer huevos endiablados.

Se obligó a sí misma a centrarse en la inminente velada y no enfadarse por el escepticismo de su madre. Jazzy Simmons le salió al paso mientras se dirigía hacia el pabellón principal.

—No olvides dejar encendida la heladera, al menos hasta que llenemos los barriles.

—Ya lo sé —respondió Lolly. Aquella noche se celebraba el baile tradicional de despedida para los monitores y el personal del campamento. Habría una hoguera en la orilla y cerveza de contrabando, naturalmente. A Lolly no le importaba encargarse del hielo. Ella y Connor tenían pensado escabullirse de la fiesta mientras el resto se divertía. Sin niños a los que vigilar ni tareas que realizar, al fin podrían tener un poco de intimidad. Aquella noche, harían el amor por primera vez.

La fiesta no estuvo tan mal. Una de las muchas ventajas de tener novio era que Lolly se sentía mucho más segura de sí misma, por lo que no tenía que quedarse pegada a la pared, incapaz de salir a bailar. Había aprendido que era posible disfrutar tanto como los demás y dejar de preocuparse por lo que pensaran de ella. Le habría gustado tener allí a sus primas, pero Dare y Frankie se habían marchado el día anterior, ya que tenían que viajar hasta California para empezar la universidad.

Por suerte, su madre tampoco estaba. Aquella noche se alojaba en Turning Maple, el mejor hostal de los alrededores, y al día siguiente las dos volverían a la ciudad. Lolly ya sabía que no se hablaría más de Connor Davis, y en realidad lo prefería así. No estaba segura de poder decirle a su madre ni a nadie más lo que sentía por Connor. No era sólo amor. Era como un tornado de fuego que se arremolinaba en su interior, prendiendo hasta la última de sus células. Estuvieron bailando juntos, y Lolly sentía que la fuerza de sus sentimientos podía hacerla volar. Al final de la canción Connor fue a por algo de beber y ella se quedó flotando en su cielo particular.

Entonces apareció Jazzy Simmons, con un top que dejaba a la vista las tiras del sujetador. Sus enormes pechos la precedían allá donde fuera.

—Oh, Dios mío, vas a hacerlo, ¿verdad? —le preguntó a Lolly directamente.

—Cállate, Jazzy.

—Lolly Bellamy… vas a liarte con Connor Davis —Jazzy llevaba metiendo las narices todo el verano, porque Connor había elegido a Lolly en lugar de a ella—. Lolly y Connor —dijo, rodeando con el brazo a un chico llamado Kirk—. Es algo que me gustaría ver.

—A todos nos gustaría verlo —corroboró Kirk, riéndose.

A Lolly no podría importarle menos. Estaba demasiado emocionada, y asustada, con la perspectiva de escabullirse con Connor. Mientras los demás se dirigían hacia la orilla para encender la hoguera, un cúmulo de nubes ocultaron la luna. Lolly sintió una punzada de aprensión y un arrebato aún más fuerte de expectación, y fue al encuentro de Connor. Su lugar favorito estaba junto a la cascada, donde el agua había formado un profundo estanque en la roca. Un rayo de luna se abrió camino entre las nubes y las copas de los árboles, y el suave murmullo del agua al golpear las piedras creaba una música extrañamente relajante. Connor ya estaba allí, esperándola, y por un instante pareció peligroso y amenazador, con sus rasgos en sombras y su alta silueta recortada a la luz de la luna y la cortina de agua a sus espaldas.

—No estaba seguro de que vendrías —dijo él cuando ella lo alcanzó, jadeando por la subida.

—Pues claro que he venido —respondió ella, pero más tímida e insegura de lo que le gustaría—. ¿Has traído… hum… lo has traído todo?

—Todo —afirmó él. Extendió una manta de lana del ejército y colocó encima dos latas de cerveza y una pequeña caja de forma oblonga. Los preservativos.

Oh, Dios, pensó ella. De verdad iban a hacerlo.

—Siéntate —la animó él en tono tranquilo y suave—. No hay prisa —abrió una lata de cerveza y se la tendió.

—¿De dónde has sacado la cerveza? —preguntó

ella, sentándose con las piernas cruzadas sobre la manta.

—¿Tú qué crees? —soltó una breve carcajada—. Mi padre tiene unas existencias inagotables.

Ella asintió y tomó un sorbo. No le gustaba el sabor de la cerveza, pero de repente necesitaba retrasar un poco más lo inevitable.

—¿De qué estabais hablando tu padre y tú con el profesor Gastineaux?

—No lo sé. Louis le estaba dando las gracias a mi padre. Y mi padre, como es natural, deshaciéndose en reverencias y alabanzas. Hemos tenido una discusión esta noche, porque quería ir a jugar al billar a Hilltop Tavern.

Lolly no supo qué decir. Era obvio que el señor Davis pretendía beber más que jugar al billar, y que luego intentaría conducir bebido.

—Lo siento —fue lo único que se le ocurrió.

—No pasa nada. Al fin y al cabo, no soy su guardián —tomó un largo trago de cerveza—. ¿Era tu madre la mujer que estaba contigo?

Lolly se sorprendió de que se hubiera fijado.

—Vino desde la ciudad en coche esta mañana.

—Te pareces mucho a ella.

—Sí, mucho —dijo Lolly con un bufido de incredulidad.

—¿Cómo crees si no que supuse que era tu madre? —tomó otro trago—. ¿Por qué no nos presentaste?

Oh, oh. Las mejillas de Lolly empezaron a arder.

—Mi madre no es una persona muy amistosa.

—Sabes muy bien que ésa no es la razón. Escucha, si te avergüenza que te vean conmigo…

—De eso nada —se apresuró a decir ella—. ¿Avergonzarme de ti, dices? Por Dios, Connor, cada mañana al despertar tengo que pellizcarme para comprobar que no es un sueño. No me avergüenzo de ti, te lo juro, pero…

—¿Pero qué?

—Pero sí me avergüenzo de mi madre. De cómo juzga a los demás sin conocerlos. No quiero que haga lo mismo contigo, por eso no insistí en que te conociera. ¿De acuerdo? Y en cualquier caso, eres tú quien debería avergonzarse por estar conmigo.

—¿Qué puñetas estás diciendo?

—Vamos, Connor. ¿Crees que no he oído cómo se burlan de ti los otros chicos por estar saliendo con la más gorda del campamento?

—Son imbéciles —dijo él.

—Igual que mi madre —suspiró—. Me gustaría... —no sabía lo que le gustaría. ¿Tener una madre distinta? ¿Que Terry Davis fuera un mejor padre para Connor?

Los dos se quedaron en silencio unos minutos, dejando que la tensión se disolviera. Olivia bebió un poco más de cerveza y empezó a sentir los efectos del alcohol.

—¿Sabes lo que más me asusta de ir a la universidad? —preguntó—. Estar lejos de ti.

—Nos veremos.

—Nunca... nunca hemos hablado de eso —era cierto. En ningún momento se habían planteado cómo sería aquella relación en cuanto se marcharan del campamento.

—La gente suele hacer lo que considera más importante.

—Tú eres muy importante para mí —le dijo ella—. Lo eres todo para mí. Te quiero, Connor.

Dios... Lo había dicho. Si él le respondía lo mismo, no significaría nada, salvo que ella lo había puesto en una encrucijada.

Pero él no le dijo lo mismo. Le dijo algo mejor, incluso.

—Nunca he hecho nada para merecerte. Nadie había confiado nunca en mí, sólo tú, y ahora quieres que forme parte de tu vida. Esto me sobrepasa… no sabes cuánto.

—No quiero presionarte.

—No lo entiendes. Me gusta esta clase de presión. Para confiar en alguien tienes que creer en esa persona. Y tú eres la única persona que lo ha hecho, Lolly. La única.

La besó con pasión y ella sintió que todo su cuerpo estallaba en llamas. Durante todo el verano habían estado avivando el deseo contenido, y ahora que el inevitable momento había llegado estaba muerta de miedo. Se dijo a sí misma que no tenía nada que temer. Estaba con Connor y era el momento. Todo el mundo decía que había que reservarse para la persona amada. Y si no era amor lo que sentía por Connor, no sabía qué era.

Pero ni siquiera el calor que abrasaba su corazón le facilitaba las cosas. Él percibió su incomodidad y dejó de besarla.

—Oye, si no quieres…

—Sí quiero. De verdad. Pero… necesito un momento —le rodeó el cuello con los brazos y respiró hondo. El pelo de Connor olía maravillosamente, fresco y limpio como la brisa nocturna que soplaba entre los árboles. Vio el resplandor de la hoguera en la orilla y se sintió repentinamente incómoda. ¿Y si alguien se percataba de que ella y Connor habían desaparecido?

—Estás muy tensa —dijo él—. Si has cambiado de opinión, lo entiendo.

—No es eso —murmuró ella—. Estoy un poco… me da mucha vergüenza —no sabía cómo explicar lo realmente cohibida que se sentía.

—¿Sabes lo que creo? —preguntó él con una sonrisa—. Creo que deberíamos darnos un baño.

—Te refieres a bañarnos desnudos… —tragó saliva—. ¿Aquí? ¿Ahora?

—Claro.

Bañarse desnudos era una de las tradiciones supuestamente secretas del campamento Kioga.

—Nunca lo he hecho —admitió Lolly—. No me atrevo —y él debería saberlo. ¿Acaso no había oído las burlas sobre su físico? Ella siempre se quedaba sola y sudando por el calor, imaginando cómo sería sentir el agua sobre su piel desnuda.

Connor tomó un trago de cerveza y sacudió la cabeza.

—¿Y ahora tampoco te atreves? —preguntó, dejando la lata de cerveza.

—No se puede vencer la timidez así como así.

Él alargó un brazo y le desabrochó el botón superior de la blusa.

—Está oscuro, Lolly —le dijo sin apartar los ojos de ella—. Y sólo estamos nosotros.

Ella no podía moverse, y por unos segundos incluso se olvidó de respirar.

Connor le desabrochó el siguiente botón. El corazón le latía con tanta fuerza que parecía a punto de salirse del pecho. Pero cuando bajó la mirada a su mano todo le pareció normal. O tan normal como podía parecer la primera vez que un chico le quitaba la camisa y el sujetador. Se obligó a no tener miedo. A sentir y nada más. Se sentía protegida por la oscuridad, y sabía que nada malo le ocurriría mientras estuviera en brazos de Connor. Con él estaba a salvo y todo saldría bien, aunque hubiera momentos de vergüenza y cobardía.

—Ponte de pie, Lolly, para que pueda quitarte esto —le susurró él, y ella quiso morirse cuando empezó a bajarle los shorts. Pero el momento era tan intensamente íntimo que Olivia se olvidó de su timidez y su miedo. Se olvidó de todo, salvo del inmenso amor que le profesaba a Connor Davis, y quedó desnuda ante él sin sucumbir al pánico.

Hasta que Connor empezó a desnudarse. Ella lo había visto sin camiseta un millón de veces, pero cuando él se desabrochó la bragueta el terror volvió a invadirla. Él debió de darse cuenta, porque se metió rápidamente en el agua y permaneció sumergido unos segundos, para luego emerger entre una aspersión de gotas relucientes como estrellas.

Muy bien, pensó Lolly. Era su turno. Pero antes de que pudiera moverse vio una especie de fogonazo, como un relámpago lejano en la noche. Connor miró a su alrededor, como si esperase algún tipo de interrupción.

Como si todo hubiera sido planeado...

Segundos después, un grupo de monitores borrachos y ruidosos emergió del bosque, profiriendo gritos de guerra y apuntando con sus linternas a Lolly.

A partir de ese instante todo fue confuso y borroso. Lolly recordó haber gritado y buscado algo con lo que cubrirse. Encontró una manta rasposa y se la echó rápidamente sobre los hombros. Las risas eran ensordecedoras. Perdió de vista a Connor, o tal vez él no quería que lo viera. No importaba. Ella no quería verlo, ni a él ni a nadie, nunca más.

Muerta de vergüenza, echó a correr descalza sobre el suelo abrupto y pedregoso.

THE AVALON TROUBADOUR
15 DE SEPTIEMBRE DE 1997

El campamento Kioga cierra sus puertas definitivamente.

El campamento Kioga, un hito en la historia de Avalon desde 1932, está a punto de cerrar sus puertas para siempre. Fundado por Angus Neil Gordon como un destino turístico para las familias, Kioga se ganó una merecida fama por las experiencias y aventuras que ofrecía a generaciones de campistas. El lugar es famoso por la incomparable belleza de sus bosques, su lago y sus montañas. La finca abarca cien acres de terreno y ha estado administrada por Jane Gordon Bellamy y su marido, Charles Bellamy. Al preguntarle por el futuro de la finca, la señora Bellamy respondió: «Esperamos que quede en manos de la familia, si es posible».

31

Olivia estaba llena de dudas. No debería haber ido allí esa noche, buscando a Connor para... ¿para qué? ¿Para zanjar el pasado o para un nuevo comienzo? O quizá para buscar respuestas a un montón de preguntas.

—La última vez que lo intentamos no salió bien — le recordó a Connor.

—Y sin embargo aquí estamos, disfrutando de una segunda oportunidad —se inclinó hacia delante y la besó con una ternura dulce y casta... provocándole a Olivia una reacción que no era precisamente casta.

—Somos afortunados.

Él siguió besándola y le abrió la blusa, exponiéndola a la cálida brisa nocturna y a su mirada tierna y sincera. Olivia se preguntó si podría oír los frenéticos latidos de su corazón o si podría ver el hilillo de sudor que se deslizaba por su garganta hacia sus pechos. Él le demostró que sí podía, al alargar una mano y seguir el rastro del sudor con el dedo.

—Es una noche muy calurosa —dijo, desabrochándole el cierre frontal del sujetador.

—Sí —afirmó ella, sin hacer nada por intentar detenerlo. Si algo había aprendido de sus fracasos anteriores era que no tenía sentido analizar lo que le gustaba. Era el momento de sentir, no de pensar.

—No deberías llevar ropa —dijo él—. Jamás.

—¿Cómo dices?

—¿Por qué cubrirte?

—No creía que quisieras hacer esto, Connor.

—¿Por qué creías eso?

Olivia no podía creer que necesitara preguntárselo.

—El día que fuimos a Nueva York... —le recordó—. Aquella noche me arrojé prácticamente en tus brazos y sin embargo tú me rechazaste.

Connor se echó a reír.

—¿Te parece gracioso? —preguntó ella, cubriéndose con la blusa.

—Mucho. ¿Cómo puedes decir que te rechacé?

—¿Entonces por qué...?

—Aquel día estabas muy afectada después de ver a tu padre. No quería aprovecharme de ti.

Olivia intentó adivinar si lo decía en serio. Sin duda estaba tomándole el pelo.

—No pareces muy convencida, señorita Bellamy —observó él.

—Intento averiguar si me estás diciendo la verdad.

—Vamos a dejar las cosas claras. Aquella noche en mi caravana te deseaba como nunca he deseado a nadie. Fue una auténtica tortura tener que reprimirme, y ningún hombre en su sano juicio se sometería a un castigo semejante. Así que no debo de estar en mi sano juicio en lo que a ti respecta, Lolly. Eres demasiado importante para mí. Y aunque me vuelva completamente loco, no voy a dejar que ocurra nada hasta que sepa que es el momento adecuado para ambos. ¿De verdad crees que te estoy mintiendo?

Olivia se quedó boquiabierta, mirándolo sin saber qué decir. Había esperado algo al ir allí aquella noche, pero desde luego no se había esperado aquello.

Él se inclinó hacia delante y la besó con una delicadeza sorprendente, tomándole el rostro entre las manos e intensificando poco a poco el contacto. Ella se arqueó hacia él, pero Connor no parecía tener mucha prisa. La había desnudado hasta la cintura y ella estaba otra vez entregándose sin reservas, y sin embargo sólo parecía interesado en besarla, acariciándole los labios con la lengua para luego introducirla en su boca a un ritmo lento y exquisitamente tentador.

Finalmente apartó la boca de la suya.

—Vamos a nadar.

No. Todo el cuerpo de Olivia protestó cuando él la puso en pie. Se moría por hacer el amor ahora, allí mismo, ¿y él quería nadar? Tal vez había cambiado de opinión y el beso lo había convencido de que no sentía tanto deseo por ella.

Connor se quitó la camisa por encima de la cabeza.

—¿Y bien?

—¿De verdad quieres bañarte, o sólo es una excusa para desnudarme?

Él le tocó el vientre desnudo con el dedo. Le desabrochó los shorts y le bajó la cremallera poco a poco, sin dejar de mirarla a la cara.

—La razón por la que deberíamos bañarnos es que si lo hiciéramos en este momento, acabaríamos demasiado… pronto —llevó el dedo alrededor de la cintura—. Y por cierto, es un cumplido —se apartó, acabó de desnudarse y se metió en el agua.

Olivia lo siguió unos segundos después, saltando desde el muelle. El agua limpia y fresca le supo a gloria, y los dos estuvieron chapoteando, nadando y buceando. La luna dibujaba ondas plateadas en la superficie y cuando Olivia echó la cabeza hacia atrás le pareció que las estrellas giraban lentamente en el cielo. Nadó hacia Connor y ambos permanecieron flotando y asidos de la mano.

—Necesitaba calmarme un poco —dijo él.

—¿Y lo has conseguido? —le preguntó ella.

—No mucho —la agarró por los hombros y volvió a besarla con renovada intensidad. Olivia sintió un deseo tan fuerte y agudo que casi le resultó doloroso.

—Salgamos del agua —le susurró.

Era maravilloso y a la vez escalofriante estar de pie frente a él, chorreando y deseándolo tan ciegamente que apenas podía pensar con coherencia. La situación era extraña, incómoda y excitante, y cuando finalmente la besó, Olivia sólo fue consciente de que estaba con él por fin, y que podía tocarlo y sentir la dureza de sus músculos y la fría suavidad de su piel.

Mientras se tendían en las toallas que habían extendido en la orilla, se le pasó por la cabeza que todo estaba a punto de cambiar entre ellos. Con una meticulosidad casi cómica, Connor sacó una caja de preservativos.

—Tan ambicioso como siempre, ¿eh? —murmuró ella.

—No voy a conformarme con una sola vez, Olivia —repuso él, apoyándose en un codo.

Tendida de espaldas, Olivia levantó la mirada hacia él y las estrellas y se sintió completamente vulnerable. Pero aun así confiaba en él y deseaba hacerlo. Lo que pasara después de aquella noche… ya se ocuparían de ello más tarde.

Y finalmente comprendió lo que hasta entonces no había sabido. Que sus relaciones previas habían fracasado por una razón, y esa razón la tenía ahora mismo en sus brazos.

32

Connor estaba decidido a seducir a Olivia, pero no había previsto que fuera aquella noche, al aire libre, después de un largo día de trabajo.

Se había obligado a esperar el momento oportuno, cuando ella no estuviera en medio de una crisis emocional. Pero ahora se daba cuenta de que si esperaba al momento ideal, ese momento nunca llegaría.

Normalmente le resultaba muy fácil mantener el control, pero con Olivia era distinto. Las emociones brotaban de su corazón como una cacerola de agua hirviendo, y no tenía ninguna intención de contenerlas. Era imposible resistirse a la noche de verano, al agua fresca y tentadora, y sobre todo a Olivia, tan hermosa y dispuesta a complacerlo, recordándole todo lo que él había dejado atrás pero con lo que aún seguía soñando. Al fin pudo hacer el amor con ella, de la manera que tantas y tantas veces había imaginado, y la realidad superó mil veces a sus fantasías más eróticas. Olivia era tan natural y auténtica como siempre había sido, divertida, sensible y más sexy que una bailarina exótica.

Las frías aguas del lago apenas le hicieron efecto.

Se bombardeó a sí mismo con órdenes y reproches. Tranquilidad. Tenía que tomárselo con tranquilidad. No era exactamente un caballero, pero siempre anteponía el placer de una dama al suyo propio. Siempre, sin excepciones. Por su parte, Olivia se mostró increíblemente sensible y receptiva, entregándose por completo a él y emitiendo sonidos de placer que reverberaban por todo el cuerpo de Connor. La besó y la saboreó a conciencia, le acarició hasta el último palmo de su piel desnuda y, finalmente, se introdujo en ella con una coordinación perfecta. Se preguntó si ella sentiría el mismo incontenible arrebato que él, y a juzgar por sus gemidos y por la manera en que lo rodeó con sus largas y esbeltas piernas parecía que, por una vez, los dos experimentaban los mismos impulsos.

Después del orgasmo, los dos se quedaron abrazados e inmóviles. Ninguno de los dos dijo nada, y Connor pensó que era una buena señal. Los balbuceos denotaban nervios o arrepentimiento, pero el silencio era… esperanzador.

Tal vez aquella vez podrían conseguir que su relación funcionara.

Se quedaron un largo rato en aquella postura, contemplando la luna y las estrellas. Finalmente, Olivia se colocó de costado y lo miró con una expresión tan placentera y saciada que Connor no pudo evitar una sonrisa.

—¿Qué te hace tanta gracia? —le preguntó ella.

—Nada. Soy feliz, eso es todo.

Ella se estiró perezosamente y le pasó una mano sobre el brazo y el pecho.

—¿De verdad?

—No haría falta mucho para hacerme feliz de nuevo —dijo él, colocándose otro preservativo.

—¿Qué? —susurró ella—. ¿Qué haría falta?

Esa vez se saltaron los preliminares. La explosiva sensualidad que habían descubierto de adolescentes seguía ardiendo entre ellos, pero en aquel tiempo ninguno de los dos contaba con la fortaleza emocional para sostener una pasión semejante. El deseo había sido demasiado intenso, demasiado confuso, y lógicamente había acabado en desastre. Pero ahora era exactamente lo que Connor quería. Tal vez incluso lo que ambos querían.

—¿Sólo me lo parece a mí... o ha sido increíble? —preguntó ella al cabo de un largo rato, después de haber hecho el amor dos veces más.

Connor se echó a reír. Podría quedarse así para siempre, alternando la pasión con el descanso y la imaginación. Cuando estaban juntos no importaba quiénes eran ni de dónde venían. Por alguna razón desconocida, se compenetraban a la perfección.

—Ha sido increíble —respondió—. Tal y como imaginaba.

—¿Te lo imaginabas? —repitió ella, apoyándose en un codo. A pesar de la oscuridad, Connor percibió el enojo en su voz.

—¿Vas a enfadarte por eso?

—¿Por qué has esperado todo el verano para... para...?

Él la tumbó de espaldas sobre la toalla y le sonrió a la luz de la luna.

—Te aseguro que era mi intención, Olivia. No para esta noche, pero sí en algún momento.

—¿Por qué? —volvió a preguntar ella, mirándolo con los ojos entornados, y Connor supo lo que le estaba preguntando realmente: «¿Has hecho el amor conmigo porque me quieres?».

Pero Olivia no insistió en la pregunta y se incorporó para ponerse sus shorts. Connor intentó no mostrar su decepción y le tocó el tatuaje de la espalda.

—Es muy sexy.

—Freddy y yo nos los hicimos juntos para celebrar la graduación.

—¿El suyo también es una mariposa rosa?

—Estoy segura de que te lo enseñará si se lo pides amablemente.

—No puedo ser amable con Freddy.

—Ya me he dado cuenta… yo y todo el mundo.

—Es porque siento celos de él.

Ella se echó a reír mientras se ponía el sujetador.

—¿Celos de Freddy? ¿Por qué?

—Porque lo quieres —respondió él simplemente—. Porque ha sido parte de tu vida.

Olivia se quedó de piedra y lo miró.

Se había ido de la lengua. Había sido demasiado sincero. Se levantó rápidamente y se puso los vaqueros, maldiciéndose por ser tan idiota. Tendría que haber esperado y haberse dado tiempo para descubrir qué sentimientos compartían Olivia y él.

Ella permaneció en silencio unos minutos. Seguramente estaba asustada, deseando que él no lo hubiera dicho.

—No estoy segura —dijo finalmente—, pero creo que es lo mejor que me has dicho nunca.

—No es para tanto —murmuró él, permitiéndose una sonrisa. De acuerdo, tal vez estuviera equivocado y no fuera ninguna locura sincerarse con ella.

—¿Sabes lo que más me molestó de ti al comienzo del verano?

—Todo, supongo —respondió él, riendo.

—Que no me reconocieras al volver a verme.

—¿No se te ha ocurrido que a lo mejor sólo estaba haciéndome el tonto?

—Por Dios, Connor. Eso sería aún peor.

Él la abrazó por la cintura y la sostuvo pegada a sus caderas.

—No fuiste muy honesta conmigo aquel día. Te cambiaste hasta el nombre.

—Tal vez ése ha sido siempre nuestro problema —susurró ella—. Que nunca hemos jugado limpio.

Connor no pudo evitarlo y volvió a besarla. El sabor de Olivia bastó para excitarlo de nuevo, y fue bajando por su cuello hasta que ella se apartó.

—Deberíamos irnos.

—¿Por qué? —preguntó él.

—Porque… no tengo ni idea —se echó a reír y retrocedió un paso más—. Porque está amaneciendo.

Se había vuelto muy sofisticada, pensó Connor. Había aprendido a controlar sus emociones y a protegerse tras una frágil armadura. Al fin sabía que a la mayoría de los hombres sólo les interesaba el sexo.

Debería estar agradecido por ello. Pero en vez de eso se sentía vacío, prescindible…

Por primera vez en su vida, quería algo más que sexo con una mujer.

THE AVALON TROUBADOUR
19 DE AGOSTO DE 2006

Bodas de oro en el campamento Kioga.

Charles Langston Bellamy y Jane Gordon Bellamy, los propietarios del legendario campamento Kioga en el lago Willow, volverán al campamento la semana próxima para celebrar sus bodas de oro. La pareja se casó en el mismo lugar el 26 de agosto de 1956, y durante las cuatro décadas siguientes se encargaron del campamento, fundado en 1932 por el abuelo de la señora Bellamy, Angus Gordon. El campamento se clausuró en 1997, aunque la finca sigue siendo propiedad de la familia Bellamy. Durante todo el verano el campamento ha sido reformado para acoger el acontecimiento, y el próximo sábado los amigos y parientes del señor y la señora Bellamy podrán retroceder cincuenta años en el tiempo para celebrar el aniversario de la pareja. La fiesta de gala incluirá un banquete, música en vivo y una réplica de la tarta de bodas original de la pastelería Sky River.

Son muchos los rumores que circulan sobre el futuro del campamento Kioga y su privilegiado emplazamiento en plena naturaleza. Hasta el momento ha sido imposible contactar con los Bellamy para preguntarles por sus planes.

33

Mientras atravesaba el campamento para ir a desayunar, Julian se fijó en lo mucho que había cambiado el lugar. El campamento Kioga parecía sacado de una foto o un folleto turístico, con sus cabañas reformadas y la hierba recién cortada. Se habían podado los árboles, se habían cubierto de grava los senderos y se habían plantado geranios rojos y lobelias moradas en las macetas de las ventanas. A esas alturas, Julian se sabía los nombres de todas las plantas porque se había dejado la piel trabajando en los jardines. Podría morir tranquilo sin volver a ver una maldita caléndula.

Aceleró el paso hacia el comedor. Se había levantado al alba para poder acabar temprano y así poder ir a escalar a las montañas Shawangunks, algo que llevaba queriendo hacer todo el verano. En la mochila llevaba todo el equipo necesario: guantes livianos sin dedos, mosquetones, pies de gato, casco, arneses, cuerdas, frenos y carbonato de magnesio para secar las manos. Llevaba unos pantalones cortos y una camiseta vieja de su padre. Después de su muerte, sus hermanas habían intentado tirar todas las camisetas de propaganda que se regalaban en los congresos de ingeniería. Julian había rescatado unas cuantas y le gustaba ponérselas. Sentía que le daban suerte. La de aquel día lucía el eslogan: *Para esto sí hay que ser una lumbrera.*

Encontró a Connor enganchando el remolque a la camioneta. Habiendo acabado casi todo el trabajo, era el momento de llevarse el material más pesado.

—Hola —lo saludó Julian.

Connor terminó de enganchar los vehículos y se irguió.

—Hola, Julian.

—Me preguntaba si podría llevarme la camioneta. Pero parece que vas a usarla.

—Tengo que llevar todo el material al río. Quiero empezar pronto con los cimientos.

Julian asintió. Su hermano estaba empeñado en construirse su propia casa.

—¿Para qué necesitas la camioneta?

—Quería ir a escalar esta tarde.

—¿Tú solo?

—No si puedo convencer a Daisy para que venga conmigo.

—No creo que te resulte muy difícil convencerla —dijo Connor, apoyándose contra el costado de la camioneta.

—Espero que no —corroboró Julian, intentando no sonreír.

Connor le entregó las llaves.

—Deja el remolque en el llano, al principio del camino de entrada. No intentes meterlo marcha atrás. Limítate a desengancharlo. Sabes hacerlo, ¿verdad?

—Claro. Me lo has enseñado un millón de veces. Y gracias, Connor. No sabía si me darías permiso —metió sus cosas en la caja de la camioneta y los dos se dirigieron hacia el comedor—. ¿Qué tal con Olivia?

—¿Qué pasa con Olivia?

—Anoche estuviste trabajando hasta muy tarde —

dijo Julian con una sonrisa—. Toda la noche, en realidad —a punto estuvo de soltar una carcajada al ver cómo las orejas de Connor se ponían coloradas.

—Hazme un favor y no le digas nada —murmuró—. Ni a ella ni a nadie.

—Está colada por ti —le aseguró Julian, dándole un manotazo en el brazo.

—Sí, bueno… —Connor le devolvió el golpe—. Y yo lo estoy por ella.

—¿Qué vas a hacer?

—Supongo que podría declararme y que me rechazara.

—No pareces muy optimista, ¿eh?

—Prefiero prepararme para lo peor y luego sorprenderme con lo mejor.

Tal y como Julian esperaba, Daisy ya estaba en el comedor. A medida que transcurría el verano había imaginado cómo sería enrollarse con ella. Era una chica sofisticada y era obvio que tenía experiencia, pero había algo que escamaba a Julian. Sin contar los problemas por los que estaba pasando su familia.

—¿Te animas a venir de escalada? —le preguntó mientras se preparaba un sándwich.

—Le dije a Dare que la ayudaría con los centros de mesa para la fiesta.

Genial, pensó Julian. Ni siquiera se molestaba en fingir que estaba interesada.

—Oh, eso es muy importante —dijo. A veces las chicas eran un rollo.

—Estaba pensando en ir contigo —dijo ella en tono airado.

—Claro —murmuró él sin poder evitar una sonrisa.

—¿Estás segura, Daisy? —intervino Greg—. La escalada es una actividad muy dura, además de peligrosa.

—Estará segura conmigo —le prometió Julian—.

He escalado cientos de veces en Joshua Tree, en California. Tenemos todo el equipo necesario, y sólo escalaremos paredes de poca altura. Y usaremos un anclaje en la cima.

—Qué chulo —exclamó Max mientras le daba un trozo de su sándwich al perro—. ¿Puedo ir?

—¡No! —negaron Daisy y su padre al mismo tiempo.

—Pero yo sí puedo, ¿verdad, papá? —preguntó ella.

Greg se cruzó de brazos y lo pensó por un momento.

—Te propongo un trato. Puedes ir esta tarde a escalar, pero sólo si me prometes que vendrás a pescar con Max y conmigo una vez más.

—Trato hecho —aceptó ella al instante, y se encaminó hacia la puerta.

Dejaron la camioneta en la reserva natural Mohonk y siguieron a pie hacia los barrancos por un sendero señalizado. Daisy se sobrecogió al ver las paredes rocosas y salpicadas de vegetación, por las que unos cuantos escaladores descendían haciendo rápel.

—No es lo que me esperaba —dijo.

—Podemos buscar otro ascenso, si quieres —propuso Julian—. Hay otros mucho más difíciles.

—¿Éste no te parece lo bastante difícil?

Julian se echó a reír.

—Cuanto más difícil, más emocionante —le enseñó las técnicas básicas de escalada, las cuales le resultaban familiares a Daisy por haber practicado un poco en los rocódromos. Julian se impregnó las manos de tiza y subió rápidamente a la cima por una vía lateral. Allí instaló el anclaje y bajó haciendo rápel por la cuerda—. No está mal —comentó, y procedió a explicarle los movimientos iniciales—. Lo más importante es que te tomes tu tiempo y no te equivoques en el agarre porque tengas miedo o prisa.

—¿Cómo voy a saber cuál es el punto de agarre adecuado?

—Porque es el único que te lleva al siguiente punto de agarre —respondió él con una sonrisa—. Y no tengas miedo. Siempre puedes llegar un poco más lejos de lo que crees.

Ella respiró hondo e irguió los hombros.

—De acuerdo. Vamos allá.

Julian la ayudó a ponerse el equipo, lo que provocó un par de momentos extrañamente íntimos, como cuando se colocó el arnés y él se lo fijó con fuerza contra la entrepierna.

—Lo siento —se disculpó—. Pero tengo que asegurarme de que estés bien sujeta.

—Tranquilo. Esto es lo más parecido que he tenido a una cita este verano.

Julian inició el ascenso para hacerle una demostración, estirándose, agarrándose y conquistando poco a poco la pared rocosa mientras ella lo observaba sin perder detalle.

—Ahora voy a dejarme caer —le dijo cuando estaba a media subida—. Así verás como funciona el anclaje.

—No lo… —pero antes de que pudiera acabar la frase, Julian se había soltado de su agarre. La caída sólo duró un instante, antes de que el dispositivo de freno lo detuviera—. Estás loco.

—No, tan sólo me gusta volar un poco —reanudó el ascenso y siguió abriendo la vía para que Daisy lo siguiera.

—¿Y si no veo cuál es tu próximo agarre? —le preguntó ella.

—Entonces te agarras a lo que sea y confías en tener suerte.

Daisy inició el ascenso, temblando un poco y soltando algún que otro grito, mientras él la iba guiando desde arriba. Sus movimientos eran lentos y cautelosos, pero era una chica fuerte y no cometió muchos fallos. Finalmente alcanzaron la cima y Daisy interpretó una pequeña danza triunfal.

—Me siento como Frodo en el Monte del Destino.

Brindaron con sus respectivas cantimploras y Daisy sacó un paquete de cigarrillos.

—Eso te matará antes que la escalada —le dijo él con el ceño fruncido.

Ella no le hizo caso, se agachó y encendió el mechero. Tiró los cigarros sobre una roca y les prendió fuego uno a uno, añadiendo ramitas para avivar las llamas. Cuando no quedaron más que cenizas, se levantó y sacudió el humo con la mano.

—Llevo queriendo hacerlo todo el verano.

—¿Y por qué no lo has hecho hasta ahora?

—Quería que mi padre me lo prohibiera, pero nunca lo hizo. Si hubiera esperado su prohibición, me habría convertido en una adicta sin remedio. Mejor dejarlo ahora, por mi propia voluntad.

—Muy bien hecho —dijo él, y la besó brevemente en los labios—. Llevaba queriendo hacerlo todo el verano.

—¿Y por qué no lo has hecho hasta ahora?

—No estaba seguro de que me lo permitieras... —el corazón le latía frenéticamente—. Y ahora vamos a bajar haciendo rápel.

Caminó de espaldas hacia el borde e inició el descenso con rapidez y habilidad, agarrando la cuerda con sus manos enguantadas. Al llegar al suelo, Daisy se inclinó sobre el borde para aplaudirle.

—¿Estás preparada para intentarlo, o quieres otra demostración?

—Mmm... No sé. ¿Qué te dice tu sentido arácnido, Spiderman?

—Que vas a hacerlo muy bien.

Ella no estaba muy convencida, pero se obligó a intentarlo. Su descenso no fue tan rápido ni suave como el de Julian, pero cuando finalmente tocó el suelo, tenía las mejillas encendidas de excitación.

—Ha sido increíble —gritó, y su voz resonó en las altas paredes de piedra.

34

Las salidas de pesca de Daisy con su padre y su hermano se habían convertido en un motivo de guasa en el campamento. Ni una sola vez habían regresado al muelle con una trucha. Pero a Daisy no le importaba. Ella y Max habían aprendido finalmente que el sentido de la pesca no era atrapar un pez, sino aprender a ser paciente, relajarse y esperar el momento. Tan sencillo como eso.

Aun así, no renunciaban a la esperanza de conseguir su primera trucha cuando volvieron a salir, seguramente por última vez aquel verano. Al menos Daisy tendría mucho tiempo para soñar despierta con Julian. No se parecía en nada a ninguno de los chicos que había conocido. Era arrebatadoramente atractivo, pero no era aquél su rasgo más especial. Era la visión que le había dado a Daisy sobre su propia vida y familia. Unos meses atrás estaba convencida de que su vida era una porquería por culpa de la separación de sus padres. Julian le había hecho ver que había otras clases de familia y que no todas tenían que estar emparentadas ni vivir bajo el mismo techo. También le había hecho ver que no existía la familia perfecta, pero que no por ello había que renunciar a esa idea.

—¿Qué miras? —le preguntó Max—. Me estás mirando con una cara muy rara.

—Sólo estaba pensando en lo afortunada que soy de tener un hermano.

Max soltó un bufido de incredulidad, y Daisy sacudió la cabeza. Sabía que nunca lograría convencerlo de que estaba siendo sincera.

Entonces ocurrió lo impensable. La boya de Max se hundió, volvió a emerger, se estremeció y volvió a hundirse.

—¿Lo estás viendo, Max? —le susurró Daisy a su hermano.

—Sí —respondió él—. Mira, papá. Han picado.

—Así es, hijo. ¿Quieres que te ayude?

—No, ya lo tengo.

—Recuerda tirar con fuerza. Tienes que...

—¡Lo tengo! —Max tiró de la caña como si le fuera la vida en ello y empezó a recoger sedal. El pez opuso una feroz resistencia, saltando y aleteando en la superficie. Max se puso de rodillas, absolutamente concentrado, y con la paciencia que había adquirido a lo largo del verano consiguió sacar al pez del agua.

Su padre lo atrapó con la red y lo dejó en el suelo del bote. Era una buena pieza, lo bastante grande para conservarla.

—Por fin —exclamó Max, levantando la red de nylon para sostener el trofeo.

Su padre le sacó una foto.

—Ya tenemos trucha fresca para cenar —dijo—. O quizá deberíamos disecarla.

Tres círculos concéntricos rodeaban el ojo de la trucha. El pescado poseía una belleza extraña, y los brillantes colores a lo largo de su cuerpo hacían honor a su nombre: trucha arco iris.

Y se estaba muriendo, ahogándose fuera de su elemento natural. Daisy podía ver como sus branquias se abrían frenéticamente en busca del agua que le permitiera respirar. La boca de la trucha parecía emitir silenciosos gritos de súplica. Oh, oh, oh…

—Devuélvela al agua, Max —dijo en tono apremiante.

—¿Qué? Ni hablar. Llevo todo el verano intentando pescar una trucha.

—Y ya lo has hecho. Pero deberías soltarla antes de que se ahogue.

Max miró a su padre.

—¿Qué hago, papá?

—Depende de ti, hijo.

No, no dependía de Max. Dios… A Daisy le gustaría ver como su padre tomaba una decisión por sus hijos, en vez de dejar que ellos eligieran como hacía siempre.

Daisy apretó los dientes y agarró la trucha. Sus escamas eran tan resbaladizas que era casi imposible sujetarla y extraer el anzuelo.

—Despídete de la trucha, Max —dijo.

Su hermano no protestó y se limitó a tocar el pez con el dedo índice.

—Es mejor que la soltemos.

Daisy se inclinó sobre la borda y dejó el pez en el agua. Horrorizada, vio como la trucha se quedaba flotando sin dejar de boquear.

—Es demasiado tarde… La hemos matado.

No era más que un estúpido pez. ¿Por qué sentía su muerte como una tragedia?

—La hemos matado —repitió Max, profundamente abatido.

Su padre no dijo nada. Se inclinó hacia el agua y tomó al pez entre sus manos, pero en vez de sacarlo del lago lo sacudió varias veces dentro del agua y luego lo soltó. La cola se agitó y el pez se alejó nadando alegremente.

Daisy se sintió henchida de emoción mientras Max miraba boquiabierto a su padre.

—A veces hay que sacudirle las branquias para reanimarlos —explicó él.

—La has salvado —dijo Max, absolutamente maravillado.

—No, ha sido Daisy —repuso su padre, secándose las manos en los shorts.

—Lo siento, Max —dijo ella, invadida por un inmenso alivio—. Pero sentí que teníamos que soltarla —no podía explicar el impulso sin profundizar en el dolor que había sufrido por la separación de sus padres.

—No importa —dijo Max en tono despreocupado—. De todos modos no habría querido comérmela. Y además tenemos una foto de prueba.

—Sois dos chicos increíbles —los alabó su padre—. ¿Listos para volver al campamento?

—Sí —respondió Max—. Me muero por un sándwich de mantequilla de cacahuete.

Iniciaron el regreso, remando a un ritmo constante y sincronizado.

—Puede que no sepamos pescar —dijo Daisy—. Pero sabemos llevar una canoa.

Su padre empezó a cantar y Max y Daisy lo acompañaron. Ya no importaba hacer ruido, porque les daba igual a cuántos peces asustaran. Sus voces se extendieron sobre la superficie del lago y parecieron elevarse hacia el cielo, y en aquel momento, Daisy se sintió más eufórica y optimista de lo que había estado en meses.

Era absurdo, porque no había ocurrido nada especial. Max había pescado una trucha y la habían soltado. ¿Por qué se sentía entonces tan repentinamente animada?

Entonces miró los rostros risueños de su padre y su hermano y se dio cuenta de que no importaba el motivo. A veces bastaba con ser feliz, sin más.

35

La emoción se palpaba en el ambiente. Los invitados habían estado llegando durante toda la semana y el campamento había vuelto a la vida una vez más, reflejando los días gloriosos de un pasado idílico.

Olivia observaba cómo las familias se adaptaban al estilo de una vida antigua y encantadoramente distinta. La generación más joven, que nunca había conocido la vida en el campamento, se deleitaba con el descubrimiento de un mundo completamente nuevo. En los días previos al aniversario hubo carreras, actividades acuáticas, bromas e incursiones nocturnas a la cocina, todo imbuido de una nostalgia maravillosa.

El día del aniversario amaneció con un tiempo espléndido, como todo el mundo había esperado. Los invitados salieron de las cabañas vestidos para la ocasión, y otros llegaron en coche desde la ciudad. El pueblo de Avalon estaba representado por el alcalde, quien pronunció un discurso especial en honor de los Bellamy.

Olivia estaba conmovida por el número de personas que acudieron a la cita. La lealtad de tantas y tantas amistades simbolizaba la clase de vida que habían llevado sus abuelos. Hubo momentos especialmente emotivos, cuando recordaron a los que ya no estaban.

En medio de todos los preparativos, Olivia no tuvo tiempo para soñar con Connor Davis, aunque seguramente fuera lo mejor. Sus sueños solían acabar en la inquietud e incluso en la paranoia. ¿Había sido una aventura de una sola noche? ¿Se separarían ahora que el verano había acabado?

La furgoneta de la pastelería Sky River la sacó de sus divagaciones. Jenny Majesky y su ayudante, el joven rubio llamado Zach Alger, llevaron la tarta en varios trozos para montarla en la mesa central. Jenny iba vestida en un estilo profesional y discreto, con un vestido negro sin mangas, zapatillas de tacón bajo y sin más joyas que un par de pendientes dorados. Sobre el vestido llevaba una chaqueta de proveedora y se había recogido su pelo oscuro en una esbelta cola de caballo.

—Has hecho un trabajo increíble, Olivia —dijo, mirando a su alrededor.

—Gracias. He contado con una gran ayuda —dudó un momento. Quería seguir hablando, pero ella y Jenny aún se trataban con cierto recelo. Entonces oyó el ruido de un motor y estiró el cuello para ver quién se acercaba. No era Connor, sino Rourke McKnight, el jefe de policía.

—Parece que estás esperando a otra persona —observó Jenny.

—A Connor Davis —admitió ella, asintiendo.

Jenny abrió una caja de rosas blancas y empezó a repartirlas alrededor de la tarta.

—¿Es tu cita para la fiesta?

—No sé muy bien lo que es —respondió Olivia, ayudándola con las rosas. Se le había formado un nudo en la garganta y estaba al borde de las lágrimas—. No... —tragó saliva y respiró hondo—. No se me dan bien las relaciones, ni siquiera con Connor.

Jenny sacó una pala de servir plateada y ató una cinta de satén en el mango.

—No conozco mucho a Connor —dijo—. Aunque en un pueblo tan pequeño todo el mundo sabe un poco de todo. Siempre me ha parecido una persona solitaria.

—Tal vez le gusta ser soltero —murmuró Olivia, pensando en la pequeña caravana.

Jenny dejó la pala en un plato de porcelana y se retiró para observar el conjunto.

—Está pensando construir una casa que ha diseñado él mismo, ¿lo sabías?

—He visto los planos.

—Entonces habrás visto que la casa tendrá cuatro dormitorios. Los hombres celosos de su soltería no construyen casas con tantas habitaciones —dijo, colocando la figura del novio sobre la tarta.

La calma y el sentido común que transmitía Jenny consiguieron tranquilizar un poco a Olivia. Tal vez le gustara tener una hermana, después de todo. Volvió a mirar por la ventana y vio a un hombre alto y canoso saliendo de una limusina.

—¿El senador McKnight tiene alguna relación con el jefe de policía McKnight?

—Son padre e hijo —respondió Jenny.

Aquello sí que era sorprendente. El senador era uno de los hombres más ricos y poderosos del estado, y el jefe de policía vivía en un viejo apartamento y conducía una camioneta destartalada. Los dos hombres se cruzaron en la entrada, sin apenas dirigirse la palabra, y Olivia vio como Jenny se fijaba en Rourke McKnight.

—¿Vosotros dos estáis…?

—Oh, no —se apresuró a negar Jenny, estremeciéndose.

—¿Qué le pasa? —preguntó Olivia con una sonrisa irónica—. ¿No es lo bastante hombre para ti?

—No le pasa nada, salvo que es… Rourke. Sólo le

gustan las rubias despampanantes con menos cerebro que una nutria.

—Supongo que él es la razón por la que la mitad de las mujeres del pueblo aparcan en zona prohibida. Seguramente confían en que él mismo les ponga las esposas... Pero parece un buen tipo, aparte de su mal gusto femenino —añadió.

—Supongo —murmuró Jenny con un melancólico suspiro, y las dos salieron del comedor.

En el exterior, Olivia oyó como se cerraba la puerta de un coche y agarró rápidamente a Jenny del codo.

—¿Qué pasa? —preguntó ella.

—Mi madre acaba de llegar. Está con mis abuelos, Gwen y Samuel Lightsey.

—¿Saben algo de mí?

—Le dije a papá que dependía de él explicarlo todo. Es abogado, Jenny. Se le dan bien las palabras... Todo saldrá bien.

Jenny tensó los hombros.

—Entonces dejaré que sea él quien me presente.

Olivia sintió una inesperada solidaridad con Jenny, y al mismo tiempo un profundo alivio al saber que no sería ella la que tuviera que hacer las presentaciones.

Jenny había vuelto al interior cuando la madre y los abuelos de Olivia se acercaron. Olivia los besó a cada uno y vio que su abuela se había puesto completamente blanca.

—¿Te encuentras bien, abuela? —le preguntó, agarrándola del brazo.

Gwen Lightsey se desplomó contra su marido y tuvieron que sentarla en un banco.

—Llamaré a un médico —dijo la madre de Olivia.

—No, Pamela —la detuvo Gwen—. No es nada... Me pondré bien enseguida —se abanicó el rostro con la mano—. Es que me he llevado una sorpresa muy desagradable al ver a esa joven, tan parecida a aquella mujer...

Pamela frunció el ceño. Miró a Olivia y después a su madre.

—¿Has visto a la madre de esa chica?

—Fue hace mucho tiempo —dijo Samuel, haciendo un gesto para quitarle importancia.

—Nunca me lo habías dicho —la acusó Pamela.

—No había mucho que contar —dijo Gwen, recuperando poco a poco el color—. Era una mujer horrible, sin la menor catadura moral. Philip hizo bien en librarse de ella.

—¿Qué os parece si nos centramos en el aniversario de los abuelos? —sugirió Olivia con una sonrisa forzada—. Para eso estamos aquí, ¿no?

—Tienes toda la razón —respondió su madre, y la sorprendió al darle un abrazo—. Estás radiante, Olivia. ¿Qué te ha pasado?

Olivia se echó a reír.

—Vamos a ver… He descubierto que tengo una hermanastra, he reformado un campamento y… oh, sí, me he enamorado de Connor Davis por segunda vez en mi vida.

—¿Connor Davis? ¿El hijo de Terry Davis? —Olivia volvió a reírse por la expresión que puso su madre—. No te conviene, Olivia. Ni te convenía hace años ni te conviene ahora.

—No lo conoces, mamá.

—Pero te conozco a ti. No vayas a hacer ninguna estupidez, Olivia.

—Oh, créeme —dijo ella—. Ya la he hecho.

—Qué idiota —le espetó Julian a Connor—. Vas a perderte la ceremonia —estaba a cargo de transportar a los invitados a la isla en el pontón, adornado para la ocasión con flores y hojas. Arrancó el motor y llevó la embarcación hacia la isla, donde los invitados ya estaban reunidos para asistir a la ceremonia. Los únicos otros pasajeros eran una pareja de ancianos que habían llegado minutos antes.

—Cierra la boca —le advirtió Connor a su hermano—. Muestra un poco de respeto.

O bien la pareja de ancianos era dura de oído o bien no estaba escuchando. Sentados en la barandilla del bote y asidos de la mano, contemplaban extasiados la belleza del entorno. Había algo especial en un matrimonio estable y duradero, pensó Connor. Parecían entenderse y compenetrarse a la perfección, como dos árboles creciendo uno al lado del otro durante tanto tiempo que sus ramas se entrelazaban y unían.

—¿Por qué has tardado tanto? —le preguntó Julian.

—Tenía que ir al pueblo a recoger una cosa.

—¿Qué cosa?

—Te lo enseñaré más tarde —respondió él, palpándose el bolsillo de la chaqueta donde llevaba el estuche de la joyería Palmquist—. Y como le digas una palabra a alguien, te...

—Tranquilo, tío. Además, no creo que nadie vaya a sorprenderse, salvo Olivia —hizo una pausa—. Me alegro por ti, Con. Es una chica genial.

Desde luego que lo era. Era encantadora, adorable, cariñosa y divertida, y Connor la amaba con toda su alma. Era la mujer con la que quería envejecer y entrelazar su vida.

—¿De verdad crees que se sorprenderá?

—¿Quién sabe? Es imposible entender a las mujeres.

—Tal vez puedas estudiarlo en la universidad —dijo Connor, riendo.

—Tal vez... ¿Crees que es una locura intentar ingresar en la Fuerza Aérea?

—Al contrario. Tú eres lo que están buscando —si el chico aprendía el valor de la disciplina, la academia militar sería el lugar indicado para desarrollar todas sus capacidades físicas y mentales.

—Bueno —dijo Julian, apartándose un mechón—. Me vendrá bien un corte de pelo.

—Llegas tarde —lo acusó Olivia sin mirarlo, mientras Connor ocupaba una silla junto a ella. Cada vez que se acercaba el aire parecía cargarse de una tensión especial.

—Lo siento —murmuró él, y Olivia cedió al impulso de mirarlo.

Dios... Parecía salido de un sueño. Si Connor Davis era el hombre más sexy del mundo, Connor Davis con un esmoquin, afeitado, peinado y rociado de perfume era aún mejor.

—¿Te ocurre algo? —le susurró él al oído, y Olivia se dio cuenta de que había soltado un débil gemido.

—Estás muy guapo —le respondió, justo cuando el reverendo iniciaba su sermón.

Olivia, al igual que sus primas y tías, habían hecho todo lo posible para contener las lágrimas, pero nada podría haberla preparado para la ola de emoción que la inundó cuando su abuelo se volvió hacia su abuela y la tomó de sus manos como si fueran dos pajarillos a punto de emprender el vuelo. Su abuela estaba preciosa con su vestido de charmeuse color crema y su pelo plateado elegantemente recogido. Su abuelo, tan alto y distinguido como siempre, impecable en su esmoquin. Los rostros de ambos brillaban de amor y felicidad mientras pronunciaban sus votos.

Daisy y su madre interpretaron una pieza de Brahms para flauta y clarinete. Con aire solemne, Charles y Jane Bellamy se intercambiaron los anillos forjados para la ocasión por un orfebre de Lightsey Gold & Gem.

Olivia sintió como la emoción estallaba en su interior y supo que estaba a punto de perder la compostura. Freddy ya estaba llorando, y Dare se había llevado un Kleenex a la cara.

—Aguanta, Lolly —le susurró Connor al oído—. Lo estás haciendo muy bien.

En contraste con la solemnidad de la ceremonia, la celebración posterior estuvo llena de música, comida y felicitaciones. Dare había preparado un escenario ideal, con manteles blancos, centros de mesa de colores y cubertería de plata y cristal que reflejaba la luz del crepúsculo. El champán manaba libremente, se sucedían los brindis en honor de los Bellamy y un ambiente de diversión y alegría se respiraba en el comedor y en la terraza. Todo el mundo bailaba, incluso los más viejos y delicados con la ayuda de sus bastones. Incluso Dare había sacado a la pista a un reacio Max.

—¿Estás bien? —le preguntó Freddy a Olivia, quien observaba complacida a los invitados.

—Muy bien —respondió—. Gracias por todo, Freddy.

—¿Estás de broma? Ha sido uno de los mejores veranos de mi vida. ¿Qué va a pasar contigo y el señor Maravillas?

Entre la ceremonia y la fiesta, Olivia apenas había tenido tiempo de hablar con Connor. Y tampoco estaba segura de lo que podía decirle: «Me he vuelto a enamorar de ti. ¿Podemos hacer que funcione esta vez?». Ni siquiera ella misma podía responderse.

—No lo sé —le confesó a Freddy.

—Claro que lo sabes. Puedo verlo en tu cara —la sacó a bailar mientras sonaba *Somewhere Beyond the Sea*.

Olivia se mordió el labio inferior. Llevaba todo el día al borde de las lágrimas.

—Tengo una vida en la ciudad, un trabajo…

—Detalles sin importancia —la cortó él con impaciencia—. Por cada problema que se te ocurra, yo te ofreceré una solución y lo sabes. Alquilaré tu apartamento, me haré cargo del negocio…

—Es mi trabajo.

—Pero ésta podría ser tu vida, si dejas de resistirte.

Olivia lo besó en la mejilla.

—Lo pensaré —en realidad no había pensado en otra cosa últimamente. No sabía qué la asustaba más, si imaginarse un futuro con Connor o una vida sin él.

—No lo pienses tanto y actúa —le dijo Freddy. La llevó hasta el borde de la pista y la cambió por Dare. Antes de que Olivia pudiera decir nada, los dos se habían alejado, riendo y abrazados como una pareja de enamorados.

—Dijiste que no llorarías durante la ceremonia —dijo una voz severa y familiar tras ella—. Has estado a punto de hacerme llorar a mí, y eso sí que habría sido embarazoso.

Olivia se volvió y le dio un abrazo a su abuela.

—Lo siento, abuela. Pero todo ha sido tan bonito que no podía contenerme.

Su abuela entrelazó el brazo con el suyo y las dos salieron a la terraza. Las últimas luces del crepúsculo se reflejaban en el lago e impregnaban el campamento de un hermoso resplandor anaranjado. La música, las risas y los brindis se fundían con el susurro de la brisa y el canto de los pájaros. Su abuela suspiró de felicidad.

—Tú lo has hecho posible, Olivia. Has devuelto este lugar a su antiguo esplendor, y es aún más hermoso de lo que recuerdo —al llegar, sus abuelos se habían quedado maravillados como críos por la nueva imagen del campamento.

—Me ha encantado hacerlo, abuela.

—Me alegra que aceptaras el encargo. Quería que volvieras a este lugar —sus ojos brillaron de malicia—. Tenías asuntos pendientes.

—Connor Davis —admitió Olivia—. Supongo que Dare te lo habrá contado todo —apoyó las manos en la barandilla de la terraza—. Es… complicado. No soy tan afortunada como tú en el amor…

—No seas ingenua, Olivia. El amor no es un premio de lotería. Tienes que cuidarlo y mimarlo día a día, y a veces puede ser un trabajo muy duro.

—Lo sé. No soy ingenua. Tan sólo… reacia a correr riesgos.

Un camarero les ofreció champán, y las dos brindaron para aliviar la tensión. Su abuela tomó un sorbo y volvió a suspirar.

—Charles y yo hemos tomado una decisión sobre el campamento Kioga —anunció.

—¿Qué vais a hacer?

—Queríamos volver a abrirlo, pero no sólo para niños sino para toda la familia. La gente lleva una vida muy ajetreada y las familias apenas pasan tiempo juntas. Aquí podrían pasar una o dos semanas en verano, haciendo todo tipo de actividades para niños y adultos, como se hacía antiguamente —acabó el champán y bajó la copa—. Es una idea muy bonita, pero nos hemos topado con un inconveniente.

—¿Cuál?

—Les propusimos el proyecto a Greg y Sophie y ambos parecían muy interesados. Por desgracia, su separación ha dado al traste con el plan. Greg ya tiene bastantes problemas como para ocuparse del campamento —la decepción parecía pesarle en los hombros.

—Encontraremos una solución —dijo Olivia—. No te preocupes.

—Hablas igual que Charles. Creo que se guarda algo en la manga…

Volvieron adentro y se unieron a su padre, que estaba con el abuelo y con Jenny Majesky. Philip había hecho las presentaciones en privado el día anterior. Jenny estaba preciosa, pero parecía un poco confusa y miraba con sus ojos oscuros a todos los parientes desconocidos que bailaban y comían.

—Le estaba diciendo a Jenny que conocimos a sus abuelos mucho antes de casarnos —dijo el abuelo.

—Es cierto —corroboró la abuela—. Compré un kolache de queso en la pastelería el día que la inauguraron… el cuatro de julio de 1952.

—¿Se acuerda de eso? —preguntó Jenny, sorprendida.

—Los kolaches de Helen son inolvidables —dijo la abuela con una sonrisa—. Me gustaría visitarla mañana, si es posible.

—Por supuesto —respondió Jenny, y Olivia vio que estaba a punto de llorar, abrumada por el aluvión de vínculos y emociones que estaba descubriendo de un día para otro.

—¿Bailas, Jenny? —le preguntó su padre caballerosamente, viendo lo mismo que Olivia.

—No muy bien.

—Yo tampoco, pero me encantaría bailar con mi hija.

Viendo cómo bailaban y reían juntos, Olivia sintió un nudo en la garganta y supo que le llevaría algún tiempo acostumbrarse a la nueva situación. Entonces vio las miradas que les lanzaban sus abuelos maternos y fue hacia su mesa con dos platos.

—¿Dónde está mamá? —les preguntó.

—Pamela no se sentía muy bien y ha vuelto al hotel —dijo su abuelo.

—Ya sé que esto es muy difícil para todos —dijo Olivia—. Pero Jenny es maravillosa y me gustaría que os alegraseis por nosotros.

—Parece una buena chica —aseveró la abuela Gwen, apartando su trozo de tarta sin probarlo—. Y entendemos que nada de esto es culpa suya. Pero tienes que velar por tus propios intereses, Olivia. ¿No es cierto, Samuel?

—Desde luego —corroboró él, igual que siempre.

Olivia no quería continuar la conversación y volvió

a alejarse. Las insinuaciones no podían estar más claras. Como hermana suya, Jenny no sólo compartiría el afecto de su padre, sino también su herencia.

De repente sintió la necesidad de respirar aire fresco y salió al exterior. El sol se había ocultado y la noche envolvía el campamento con un silencioso manto de misterio. Deseó y rezó porque Connor la hubiera visto salir. Aún no habían pasado un minuto juntos y se sentía perdida sin él. Aquello sí que era inaudito: Olivia no estaba acostumbrada a querer compartirlo todo con alguien.

Mientras paseaba de un lado para otro, un coche se acercó por el camino y se detuvo en el aparcamiento. Unos segundos después una figura alta y fornida salió del vehículo y encendió un cigarrillo mientras se aproximaba a Olivia.

—¿Señor Davis? Entre, por favor. Mis abuelos estaban deseando verlo.

Terry Davis iba vestido con pantalones oscuros y una camisa nueva.

—No puedo quedarme mucho tiempo. Sólo he venido a presentar mis respetos... y a hablar con usted, señorita Bellamy. Si no le importa, naturalmente.

—Por supuesto, pero llámeme Olivia.

—Sí, señorita. La cuestión es, señorita, que estoy trabajando en mi noveno paso.

—No lo entiendo.

—De mi programa de doce pasos. El noveno consiste en aclarar las cosas con todas las personas a las que hice daño en el pasado. Como usted.

—¿Yo? —Olivia no se imaginaba qué daño podría haberle hecho—. Pero a mí no...

—Lo único que le pido es que me escuche —la interrumpió él.

Ella dudó un momento y se sentó en el escalón inferior de la entrada.

—Le escucho.

Terry se sentó a su lado.

—Se trata de aquella noche de hace nueve años. Usted sabe a qué noche me refiero.

—¿Por qué no me lo dijiste? —le preguntó Olivia a Connor. Era casi medianoche cuando finalmente lo encontró en el bar.

Connor se apartó de la barra donde había estado hablando con Freddy… en una actitud aparentemente civilizada. Cuando Olivia lo vio se olvidó por un momento de lo que quería decir. Llevaba toda la noche pensando en él, y era difícil mirarlo y pensar al mismo tiempo.

—¿Decirte qué? —preguntó él.

Ella se ruborizó al sentir varias miradas fijas en ellos y lo sacó a la terraza.

—Tu padre me ha estado contando algunas cosas de aquella noche de hace años. Cosas que nunca te molestaste en explicarme.

—¿Como qué? —preguntó Connor, adoptando una actitud rígida y defensiva.

—Me dijo que había bebido mucho aquella noche.

—Mi padre bebía mucho todas las noches.

—Pero aquella noche fue a beber a Hilltop Tavern, y después tuvo un accidente con el coche. Me ha dicho que tú llegaste antes que la policía y que te sentaste al volante para declarar que eras tú el que conducía y así evitar que detuvieran a tu padre por conducir bajo los efectos del alcohol.

—Sí, ¿y qué?

—Nunca me lo habías contado, Connor. Me hiciste creer que… —no sabía cómo seguir.

—¿Que todo era culpa tuya?

—¿Por qué no me lo dijiste?

—Por Dios, ¿crees que era fácil hablarte de mi padre alcohólico? ¿Qué habría conseguido diciéndote la verdad?

El recuerdo de aquella noche aún le escocía en su interior.

—Eras mi primer novio. La noche que íbamos a hacerlo... lo significaba todo para mí. Todo. Pero tú la convertiste en una especie de broma y luego desapareciste...

—Lolly, fuiste tú la que desapareció aquella noche —dijo él en voz baja y angustiada.

Era cierto. Ella siempre había culpado a Connor, pero aquella noche había tomado una decisión y nunca se molestó en descubrir lo que había pasado realmente. Se había pasado nueve años creyendo que Connor la había rechazado, y ahora tenía que asumir que no había sucedido de aquella manera. Ella había huido del estanque aquella noche, sin mirar atrás. Sin saber que Connor había ignorado las burlas de los monitores, que se había vestido a toda prisa y que había salido corriendo tras ellas.

Y finalmente Terry Davis le había explicado por qué Connor no había ido a su cabaña aquella noche. Alguien le había dicho que su padre estaba en apuros y lo que siguió fue una pesadilla... Connor insistiéndole a la policía que era él quien conducía.

—Tu padre me ha dicho que te enviaron a la prisión de Kingston.

—Así es —su rostro era impenetrable, pero Olivia podía imaginárselo como un chico solo y asustado, intentando salvar a su padre de la cárcel.

—Ojalá me lo hubieras contado. Podrías haberme llamado o...

Una pequeña sonrisa asomó en los labios de Connor.

—Habría sido peor para ambos si hubiera intentado explicártelo, Lolly.

Ella asintió, dolida por todo lo que Connor había sufrido. La infancia de Olivia no había sido ideal, pero al menos ella había tenido una infancia, mientras que

Connor había tenido que luchar por sí solo para salir adelante y ayudar a su padre.

Según le había contado Terry, había tocado fondo al ver que su hijo iba a la cárcel en su lugar. En aquel momento había tomado la decisión de abandonar la bebida.

Y Olivia, ajena a todo eso, había regresado a Nueva York para empezar la universidad y había intentado fingir que el verano nunca había tenido lugar.

—¿Qué podría haber sido peor que perderte sin una explicación? —le preguntó, recordando la agonía que había sufrido.

—Perderte de nuevo —respondió él simplemente, y se inclinó para besarla en los labios. Fue un beso breve, pero cálido y sincero—. No quiero volver a perderte, Lolly.

Olivia se quedó aturdida y deseó que la besara otra vez. Quería que la subiera a su motocicleta y la llevara a las montañas para no regresar jamás. Quería que sus vidas se compenetraran igual que sus corazones.

—Sólo quiero saber… —hizo una pausa, pues era difícil expresarlo con palabras—. Sólo quiero saber que no voy a cometer otro error. Me he equivocado tantas veces que ya no confío en mí misma.

Él se echó a reír.

—No puedo impedir que cometas errores, Lolly. Ni yo ni nadie, ni siquiera tú. Y, además, ¿por qué tienes miedo de equivocarte? A veces tienes que dar un salto de fe…

Olivia no podía creer que Connor le estuviera sonriendo, como si todo aquello le resultara divertido. Para él todo parecía sencillo, mientras que ella siempre tenía que analizarlo todo hasta el último detalle.

—Cada uno tiene su propia vida, Connor. No veo cómo podría funcionar.

—Vente a vivir a Avalon y construyamos juntos nuestra casa. Y diles a tus abuelos que te encargarás de reabrir el campamento —su seguridad era casi irritante.

—¿Has estado hablando con el abuelo y con Greg?

—Largo y tendido —admitió él.

Olivia se mordió el labio inferior y lo miró a los ojos. Una parte de ella la acuciaba a aceptar el desafío, pero otra seguía reteniéndola. Connor le estaba pidiendo lo mismo que Rand Whitney, que abandonara la vida y la carrera por las que tanto había luchado.

—La idea de crear un retiro para las familias es genial, pero… no es más que un sueño.

Connor hizo un gesto que abarcaba el lago y las montañas.

—Todo esto empezó como un sueño. Nunca te lo he dicho, pero mis sueños también empezaron aquí. La primera vez que vine a este lugar pude imaginar la clase de vida que quería para mí mismo.

Olivia recordó al chico huraño de ojos azules y ropas de hip-hop, y deseó poder retroceder en el tiempo para abrazarlo y decirle que todo saldría bien. Había tenido la oportunidad de hacerlo años atrás, y la había desaprovechado.

—Me alegro de… —se echó a reír, un poco nerviosa—. No lo sé. De que hayamos tenido este verano. De que tal vez…

—¿Tal vez qué? —deslizó las manos bajo las suyas y entrelazó sus dedos—. Si no te gusta la idea de quedarte aquí, viviremos donde tú quieras.

Otra vez lo hacía parecer todo increíblemente fácil.

—¿Vivirías en la ciudad por mí?

—Por Dios, Lolly, viviría en el fin del mundo por ti.

Ella bajó la mirada a sus manos, con las palmas unidas y los dedos entrelazados. Habían estado así la última vez que hicieron el amor.

—No estoy segura de lo que quieres que diga —confesó.

—Entonces escúchame. Te quiero, Lolly. Te he querido desde que éramos críos, y nunca he dejado de quererte aunque nunca te lo haya dicho. Una vez te hice daño y te dejé marchar, pero no volveré a hacerlo, cariño. Jamás. Ahora somos adultos y sabemos cómo hacerlo. Es cierto que procedemos de dos mundos distintos y que nuestras vidas tomaron caminos opuestos, pero siempre hemos compartido este vínculo tan especial. Dime que no lo estoy imaginando, Lolly.

Las lágrimas le escocían en los ojos y la garganta. Pero se obligó a no llorar. No quería echar a perder aquel momento perfecto con lágrimas.

—Yo también te quiero, Connor —susurró. Las palabras brotaron de su interior como un manantial oculto—. Y yo también te he querido siempre, incluso cuando te odiaba.

Él sonrió y le tocó la mejilla.

—Lo sé, cariño. Lo sé.

Ella echó la cabeza hacia atrás y sintió como las lágrimas dejaban paso a la felicidad más pura y maravillosa. Él la hacía sonreír y la hacía sentirse segura. ¿Podría el amor ser tan sencillo?

Connor la soltó un segundo para ver la hora en su reloj.

—¿Ocurre algo? —le preguntó ella.

—Tengo un poco de prisa —respondió él, esbozando una sonrisa nerviosa—. Tengo que hacer esto antes de medianoche.

—¿Hacer qué?

—Creo que daría buena suerte declararme en el aniversario de tus abuelos.

A Olivia se le aceleró el corazón. Por un momento le entró el pánico, pero sabía que era precisamente aquello lo que deseaba.

—¿Te estás declarando?

—Aún no lo he hecho. Estoy intentando reunir el valor necesario.

Ella se echó a reír, abandonando todas sus reservas, temores y cautela.

—Hazlo —le ordenó—. Pídemelo ahora mismo.

—¿Ahora mismo

—Ahora mismo —repitió ella, echándole los brazos al cuello—. Porque me muero de impaciencia por decirte que sí.

Epílogo

THE AVALON TROUBADOUR
2 DE SEPTIEMBRE DE 2006

El señor Philip Bellamy y la señora Pamela Lightsey Bellamy, ambos de Manhattan, anuncian el compromiso de su hija, Olivia Jane, con Connor Davis, hijo de Terence Davis de Avalon, Nueva York. La señorita Bellamy se graduó cum laude en la Universidad de Columbia y se trasladará a Avalon después de la boda. El señor Davis es el propietario de Davis Contracting and Construction en Avalon, y este otoño construirá una nueva casa para él y su esposa en la carretera del río. La boda está prevista para el mes de agosto. Posteriormente, los recién casados tienen previsto hacerse cargo del campamento Kioga y abrirlo el verano próximo como un centro turístico para niños y familias.

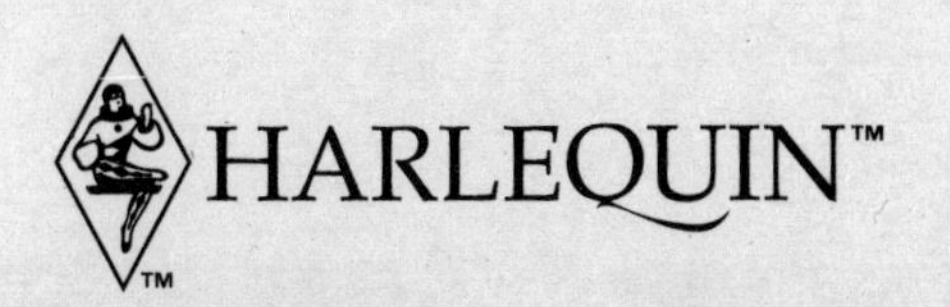
HARLEQUIN™
TM